DE BENOÎT À FRANÇOIS, UNE RÉVOLUTION TRANQUILLE

DU MÊME AUTEUR

Regards du temps, Éditions Gerbert, 1988.
Qui sont les Allemands ?, Max Milo, 2011.

Jean-Louis de La Vaissière

De Benoît à François, une révolution tranquille

LE PASSEUR
—— ÉDITEUR ——

www.lepasseur-editeur.com

© Le Passeur, 2013
ISBN : 978-2-36890-048-2

En hommage et en mémoire de mon père Guy de La Vaissière, de ma tante Suzanne Orfila, de ma marraine Blanche Pécresse, qui voulaient une Église à la fois fidèle et ouverte au renouveau.

L'esprit souffle où il veut.
JÉSUS.

En contemplant l'Histoire, nous pouvons aujourd'hui affirmer que le centre de l'Église universelle n'a jamais probablement été aussi libre qu'aujourd'hui.
Cardinal Christoph SCHÖNBORN, archevêque de Vienne, 10 mars 2013.

Introduction

Le monde catholique à un tournant

L ORS de leurs retrouvailles de Castel Gandolfo, ce 24 mars 2013, ils se serrent les mains avec chaleur, l'un pape en exercice, l'autre pape émérite, avant d'aller s'agenouiller côte à côte pour prier dans la chapelle du palais pontifical. Que font-ils là, ces hommes en blanc improbables ? Qui les réunit ? Pourquoi rejouent-ils à deux une pièce de théâtre vieille de deux mille ans et qui semble usée comme un vieux drap ?

Deux papes si différents, l'un fragile et voûté, l'autre encore vigoureux. À ce Christ, ils ont tout donné, ils voient en Lui le centre de l'univers. Ils professent qu'Il libère des esclavages, y compris de leurs propres limites et péchés. Ils confessent cette parole incroyable de l'Incarnation d'un Dieu tout-puissant qui se fait serviteur, de laquelle on est tenté de douter : trop belle, impossible, illusoire. Pour ceux qui sont désabusés et considèrent tout – religion, politique – comme une comédie, ces hommes se leurrent ou mentent. Comment osent-ils dire qu'ils sont pleinement comblés quand il y a tant de souffrances, de séismes, de maladies, d'injustices à la naissance même ? L'un ose encore nous parler de la Vérité, l'autre nous ressort même la figure du diable.

Pourtant l'un, le plus doux même s'il est le plus sévère, Benoît, dit que la création de Dieu est comme une partition parfaite de musique, qu'il n'y a rien de plus exaltant que de rechercher la Vérité au milieu des vérités relatives. Que le Bon Pasteur donne tout, n'enlève rien. L'autre, François, témoigne que le Dieu chrétien est un Dieu de la miséricorde et du chemin vers l'autre, et qu'il peut rendre heureux, sous le poids même de la Croix. Heureux de donner, de se donner, de recevoir, dans un mouvement permanent. « N'ayez pas peur de la bonté et même pas non plus de la tendresse », enjoint-il aux prêtres en pensant à toutes les marges existentielles de ce monde.

Ils sont tous deux des objets de scandale, ils inspirent la haine, comme on l'a vu prétendre sur les réseaux sociaux.

Ils gênent, ils sont à contre-courant. Tant ils s'en prennent aux idées reçues, au relativisme tant aimé, qui nous sécurise et insécurise à la fois. Pour se donner courage, ces papes se réfèrent à la cohorte de martyrs anonymes, qui, des premiers chrétiens au Goulag et au nazisme, ont offert le témoignage admirable d'aller jusqu'au bout : donner sa vie pour ceux qu'on aime. Le nouveau pape François invite clairement à les suivre.

Ils y croient ? Comment le peut-on, aujourd'hui ! Benoît comme François, si différents, avec leurs limites et leurs charismes, proposent une alternative, et ils le font sans rire ! De Noël à la Pentecôte en passant par Pâques, ils redébobinent toujours la même pelote, une religion mystérieuse, un peu compliquée mais dont les mots semblent pourtant s'animer comme une fresque de Giotto ou un tableau du Caravage. Une alternative de liberté qui ne se laisse récupérer par rien, même si elle a été salie, exploitée à des fins contraires à son essence. Que l'Église institution soit très pécheresse, Benoît et François en sont très conscients. Mais cela ne les conduit nullement à renoncer à l'Église mystique qui se bâtit à partir de la texture des hommes de chair. Et l'on aime à tourner son regard, plutôt que vers tous les scandales défigurant le nom de Dieu, vers d'innombrables témoins de la charité et de l'intelligence. Ils ont, autour d'eux, rendu plus humain l'humain, fait renaître des sourires sur les visages, et la dignité dans les cœurs, en mettant en pratique la parole de Jésus. De Vincent de Paul à François d'Assise, de Jean-Sébastien Bach à Thérèse d'Ávila ou à Hildegarde de Bingen. Un cortège interminable et fascinant de saints et saintes, de penseurs, d'artistes, d'originaux...

Ils n'étaient pas d'accord entre eux sur tout, ont laissé des héritages bien divers. Ratzinger et Bergoglio sont aussi différents. C'est aussi cela l'Église, un gigantesque chaudron où bouillonne l'Esprit, chaque bulle étant une recherche aux demandes compliquées et contradictoires sur le Salut, la charité, la vérité.

Pour le professeur de théologie allemand Joseph Ratzinger comme pour le fin jésuite argentin Jorge Bergoglio, le projet chrétien englobe toutes les réalités, accueille tous les hommes, donne une joie qui ne ressemble à aucune autre, une joie avec et malgré la Croix. Ils ont conscience d'arriver comme des perturbateurs dans une période dramatique où la mondialisation a fait éclater de nombreuses références millénaires, où les valeurs sont devenues les marchandises, où de nouvelles idoles subtiles apparaissent et où l'homme croit être la seule mesure de lui-même. « Soyez gardiens de la Création et de tous vos frères et sœurs », a rappelé a contrario le pape François. Abandonnez l'idée d'individu pour celle de la personne. Le personnalisme chrétien, c'est ce que proposent les deux papes. Ce n'est pas un hasard s'ils ont choisi deux prénoms de saints, Benoît et François, parmi les plus grands, les plus *fous* de Jésus. Ce n'est pas une soupe tiède de bons sentiments.

Pour moi, journaliste à l'AFP accrédité au Vatican, deux papes dans une même année, c'était l'occasion d'une réflexion, alimentée par mes contacts avec des vaticanistes, des cardinaux, des experts. En toute modestie.

L'objet de ce livre est donc de voir quelle continuité, quels changements s'opèrent dans l'Église, et ce qui relie les deux hommes qui se sont succédé dans la charge la plus lourde au monde. Que l'on aime l'Église ou non, on doit reconnaître que l'héritage – plus de deux mille ans de pensée et de témoignage – est écrasant, tout comme la diversité des personnes et des cultures concernées par le catholicisme aujourd'hui.

Dans la première partie de cet ouvrage, consacrée à Benoît XVI, j'ai cherché à tracer un bilan provisoire d'un pontificat de huit ans, dans une période difficile, et à rendre justice à un pape mal compris et pourtant grand.

Dans la seconde partie, j'ai suivi les premiers pas du pape François sur les traces de saint Pierre : comment il s'efforce de bouger les choses et les mentalités dans l'Église, tout en étant fidèle à l'essentiel. On ne sait pas tout ce qu'il a décidé de faire, mais quelques orientations sont désormais claires.

Dans la dernière partie enfin, sur les défis du monde moderne, j'ai tenté d'exposer de manière équilibrée comment l'Église se pose dans la confrontation difficile avec lui, alors qu'elle semble à beaucoup de contemporains jouer le rôle du partenaire rétrograde. Et alors même qu'elle entend proposer un projet d'une modernité absolue. J'ai aussi cherché à exposer les arguments du camp hostile à l'Église, à la religion. Il a aussi de bonnes raisons. Tout cela dans l'espoir de permettre une *disputatio* honnête, qui montre que le projet chrétien, exigeant et intégral, mérite d'être pris en considération.

Un pape renonce : séisme dans l'Église

Benoît XVI, perfectionniste de Dieu

Le Christ donne tout, n'enlève rien.

1

Coup de tonnerre dans un ciel serein

C E 11 février 2013, ce fut l'affaire de quelques minutes :
un acte à la fois officiel, sobre, bref, sans effusion et
sans cérémonie. Un coup de tonnerre dans un ciel serein,
comme l'a défini le doyen du Sacré Collège, le cardinal
Angelo Sodano – mais le ciel était-il bien serein ? – a pris
de court les cardinaux, la Curie, l'Église, le monde.
Un pouvoir deux fois millénaire, confié par Dieu à Pierre,
changeait ses paradigmes. Un pape annonçait sa démission. Certainement la simplicité avec laquelle elle a été
communiquée a fait s'étrangler secrètement ou scandalisé
quelques cardinaux. Pour eux une conception de l'Église
universelle et de son pouvoir temporel était remise en
cause. Benoît XVI, pape depuis presque huit ans, n'a certainement pas voulu une révolution ; il déteste les révolutions. La *raison*, tant aimée, poussée par l'Esprit Saint, l'a
conduit. La presse universelle, même la moins catholique,
y a vu avec justesse un de ces événements qui ne cessent
jamais d'avoir des répercussions en profondeur. L'Allemand Joseph Ratzinger est un homme qui ne paraît gris

et insipide qu'à ceux qui ne le connaissent pas : durant tout son pontificat, il aura su surprendre.

En ce matin où tombe une petite pluie glacée sur la place Saint-Pierre, le pape a juste convoqué un consistoire ordinaire, auquel personne ne fait très attention. Il doit ratifier des canonisations de bienheureux, l'Italien Antonio Primaldo et ses compagnons, martyrs, assassinés en 1480 par les Ottomans pour avoir refusé d'abjurer leur foi à Otrante, dans le sud de l'Italie, ainsi que la Colombienne Laura Montoya y Upegui et la Mexicaine María Guadalupe García Zavala, deux saintes religieuses mortes au milieu du siècle dernier.

Le président de la Congrégation pour la cause des saints, le cardinal Angelo Amato, prend la parole, puis le pape lui répond, approuvant le décret. Pâle, les traits tirés, engoncé dans ses habits de cérémonie lourds et dorés, il semble simplement profondément las, mais il est très présent à ce qu'il fait. Le consistoire pourrait prendre fin là, entre le pape assis sur un trône à une extrémité et les cardinaux, tous de rouge vêtus, qui ont pris place sur des sièges de part et d'autre de la salle. Image un peu simpliste d'une Église solennelle, immobile dans ses rites, chambre d'enregistrement. D'ici une minute, cette image va être bousculée.

Puis le pape reprend la parole, il se met à lire en latin un texte de sa voix pas très forte mais distincte : « *Fratres carissimi. Non solum propter tres canonizationes ad hoc Consistorium vos convocavi...* » « Très chers frères, je vous ai convoqués à ce Consistoire non seulement pour ces trois canonisations... »

Peut-être certains cardinaux somnolaient-ils, ils tendent l'oreille, intrigués. La phrase centrale sera assénée un peu plus tard : « *Quapropter bene conscius ponderis huius actus plena libertate declaro me ministerio Episcopi Romae, Successoris*

Sancti Petri, mihi per manus Cardinalium die 19 aprilis MMV commissum renuntiare ita ut a die 28 februarii MMXIII, hora 29, sedes Romae, sedes Sancti Petri vacet et Conclave ad eligendum novum Summum Pontificem ab his quibus competit convocandum esse. » Le mot *renuntiare* (renoncer) s'entend distinctement dans la salle de presse du Vatican encore vide, où le discours est retransmis comme d'habitude par circuit interne. À 11 h 46, un journaliste français, Charles de Pechpeyrou, de l'agence I.Media, et une journaliste italienne, Giovanna Chirri, de l'agence ANSA, seront les premiers à saisir ce mot et à se demander quelques secondes s'ils l'ont bien compris, avant de répercuter la nouvelle.

Le cardinal Sodano lui répond alors par un message empreint d'émotion. Même s'il a été préparé, car l'ancien bras droit de Jean-Paul II a été mis peu de temps avant dans le secret. Un des seuls.

Dans ce texte plein d'humilité et de clarté, chaque mot a été pesé par Benoît XVI. C'est la première fois depuis Célestin V, le pape moine au xiii siècle, qu'un pape renonce volontairement à sa charge :

Je vous ai convoqués à ce Consistoire non seulement pour les trois canonisations, mais également pour vous communiquer une décision de grande importance pour la vie de l'Église.

Après avoir examiné ma conscience devant Dieu, à diverses reprises, je suis parvenu à la certitude que mes forces, en raison de l'avancement de mon âge, ne sont plus aptes à exercer adéquatement le ministère pétrinien. Je suis bien conscient que ce ministère, de par son essence spirituelle, doit être accompli non seulement par les œuvres et par la parole, mais aussi, et pas moins, par la souffrance et par la prière. Cependant, dans le monde d'aujourd'hui, sujet à de rapides changements et agité par des questions de grande importance pour la vie de la foi, pour gouverner la barque de saint Pierre et annoncer l'Évangile, la vigueur du corps et de l'esprit est aussi nécessaire, vigueur qui, ces derniers mois, s'est amoindrie en moi d'une telle manière que je dois reconnaître mon incapacité à bien administrer le ministère qui m'a été confié. C'est pourquoi, bien conscient de la gravité de cet acte, en pleine liberté, je déclare renoncer au ministère d'Évêque de Rome, Successeur de saint Pierre, qui m'a été confié par les mains des cardinaux le 19 avril 2005, de telle sorte que, à partir du 28 février 2013 à vingt heures, le Siège de Rome, le Siège de saint Pierre, sera vacant et le conclave pour l'élection du nouveau Souverain Pontife devra être convoqué par ceux à qui il appartient de le faire.

Frères très chers, du fond du cœur je vous remercie pour tout l'amour et le travail avec lequel vous avez porté avec moi le poids de mon ministère et je demande pardon pour tous mes défauts. Maintenant, confions la Sainte Église de Dieu au soin de son Souverain Pasteur, Notre Seigneur Jésus-Christ, et implorons sa sainte Mère, Marie, afin qu'elle assiste de sa bonté maternelle les Pères Cardinaux dans l'élection du Souverain Pontife. Quant à moi, puissé-je servir de tout cœur, aussi dans l'avenir, la Sainte Église de Dieu par une vie consacrée à la prière.

Plus tard, dans la salle de presse, où les yeux de certains sont rougis et où affluent des journalistes du monde entier qui n'y viennent jamais, repasse en boucle la vidéo de cette séance du consistoire qui devait être ordinaire. Le ton du pape, l'effacement, le manque d'effusion, d'émotion apparente frappent surtout. « Il a parlé de sa démission comme s'il parlait d'un autre », observera un cardinal. Et aussi le fait que le pape s'en aille aussi vite, sans saluer les cardinaux qui resteront cois, abasourdis, sans réponse, face à un séisme.

On exhumera l'histoire oubliée de Célestin V[1], dernier pape ayant démissionné, au XIIIe siècle. Un lointain prédécesseur que Benoît XVI avait honoré quelques années plus tôt, le 4 juillet 2009, en se rendant à L'Aquila et à Sulmona, dans les Abruzzes, et en remettant son pallium sur la châsse contenant ses reliques. Un mystique, un homme élu alors dans un climat d'intrigues et de luttes de pouvoir, un pape réticent comme Benoît XVI avait été au fond de son cœur au moment de son élection en 2005. Un homme détaché des attraits de la mondanité terrestre, qui attirent encore beaucoup dans la Curie romaine. Un homme qui devait redevenir moine. Benoît XVI se retire lui aussi dans un ancien monastère au Vatican.

La presse découvre tout à coup la valeur d'un homme à partir de ce seul acte. Qu'il annonce son départ en fait quasiment un héros, pour des médias qui voient le Vatican comme un scandale. Ils sont prêts à proclamer que cet acte historique rachète un pontificat de transition, où, selon eux, rien n'aurait bougé.

L'analyse des conséquences est juste : cet acte d'une inédite liberté, révolutionnaire à sa manière, comme il sera défini dans toutes les bouches, remet en effet en cause les équilibres dans l'Église, en la rapprochant plus des sociétés humaines, et en acceptant de prendre en considération le problème de l'âge. Ses effets, quelques mois plus tard, ne seront pas encore digérés, pas encore pleinement compris dans toutes leurs dimensions. « Attendez ! Beaucoup sont encore à venir, on n'a pas encore vu le plus gros », murmureront dans les couloirs du petit État les fonctionnaires inquiets ou enthousiastes.

La fatigue, le sentiment de n'être plus assez fort et vif pour faire face aux défis dans le monde d'aujourd'hui,

---

1. Le pape ermite Pierre Morrone (1215-1296).

« sujet à de rapides changements et agité par des questions de grande importance pour la vie de la foi » l'ont emporté dans la décision. Sans doute d'autres raisons aussi, tenant à la Curie, que Benoît XVI, par délicatesse, n'a jamais révélées, et qui feront l'objet plus tard de beaucoup de conjectures. On aurait pu craindre un pontificat qui s'éternise, et le pape avait conscience que la barque de Pierre avait besoin d'être dirigée d'une main ferme. Il ne s'agissait pas d'une fuite, comme certains cardinaux l'auraient reproché à Benoît XVI. Le besoin de « vigueur » était le mot clé.

Dans son message de démission, Benoît se montre conscient d'une période très difficile pour la foi, pour l'Église. Le trésor qu'il veut transmettre n'est plus accessible. Parmi beaucoup d'autres, un message très personnel qu'il a prononcé au début de l'Année de la foi, permet de mieux saisir sa pensée.

Ce 11 octobre 2012, c'est un jour particulier pour l'Église, le pape a célébré dans la basilique Saint-Pierre le cinquantième anniversaire du grand Concile Vatican II, qui a marqué toute sa vie. Il a inauguré en même temps une Année de la foi, pour revitaliser une Église secouée par la sécularisation. Dans la nuit, à son balcon, silhouette amaigrie, sobre et frêle, il est apparu à des milliers de militants de l'Action catholique qui avaient organisé un défilé aux flambeaux. Il renouvelait le geste de Jean XXIII, le jour de l'ouverture du concile, dans son célèbre discours à la lune. Cette fois la pleine lune n'était pas de la fête. C'était une tout autre atmosphère, comme Benoît devait le définir lui-même : une joie plus sobre, humble qu'il y a cinquante ans. Le pape allemand, qui avait déjà pris la décision de démissionner, exprimait comme une nostalgie, une tristesse, une angoisse, dans ces mots très doux :

> Moi aussi j'étais sur cette place, le regard tourné vers cette fenêtre où le bienheureux pape Jean XXIII nous avait parlé avec des paroles inoubliables, paroles pleines de poésie, de bonté, paroles du cœur.
> Nous étions heureux – et je dirais – pleins d'enthousiasme. Le grand Concile œcuménique avait été inauguré. Nous étions sûrs que devait venir un nouveau printemps de l'Église, une nouvelle Pentecôte.
> Aujourd'hui aussi nous sommes heureux, nous avons la joie dans notre cœur, mais je dirais que c'est une joie peut-être plus sobre, une joie humble. Dans ces cinquante années, nous avons appris et expérimenté que le péché originel existe et se traduit, toujours de nouveau, par des péchés personnels qui peuvent aussi devenir des structures de péché. Nous avons vu que dans le champ du Seigneur, il y a toujours aussi la zizanie. Nous avons vu aussi que dans le filet de Pierre, on trouve aussi de mauvais poissons. Nous avons vu que la fragilité humaine est présente aussi dans l'Église, que la barque de l'Église navigue aussi à vent contraire, avec des tempêtes qui la menacent, et parfois nous avons pensé : « Le Seigneur dort et nous a oubliés. »

On se dit alors qu'il pense aux différents scandales, divisions et intrigues dans la Curie, corruption, fuites de documents, pédophilie surtout, qui ont marqué le pontificat d'une lumière dramatique.

Pour ne pas finir sur cette note pessimiste, il assure : « Mais nous avons une nouvelle expérience de la présence du Seigneur, de sa bonté, de sa force (...). Le feu du Christ n'est pas un feu qui dévore, qui détruit ; c'est un feu silencieux, une petite flamme de bonté, de bonté et de vérité, qui transforme, donne lumière et chaleur. »

« À la fin, j'ose faire miennes les paroles inoubliables du pape Jean : retournez à la maison et donnez un baiser à vos enfants en leur disant que c'est de la part du pape. »

*

* *

Cinquante ans après, un vieil homme digne s'en va. Un pape qui reconnaît d'emblée ses défauts, ses insuffisances.

Un cardinal qui a requis l'anonymat a observé la réaction de ses collègues, et confirme que cette démission est parfois mal passée dans la Curie, inquiète de ses conséquences. Certains ne comprennent pas ce qu'ils voient comme une désacralisation d'une fonction confiée par Dieu. D'aucuns, parmi les plus traditionalistes, craignent même ce qu'ils appellent une « dérive protestante ».

« J'ai vu personnellement cette décision comme un moment de grâce et de réflexion sur le monde et sur Dieu, mais beaucoup d'évêques et cardinaux n'ont pas compris. Certains ont été un peu scandalisés, ont eu l'impression d'un lâchage. D'autres ont critiqué le fait qu'il se retire de façon discrète et sans se montrer. Or cette décision exprime au contraire, en quelque sorte, la conscience professionnelle du pape vis à vis de son ministère. Benoît XVI quitte son ministère de pape grandi.

« La fonction de pape était trop sacralisée. Benoît XVI fait comprendre qu'être pape reste avant tout un service, qui est quelque chose de passager, qui n'est pas intouchable. Un pape, quel qu'il soit, ne pourra plus être désormais comme son prédécesseur. La démission de Benoît XVI ouvre donc une réflexion sur ce que peut être son rôle.

« Cela aura à mon avis aussi des incidences œcuméniques, contribuera à une meilleure compréhension avec les autres confessions chrétiennes », ajoute ce cardinal, qui confirme que ce n'est sûrement pas une volonté de rupture avec la tradition qui a poussé Joseph Ratzinger. « La tradition compte beaucoup pour lui, mais il lui donne un sens profond, non pas d'immobilisme. »

Enfin le cardinal anonyme exprime un souhait : « Ce qui est important, c'est que, quel que soit le futur pape, il puisse réaliser le changement que vivent et non sans douleur parfois le monde et l'Église elle-même. »

Lui qui a souvent côtoyé le pape se montre enfin sûr de la discrétion de Benoît XVI, vivant à quelques pas de son successeur. Il saura être plus que discret, c'est un homme de devoir qui a un grand sens de l'Église.

2

Un pape dans la tempête

L A tourmente a bien eu lieu ce jour-là. C'est le 20 août 2011, sur l'ancien aérodrome madrilène de Cuatro Vientos. Le pape a à peine rejoint un million de jeunes rassemblés dans une veillée de prière pour les Journées mondiales de la jeunesse (JMJ) que les éléments du ciel se déchaînent, faisant tanguer dangereusement l'immense tribune où se trouve Benoît XVI, interrompant la sonorisation de l'immense champ. Sa calotte envolée, ses cheveux blancs au vent, souriant, tranquille, le pape est assis. Il refuse la proposition de son maître de cérémonie de se retirer, par prudence. Pas question de fausser compagnie aux jeunes catholiques. « Nous avons traversé une aventure sous la pluie, raffermis dans la foi ! Je rappelle qu'avec le Christ, vous pouvez toujours affronter les orages de la vie. » Puis il demande avec une autorité paternelle aux jeunes de commencer le temps d'adoration du Saint-Sacrement en silence. Le silence s'impose aussitôt. Ce silence pour la prière est, selon son porte-parole, la plus grande joie de Joseph Ratzinger, dans la société du bruit.

Cette scène, symboliquement, résume beaucoup de choses : la tempête qui s'acharne avec violence sur l'Église ; la conviction de ce théologien du Concile Vatican II que le message du Christ l'emportera ; un grand-père sérieux et respecté, même s'il est souvent incompris ; le retour à la primauté du moment religieux sur le spectacle. Une bourrasque, cette fois morale, sans tonnerre ni rafales, se manifestera moins d'un an plus tard. Personne ne l'aura vue, elle aura lieu dans le saint des saints du Vatican : le 23 mai 2012, le majordome Paolo Gabriele, qui servait Benoît XVI chaque jour depuis 2006 est arrêté pour avoir fait passer hors des murs du plus petit et secret État du monde de nombreux documents confidentiels à des journalistes. Joseph Ratzinger, qui a toujours tout basé sur la confiance d'un entourage restreint, accuse fortement le coup. Dès le lendemain, son banquier Ettore Gotti Tedeschi, à la tête de l'Institut pour les œuvres de religion (IOR), la banque du pape, est limogé par son conseil d'administration.

Quelques semaines auparavant, alors que Vatileaks le tracasse déjà, il nous sera donné de l'observer de près. Dans l'avion qui l'emmène au Mexique[1], il arrive à petits pas, tout de blanc vêtu, son visage est tanné, amaigri et pâle, le regard pénétré d'un homme habité par une pensée profonde et grave. Il n'est pas du tout solennel ou arrogant quand il vient parler aux journalistes. Aux questions préparées à l'avance, il se soumet volontiers, regardant devant lui, loin devant, clignant ses yeux cernés, hésitant un peu, la voix d'abord mal assurée, légèrement enrouée. Il parle comme le professeur qu'il a toujours été, comme à des élèves, cherchant ses mots, pour fixer sa pensée.

---

1. Voyage au Mexique et à Cuba, du 23 au 29 mars 2012.

Hors du Vatican, il semble souvent revigoré. À la paroisse Sainte-Rita de Cotonou[1], il est visiblement ému quand il prend Benedicta, une petite orpheline, dans les bras. À León, au Mexique[2], il ressort dans la rue de nuit devant sa résidence pour saluer ses *afecionados* qui chantent sous ses fenêtres. Il coiffe à la façon de Jean-Paul II un sombrero en confiant qu'il n'a jamais été accueilli ainsi en Europe. C'est la même nuit que, dans sa chambre, il tombera et se blessera légèrement à la tête, mais personne n'en saura rien. Le lendemain, on le verra seulement las, tellement las, débarquer dans la chaleur tropicale de Santiago de Cuba. Puis il s'entretiendra chaleureusement et vivement à La Havane avec Fidel Castro, entre vieux compères et anciens frères ennemis. Une autre fois, à la prison romaine de Rebibbia, il rencontre des détenus[3], qui l'apostrophent, lui posent des questions sur leur souffrance. « *Anche io, ti voglio bene* » (Moi aussi je t'aime bien), répond-il, du tac au tac, la voix enrouée par l'émotion, à un détenu.

Qui est ce pape qu'on dit froid et cérébral, et qui, quand on a l'occasion de le saluer, vous fixe d'un regard intense, qu'on n'oublie pas ?

Qu'il soit en pleine possession de ses moyens intellectuels, cela est démontré ce soir de juin à Rome, où, alors que Vatileaks bat son plein, il donne une demi-heure durant une catéchèse magistrale sur le baptême[4]. Le texte, qui sera ensuite publié, est parfait. Il a parlé sans aucune note. Il le fera régulièrement, jusqu'au témoignage fulgurant, libre,

---

1. Le 19 novembre 2011, le pape se rend à la paroisse Sainte-Rita de Cotonou, pour rencontrer des petits orphelins.
2. À León devant la résidence épiscopale, le 26 mars 2011.
3. Benoît XVI se rend à la prison de Rebibbia au nord de Rome le 18 décembre 2011.
4. Le 12 juin 2012, dans la basilique Saint-Jean du Latran.

teinté d'humour et de nostalgie qu'il donnera sur son expérience du Concile Vatican II, devant le clergé romain, en forme de testament, le 14 février 2013. Mais, à tant d'autres moments, durant ces huit années d'un pontificat par maints aspects tragique, il semblera crouler sous le poids de sa charge, lors des longues cérémonies qu'il respecte à la lettre : il a l'air absent, le visage tendu, et parle plusieurs fois des trahisons.

La tempête dans l'Église, ce sont les effets du pire scandale qui soit – la pédophilie –, la corruption, mais aussi le dénigrement de son enseignement, une indifférence pire que l'hostilité. L'ancienne religion majoritaire de l'Europe, qui a porté vaille que vaille sur vingt siècles l'un des plus beaux messages de l'humanité, qui a contribué à la civilisation, à la pensée, à la raison, à l'art, semble parfois reléguée au musée, n'est plus prise au sérieux. Le christianisme n'est plus qu'une offre parmi une multitude d'autres. C'est pour lui une grande souffrance.

Y a-t-il eu un complot intra-muros en 2012 pour déstabiliser le pontife âgé de 85 ans ? En avril 2005, il avait comparé son élection à un couperet qui lui tombait sur la nuque[1], mais il ne pouvait s'attendre à affronter une telle tempête. En 2012, quand on parle de l'Église, des images sulfureuses aux dominantes violettes et pourpres viennent à l'esprit des foules occidentales : le *Da Vinci code* de Dan Brown et ses fantasmes sont plus que jamais de retour dans la presse populaire et l'imaginaire. Tout le contraire de la sobriété du pape bavarois.

Incompris, aussi mal aimé qu'il est vénéré de ceux qui se sont appliqués à le connaître, le pontife allemand, 265e pape

---

1. « J'ai senti le couperet de la guillotine s'approcher de mon cou », dira-t-il le 25 avril 2005, peu après son élection à un groupe de pèlerins allemands.

de l'Histoire et le plus âgé en exercice depuis Léon XIII[1], semble à la fois frêle et ferme en dirigeant la barque Église sur ces flots noirs et tourmentés.

Un homme seul à la barre

Quand il a affronté la foule, la première fois, ce jour d'avril 2005 à la loggia de la basilique Saint-Pierre à l'issue du Conclave, Joseph Ratzinger apparaissait comme sous le poids d'un fardeau immense. Regrettait-il de ne pouvoir rejoindre un lieu de retraite tranquille en Bavière ou dans les Castelli Romani pour se consacrer à ses livres ?

Après un court temps de grâce, où les médias ont découvert un homme plus simple et chaleureux que le « rottweiler de Dieu » que croyait connaître la presse allemande, son pontificat a été vite remarqué pour de pénibles pannes à répétition : Benoît XVI a été bientôt épinglé comme un nouveau Pie IX, en raison d'une réputation de conservatisme rigide qui lui collait à la peau. Le pontife timide serait-il finalement le mauvais cheval après le bon pape globe-trotter Jean-Paul II, celui qui insulte et ne comprend pas l'islam[2], qui réhabilite la messe en latin[3] et suspend les sanctions contre un évêque traditionaliste (Richard Williamson) niant les chambres à gaz[4] ?

---

1. Léon XIII (1810-2003) est le pape mort le plus vieux.
2. Le 17 septembre 2006, dans un exposé théologique dans son ancienne université de Ratisbonne en Bavière, Benoît XVI cite un empereur byzantin, Manuel II Paléologue, qui parle au XIVe siècle de l'islam avec un érudit persan et qui condamne la violence exercée au nom de cette religion.
3. Un *motu proprio* de Benoît XVI de 2007 autorise à nouveau la messe en latin.
4. La levée en janvier 2009 de l'excommunication de quatre évêques, dont le Britannique Williamson qui avait mis en doute, dans une interview télévisée quelques semaines plus tôt, les chambres à gaz, fait un tollé.

Quelques plumes alertes et caricaturistes sarcastiques ont allègrement brossé l'image la plus désastreuse qui soit. L'ancien adolescent bavarois rentré par obligation aux Jeunesses hitlériennes serait devenu un pontife nazi protégeant les pédophiles, intégriste, antisémite, antimusulman, condamnant le sexe. Il n'aurait même pas pour lui le charisme de son prédécesseur. Tout serait chez lui étroit : la peur du monde, le repli identitaire, le cléricalisme. Rien n'est plus injuste que cette caricature.

« Regarde-t-on le mauvais film ? », s'est demandé un jour son secrétaire particulier, Georg Gänswein.

« Satan au Vatican » : dans les kiosques de France, durant l'été 2012, un montage photographique du journal populaire *Horoscope* montrait un pape effondré sur son trône et son bras droit, Tarcisio Bertone, l'air triomphant et gouailleur. Plus subtil, en Italie, *Venerdi*, le supplément du quotidien *Repubblica*, photographiait Sa Sainteté de dos[1], dans un beau clair-obscur visant à susciter la pitié : « il est enveloppé dans l'obscurité la plus compacte, comme les pensées des croyants qui ne réussissent plus à rien voir, ou alors seulement des saloperies, des problèmes et de la douleur ». La prise du vue le montrant ainsi dans une perspective de fuite, de repli, de déphasage, sera d'ailleurs souvent choisie pour la une des magazines, comme d'autres soulignant la sévérité de ses traits comme pour accentuer l'idée de son hostilité au monde moderne.

Beaucoup de non-catholiques et de catholiques, qui admiraient Jean-Paul II, ont débranché le fil qui les reliait à la papauté et rien, semble-t-il, ne doit les amener à le rebrancher.

En sens inverse, un mouvement diffus de défense du pape s'est créé, encore minoritaire, parmi les fidèles les plus pratiquants : sur Internet, par exemple, de jeunes catholiques,

---

1. *Venerdi*, 13 juillet 2012.

papaboys et papagirls, issus des JMJ de Cologne, Sydney et Madrid, organisent des réseaux pour défendre l'image de *leur* pape. Le discrédit qui retombe sur cet homme solitaire résulte autant d'une crise très réelle – en premier lieu la scandaleuse protection des prêtres pédophiles dont la papauté est considérée responsable en tant que sommet d'un système jugé pyramidal –, que d'une dégradation de l'image générale.

« Que de souillures dans l'Église ! »

Dans sa célèbre méditation du Chemin de croix au Colisée[1] peu avant son élection, Joseph Ratzinger, parfait connaisseur de la Curie, porta un diagnostic très sévère sur l'Église. Il employa avec élégance le *nous*, comme pour assumer une responsabilité collective. Il fit clairement allusion au couvercle mis sur la pédophilie des prêtres. Mais aussi aux ambitions et à cette façon d'un grand nombre de récupérer Jésus, de se faire leur propre religion :

> Combien de fois ne célébrons-nous que nous-mêmes ! Combien de fois la parole du Christ est-elle déformée et galvaudée ! Quel manque de foi dans de très nombreuses théories, combien de paroles creuses ! Que de souillures dans l'Église, et particulièrement parmi ceux qui, dans le sacerdoce, devraient lui appartenir totalement ! Combien d'orgueil et d'autosuffisance ! [...] Souvent, Seigneur, ton Église nous semble une barque prête à couler, qui prend l'eau de toute part. Et dans ton champ, nous voyons plus d'ivraie que de bon grain. Les vêtements et le visage si sales

---

1. Le 25 mars 2005, le cardinal allemand, alors que Jean-Paul II est au plus mal, rédige les méditations du Chemin de croix au Colisée.

de ton Église nous effraient. Mais c'est nous-mêmes qui les salissons ! C'est nous-mêmes qui te trahissons chaque fois, après toutes nos belles paroles et nos beaux gestes.

Dans la première messe de son pontificat[1], il demandera aux évêques : « Priez pour moi, afin que je ne me dérobe pas, par peur, devant les loups. » Les loups reviendront ensuite régulièrement dans ses homélies. Contraire à l'essence du message chrétien, la pédophilie a littéralement enfoncé l'Église. Elle jette une ombre sur son œuvre éducative universelle, alimente un nouvel anticléricalisme radical, venu souvent d'anciennes victimes traumatisées et abusées comme celles du SNAP (*Survivors Network of those Abused by Priests*). Ce réseau américain voudrait faire juger le pape, accusé d'avoir couvert le clergé pédophile, devant le tribunal pénal international, même si la justice américaine a établi que le Vatican ne peut être tenu pour l'employeur d'un prêtre abuseur. Le crime a jeté le soupçon sur le prêtre et sa chasteté, censée être automatiquement malsaine. Soupçon douloureusement vécu par 99 % des prêtres, religieux, honnêtes, alors que le fléau frappe d'autres corps sociaux. Mais il y a un problème spécifique de l'Église et ce sera un mérite de Benoît XVI de l'avoir reconnu, sans faux-fuyants, notamment dans l'avion qui l'emmène à Lisbonne en 2010[2] : rien ne sert, pour se dédouaner, de parler d'attaques malveillantes pour décrédibiliser l'Église, comme l'ont fait certains cardinaux.

Vatileaks, scandale des fuites de documents confidentiels qui a éclaté début 2012, a porté lui aussi un coup à

---

1. Messe d'installation à Saint-Pierre, le 24 avril 2005.
2. Le 12 mai 2010, Benoît XVI dénonce dans la pédophilie un scandale « terrifiant » qui vient de l'Église.

l'institution romaine. L'affaire Maciel, du nom du fondateur mexicain du mouvement conservateur des Légionnaires du Christ, Marcial Maciel, manipulateur, coupable d'abus sur mineurs et de double vie, corrupteur de l'Église, a résumé le lien entre les deux scandales : ce mélange d'omerta et de corruption qui a touché l'édifice au plus haut. En commun la culture du secret, le goût du pouvoir, la défense des intérêts de l'institution avant la vérité, les alliances malsaines.

Face au plus lourd des scandales, la pédophilie, comment a réagi cet homme pudique qui répugne à parler de sexualité ? Devant d'anciennes victimes, des larmes discrètes à Malte en mars 2010. Des demandes solennelles de pardon aux victimes et à Dieu. La promesse, face à la dimension ravageuse du scandale en Irlande, qu'il n'y aura plus de protection de la hiérarchie pour les coupables. Et surtout la reconnaissance d'une responsabilité collective dans le passé, dans lequel implicitement il s'inclue, même s'il a apparemment été l'un des plus lucides : on n'a pas écouté les enfants, on a privilégié la réputation extérieure, la volonté de taire les scandales. « Je peux comprendre que quelqu'un dise : ce n'est plus mon Église[1] », admet-il.

Il fait adresser en mai 2011 une circulaire à toutes les conférences épiscopales[2], leur demandant de prendre des mesures internes et de coopérer avec la justice civile. Il soutient en janvier 2012 un symposium de l'université Grégorienne, organisé grâce à l'excellence des jésuites allemands, pour former les évêques aux dimensions psycho-

---

1. Message à l'Église d'Irlande à l'occasion du congrès eucharistique de Dublin, juin 2011.
2. Cette circulaire, énonçant des règles et des recommandations, est adressée par la Congrégation pour la doctrine de la foi à tous les évêques du monde entier, avec une demande de réponses dans les douze mois.

logiques du problème, en vue de nouvelles normes et d'une collaboration avec les autorités civiles et judiciaires. Plus d'un an et demi plus tard, des progrès ont été réalisés, mais les difficultés culturelles sont soulignées : dans tant de pays d'Asie ou d'Afrique ces sujets sont tabous, la prise de conscience faible, la volonté de lutte des autorités ecclésiales et judiciaires limitée. Le chantier reste immense, et si les abus en Occident datent surtout de trente-quarante ans, il y a probablement de vastes scandales non explorés.

La pédophilie était une maladie ancienne que le pontificat de Jean-Paul II n'a pas su ou voulu soigner, au nom de la réputation de l'institution. L'Église n'allait pas bien à la fin du long règne du pape polonais, de son agonie, pratiquement en public. Ambitions, mondanité et intrigues s'étaient développés. Une expérience qui a d'ailleurs poussé son successeur à ne pas vouloir prendre le même risque et à démissionner. Beaucoup de scandales étaient connus, minimisés et tus. L'Église, amoureuse de son propre pouvoir et prisonnière de son ambition de se présenter au monde comme un corps parfait, hésitait alors à faire le pas de la transparence, sachant que cela ferait très mal.

C'est le cardinal Ratzinger, à la tête de la Congrégation pour la doctrine de la foi, qui a le premier, quoique avec retard, accepté l'enquête réclamée depuis longtemps sur le père Maciel, et puis, devenu pape, l'a mis à la retraite d'autorité, l'écartant de toute fonction, jusqu'à sa mort en 2008. C'est le seul à avoir obstinément retourné à l'envoyeur ses cadeaux somptuaires. C'est lui qui a écrit en 2001 aux évêques la lettre *De delictis gravioribus*[1], qui exige que les dossiers de pédophilie du clergé remontent à Rome. Cependant il est lui-même critiqué par d'anciennes

---

1. Décret signé du cardinal Ratzinger en tant que préfet de la CDF le 11 mai 2001.

victimes pour n'avoir pas, comme archevêque de Munich puis comme préfet du Saint-Office, agi assez vite, par peur peut-être du scandale, ou faute de pouvoir admettre un scandale pour lui inconcevable. Comme si, à l'image de tant de prêtres d'une génération prude, il n'avait pas été formé à voir, à formuler, à imaginer de tels problèmes. La crédibilité de l'Église est minée, la foi est ébranlée de manière épouvantable, admettra-t-il. « Comment pouvons-nous expliquer [cette rupture de la confiance], cela reste un mystère », s'interrogera en juin 2012[1] le vieux pape, semblant ne pas bien saisir les raisons psychologiques des névroses à l'origine de ces délits, mais demandant à son Église de collaborer avec la justice civile. Le seul tabou, sacramentel, restant, bien sûr, le secret de la confession.

Même si le pic du scandale semble surmonté, il existe probablement encore ici et là, et peut-être en haut lieu, des solidarités du silence entre pédophiles de générations anciennes qui avaient profité de l'impunité du passé.

Face à la combativité de la justice civile, principalement américaine, qui a mis à genoux financièrement plusieurs diocèses des États-Unis, le secret, la minimisation, le mépris face aux calomnies que pratiquaient des prélats de la Curie apparaissaient contreproductives. Cette attitude n'a plus été soutenue par Benoît XVI. Cela a-t-il été une cause supplémentaire de tension interne, donc de ce scandale Vatileaks qui ne va pas tarder à éclater ?

Vatileaks, ras-le-bol contre un système ?

Début 2012, deux ans après les *anni horribiles* 2009-2010 (pédophilie et affaire de l'évêque négationniste Williamson),

---

1. Même message à l'Église d'Irlande, déjà cité.

le pape rigoureux avait commencé à regagner un certain respect, en montrant sa détermination et son amour de la vérité. Et voilà qu'une nouvelle crise, venue de l'intérieur même de son appartement, fondait sur lui.

Les pannes de Vatileaks avaient eu avec le pénible cas Williamson un signe avant-coureur. En 2009, le pape levait l'excommunication de quatre évêques intégristes, dont le Britannique Richard Williamson, qui, dans une interview télévisée, avait mis peu avant en doute les chambres à gaz. Benoît XVI n'était pas au courant ! Les canaux de l'information interne au Vatican n'avaient pas fonctionné. Aucun contrôle sur Internet des propos du sulfureux prélat ! Un ou plusieurs cardinaux ultra-conservateurs avaient sans doute jugé peccadille le péché d'insulte à la mémoire juive par rapport à leur volonté de faire avancer la réconciliation avec les lefebvristes.

Sous la pluie des critiques, humilié de pouvoir être considéré comme défenseur d'antisémites, le pape avait alors fulminé dans une rare colère. Il avait écrit aux évêques, citant saint Paul[1] : « Si vous vous mordez et vous dévorez les uns les autres, prenez garde : vous allez vous détruire les uns les autres ! » Désastreuse pour l'image du pontife allemand, cette panne aura sûrement marqué une césure. Benoît XVI a ordonné dès lors à la Curie de s'informer en temps réel, d'être plus réactive dans la communication.

Vatileaks qui éclatait en janvier 2012, sera un Agatha Christie sans violences ni meurtres. Pas d'agents embusqués avec des silencieux à l'entrée de la salle Clémentine ! Mais bien des aspects en resteront obscurs.

Après une série de fuites mystérieuses de documents très confidentiels provenant du bureau même du pape dans la presse italienne, le véritable coup de théâtre sera l'arrestation

---

1. Lettre aux évêques du 12 mars 2009.

le 23 mai 2012 de Paolo Gabriele, dit *Paoletto*. Les téléspectateurs du monde entier avaient pu se familiariser avec le visage carré et brun, imperturbable dans la papamobile aux côtés de Benoît XVI. Le pape est donc trahi par son majordome, à son service depuis 2006, qu'il aimait comme un fils. Il était celui qui était le plus souvent près du pape, qui lui préparait ses habits, lui tendait un parapluie ! L'image fait le tour du monde, et contribue à donner du pape une image de faiblesse, mais tout en faisant naître chez certains opposants un sentiment de sympathie ou de pitié.

Paolo Gabriele, le pieux serviteur psychorigide, que fascinaient les 007, dit avoir agi sous l'inspiration du Saint-Esprit, pour aider son pape bien aimé à sortir le Vatican de sa gangue de secrets. Le baron perché de l'appartement du troisième étage du palais apostolique prétend avoir voulu révéler les arcanes d'un monde opaque, où il disait constater partout le mal et la corruption. « Je me rendais compte que sur certaines choses, le Saint-Père n'était pas informé ou mal informé. Des scandales pour la foi alimentaient une série de mystères non résolus », a-t-il assuré aux juges, lors de ses interrogatoires.

Un procès public pour vol aggravé aura lieu à l'automne 2012 contre Gabriele, une première au Vatican. Benoît XVI, pointilleux dans le respect de la loi judiciaire de l'Église, respectueux des compétences, ne fera bien sûr aucunement obstacle à la justice. Et les redoutés médias – un *pool* d'une douzaine de journalistes triés sur le volet – seront présents dans la petite salle d'audience derrière la basilique Saint-Pierre lors de procès rapides (expéditifs diront certains) fin septembre. Le Vatican savait que les médias ne laisseraient rien passer, qu'ils repèreraient les moindres contradictions. Mieux valait donc qu'ils soient là plutôt qu'ils ne spéculent sur des on-dit dans le brouillard… Gabriele a été condamné à dix-huit mois de prison. Un second procès a jugé un complice, Claudio Sciarpelletti, un informaticien du Saint-Siège, condamné à deux mois avec sursis.

Puis les deux hommes ont été graciés fin 2012. Un peu comme Jean-Paul II avec Ali Ağca, on a vu Benoît XVI rendre visite peu avant Noël à Gabriele[1], parler avec lui longuement, dans une petite salle attenante à la cellule de la Gendarmerie vaticane où il était détenu. Le pape semblait aussi ému que le détenu, qui, depuis lors, en contrepartie de son silence, a trouvé un travail de gratte-papier dans un hôpital de Rome dépendant du Vatican, et a quitté le petit État avec sa famille.

Mais les corbeaux étaient-ils deux, trois, dix, vingt comme avait semblé le dire Gabriele, quand il était apparu le visage flouté sur une télévision italienne au début du scandale ? La justice vaticane continue-t-elle son enquête ? Osera-t-elle sanctionner des responsables haut placés s'il y en a, pour trahison du secret pontifical ? Il semble que non, depuis que la Secrétairerie d'État (gouvernement central), dans un communiqué qui ne l'honore pas, avait décrété le jour même de l'incarcération de Gabriele que l'affaire était close[2].

Avec le recul, que peut-on dire de Vatileaks depuis que l'intérêt médiatique est retombé brusquement en 2013 avec l'élection de François ? Privilégié par une presse italienne qui en raffole, le complot dirigé par plusieurs cardinaux, visant non seulement à chasser le premier ministre Tarcisio Bertone mais aussi à se positionner pour un conclave, n'est pas vraisemblable et paraît même rocambolesque. La presse italienne semble avoir été parfois en partie manipulée par

---

1. Cet entretien eut lieu dans une salle de la gendarmerie vaticane le 22 décembre 2012.
2. Communiqué de la Secrétairerie d'État, le 26 octobre 2012, le jour de l'incarcération de Paolo Gabriele.

certains au Vatican qui se livraient par son intermédiaire à leurs propres vengeances internes.

Restent des motifs qui peuvent sembler légitimes : tentative pour aider le pape par un choc médiatique à faire le ménage ; fronde de plus jeunes pour réformer un système trop gérontocratique ; volonté diffuse de dénoncer des scandales financiers ou de mœurs étouffés ; ras-le-bol face aux raidissements paranoïaques. Quand on assiste à certaines réactions de méfiance, les délires de persécution, les frustrations et les médisances de certains petits fonctionnaires, on comprend la probabilité d'un Vatileaks. Peut-être certains fonctionnaires amers, surtout des laïcs, se sont-ils reconnus et coordonnés, grâce à leurs contacts communs avec des journalistes. Certains subodorent même la jalousie d'exclus de la faveur pontificale qui les aurait poussés à des vengeances toutes shakespeariennes. Chacun affirme vénérer le pape, mais le Vatican sous Benoît XVI est resté une cour, une cour qui n'est plus adaptée au monde de l'hypercommunication électronique, constate le responsable d'une congrégation.

L'événement a été surtout dans la fuite massive. Les documents rassemblés dans le livre *Sua Santita* du journaliste Gianluigi Nuzzi, où il fait état de contacts suivis avec des taupes, dont une principale surnommée Maria, ont apporté peu de révélations stratégiques. Ce sont telle ou telle querelle italo-italiennes, des stratégies financières, politiques, ou de longues auto-défenses de personnalités qui se disent calomniées ou bloquées dans leur action par d'autres. Sont évoqués des dossiers chauds comme les Légionnaires du Christ et les lefebvristes. Significative est la lettre du pape noir des jésuites Adolfo Nicolás, rapportant à Benoît XVI les découragements de puissants bienfaiteurs néerlandais, Hubert et Aldegonde Brenninkmeijer, sur la grave crise de l'Église.

Vatileaks s'expliquerait par la résistance à la transparence : « Nous étions frustrés de nous trouver impuissants devant trop d'injustices, d'intérêts personnels, de vérités cachées. Nous sommes un groupe qui veut agir. Personne ne connaît les autres. Quand ces documents seront publiés, l'action de réformes commencée par Benoît XVI connaîtra une inévitable accélération », expliquait un des corbeaux anonymes cités dans *Sua Santita*.

Pourquoi le secrétaire d'État Tarcisio Bertone avait-il tant d'ennemis ? Ce cardinal italien, grand, carré, au visage ouvert, qui a prononcé la gorge nouée un dernier discours d'hommage touchant pour Benoît XVI le Mercredi des Cendres, applaudi plusieurs minutes durant, a-t-il assumé trop de pouvoir à la place d'un pape théologien affaibli ? L'absence de formation diplomatique, des opérations hasardeuses dans le secteur bancaire ou hospitalier catholique en Italie, les maladresses de l'ancien archevêque salésien de Gênes, amateur de foot et de blagues, ont irrité. Il intervenait trop dans la vie politique italienne. Il était trop « italien, gérant l'Église universelle comme une paroisse », a dit méchamment un religieux. Une vieille garde des diplomates n'acceptait pas un certain retrait sur les grands dossiers internationaux de celui qui disait vouloir plus d'évangile et moins de diplomatie. Mais Benoît XVI l'apprécie, et l'a toujours reconduit, même quand Bertone lui remettait sa démission et que son proche ami, le cardinal Joachim Meisner de Cologne, était venu demander son départ au nom de plusieurs cardinaux en 2009[1]. Benoît est fidèle et aime la fidélité. Il la renouvellera en pleine affaire Vatileaks.

Elle pourrait aussi bien s'appeler l'affaire Bertone : ou ce qui se passe dès lors qu'un pape théologien et au-dessus de

---

1. Cette intervention est rapportée le 14 février, trois jours après la renonciation de Benoît XVI, par le quotidien allemand *Frankfurter Rundschau*.

la mêlée manque d'un bras droit fort et respecté pour gouverner avec énergie l'Église. Quelques cardinaux vieillissants ont probablement mal vécu un pontificat qui n'agit pas pour réformer la Curie ou pour la blinder contre l'extérieur. Les spéculations sont allées bon train sur le rôle des Italiens. Certains d'entre eux voulaient sans doute, étant donné l'imbrication entre l'Église italienne et le Vatican, revenir au bon vieux système d'antan, avant les épisodes polonais et allemand. La dernière année du pontificat, des prélats venus du monde entier font entendre leur malaise. Lors d'un repas à l'issue d'un consistoire[1] avec les cardinaux, Joseph Ratzinger avait lancé un ferme rappel à l'ordre : assez de ces histoires d'Italiens.

Les fuites sont aussi arrivées à un moment délicat où la transparence imparfaite des finances du Vatican, jadis mêlées à des scandales incroyables (mafia, services secrets) était sous examen de l'organisme anti-blanchiment du Conseil de l'Europe, Moneyval. Une transparence voulue depuis le début par le pape, qui a créé un organe de contrôle, l'Autorité d'information financière (AIF), demandé à ses financiers de se plier aux *best practices* de la communauté internationale.

Au printemps 2012, quand Vatileaks a éclaté, le Vatican vibrait dans l'attente nerveuse du premier verdict de Moneyval. Une loi sur la transparence financière avait été révisée, suscitant de profonds débats. Ettore Gotti Tedeschi, ce banquier italien critiqué sur sa gestion en interne de l'Institut pour les œuvres de religion (IOR) surnommé la « banque du pape », aurait voulu une loi autre. Certes, l'IOR était indispensable : les flux des congrégations transitant par celui-ci allant à un camp au Soudan ou à une Église en détresse – comme jadis celles du bloc

---

1. Le 20 février 2012.

communiste – devaient continuer à bénéficier de confi-
dentialité. Mais la justice italienne continuait à enquêter
sur des sommes aux origines douteuses versées sur des
comptes de religieux à l'IOR. Ici un mafieux avait blanchi
de l'argent par le compte de son oncle prêtre, là de grosses
sommes avaient financé l'affaire immobilière frauduleuse
d'une congrégation.

Gotti Tedeschi était congédié. Une défaite – apparente –
des réformateurs.

En juillet 2012, une première divine surprise : la
« banque » du pape selon Moneyval, « avait beaucoup
progressé en très peu de temps, [même si] d'importantes
problématiques restaient à traiter », notamment pour la
surveillance des titulaires de comptes. L'étiquette IOR
continuait à être synonyme de poisse et d'opacité. Et Gotti
Tedeschi devait n'être remplacé qu'en février 2013 par
l'industriel allemand Ernst von Freyberg, avant le début
du règne de François.

Benoît XVI : laisser faire la transparence

Dans le regard sombre du vieil homme en blanc, ce
soir lourd de juin[1], dans la basilique Saint-Jean de Latran,
l'amertume est palpable. Il s'élève clairement contre l'am-
plification que donnent les médias, surtout italiens, à
Vatileaks : « un type de culture où la vérité ne compte pas,
où comptent seulement la sensation, l'esprit de calomnie
et de destruction, une culture dont le moralisme est un
masque pour détruire, où le mensonge se présente sous
les habits de la vérité et de l'information ».

---

1. *Lectio divina* à Saint-Jean de Latran devant le congrès ecclésial du
diocèse de Rome, le 11 juin 2012.

Le moralisme de la société moderne est l'un des ismes avec matérialisme, hédonisme, consumérisme, relativisme – que Joseph Ratzinger condamne le plus souvent. Il s'élèvera contre la trahison interne, lors d'une catéchèse d'un Angelus à Castel Gandolfo[1] : « Judas aurait pu s'en aller, comme avaient fait beaucoup de disciples. Il aurait même dû s'en aller s'il avait été honnête ! »

Les fuites semblent l'effet boomerang de la méthode Benoît XVI : en promettant la transparence, ce pape, qui reste étranger à la Curie, qui n'a jamais su en faire son instrument, a ouvert la boîte de Pandore d'un monde feutré où les divergences doctrinales sont exacerbées.

Corruption, tensions, secrets, scandales sexuels : le Vatican vit dans la peur du monde extérieur mais n'est pourtant pas gangréné par la corruption. Une grande majorité de fonctionnaires servent le pape avec abnégation. En patron loyal, Joseph Ratzinger leur a réaffirmé publiquement sa confiance. Mais certains prélats avaient verrouillé la communication ouverte sous Jean-Paul II. La tentation était forte alors de faire sortir les récriminations de manière clandestine.

Il manque aussi de personnels qualifiés, dont les diocèses ont besoin, et de concertation entre ses dicastères (ministères). Son patrimoine immobilier immense ne l'empêche pas d'avoir un budget dans le rouge. Dans la crise, les bienfaiteurs donnent moins.

« Le Vatican fonctionne comme l'armée pour l'esprit hiérarchique, comme le parti communiste de l'URSS pour la bureaucratie, comme la monarchie britannique pour la solennité », s'amuse un prêtre qui y travaille.

Au grand dam de ceux qui auraient voulu redorer par des annonces spectaculaires l'image de l'Église, le grand

---

1. Le 27 août 2012.

coup de balai était improbable. Ce pape n'aimait pas les révolutions, même s'il a prononcé quelques sanctions. Il voulait une purification des mentalités. De quoi exaspérer ceux qui le jugeaient trop confiants face à des prélats qui pouvaient lui cacher leur jeu. « Benoît XVI veut la transparence. Mais c'est très difficile. Il se trouve, âgé, face à des problèmes très enracinés depuis trente à cinquante ans. Il a un moyen très singulier : il laisse éclater les scandales. On les a toujours cachés. Il sait qu'on ne peut nettoyer sans honte, les corrompus doivent éprouver la honte. Si on les éloigne seulement, on va les dédouaner. C'est ce qu'on a fait jusqu'alors. Ratzinger a tout ouvert. Il pense que l'Église n'est pas protégée par le silence », observait en juillet 2012 l'éditorialiste de *L'Osservatore Romano*, Lucetta Scaraffia, assez critique d'un monde de complicités et de compétition entre hommes.

Le pape avait annoncé en 2005 vouloir réformer la Curie mais ne l'a pas fait. Trop confiant ? Mal informé ? Timoré par crainte de déchaîner les zizanies, de trop bouger les lignes, de déchaîner les appétits, les querelles de courants comme dans une révolution ? Aujourd'hui ce retard à traiter un problème l'a aggravé. Le sentiment de n'avoir plus l'énergie de régler ce problème a, parmi beaucoup d'autres, amené Benoît XVI à sa décision historique du 11 février.

Les fuites de documents ont dû confirmer dans l'esprit du pape allemand à quel point le pouvoir dans l'Église est habité lui aussi par le péché, ce qui ne fut certainement pas pour lui une surprise. L'homme est sans illusion sur le pouvoir de la mondanité. Elles ont aussi révélé paradoxalement que ce pape, réputé dans sa tour d'ivoire, était consulté de toutes parts, et aussi qu'il y avait débat interne, constant, vif, parfois virulent. Même s'il n'était pas suivi de changements.

Trois cardinaux à la retraite avaient remis en décembre à Benoît XVI un rapport de trois cents pages sur les scandales internes, à la suite d'une trentaine d'auditions. Il l'a transmis à son successeur. Nul doute qu'il aura des conséquences et que François ne l'a pas remisé au fond d'un placard. Quand tout le linge sale aura été lavé, le Vatican en sortira assaini, prédisent les plus optimistes, qui comptent sur un grand nettoyage. Mais avec ses rituels presque inchangés depuis Pie XII, peut-il vraiment changer ? jugent les pessimistes.

Une contestation qui s'exaspère

Benoît XVI a-t-il décidé de partir parce qu'il est déprimé face à l'étendue des défis et des contestations ? a demandé un jour un journaliste au porte-parole du Vatican. Sûrement pas, le Saint-Père est habité de la confiance en Dieu, a assuré ce dernier. Reste qu'il a multiplié ces derniers temps les déclarations tragiques, parfois virulentes et amères, sur les coups portés à l'unité de l'Église, et sur la perte du sens de la transcendance et de la Loi – citant même le rabbin français Gilles Bernheim – qui selon lui conduisent l'homme à tout relativiser.

D'autant que la tourmente prend de multiples autres visages, notamment la contestation qui s'est exaspérée, dans les derniers mois avant la démission de Benoît XVI. Et Vatileaks a rendu le petit État secret encore plus incompréhensible pour ceux qui, à l'autre bout du monde, sont confrontés à des défis quotidiens, parfois de vie ou de mort.

Deux camps s'affrontent. Il y a les tenants d'une protestantisation de l'Église qui lancent des mouvements de désobéissance au nom de l'Évangile, par exemple en Autriche. Des schismes silencieux, capillaires... portés parfois par une haine du pouvoir central et du rigoriste

Ratzinger. Vatican II, qui a introduit la modernité dans l'institution millénaire entre 1962 et 1965, « nous a donné une nouvelle vision de l'Église. C'est la nôtre, pas l'Église du pape, ou celle de l'évêque ou celle d'un prêtre », a tranché l'écrivain catholique progressiste américain, Robert Blair Kaiser[1].

Pour ce pape imprégné de l'idée d'une Église une, naturellement hiérarchique parce que corps mystique, le refus de rentrer dans le rang méconnaît l'obéissance au Christ dont il est seulement l'humble vicaire.

De l'autre côté, les restaurateurs, qui ont souvent eu le vent en poupe dans l'Église de Ratzinger, estiment que les maux de l'Église viennent de ses abandons de la tradition.

Le conflit est attisé par des décennies de débats entre l'ancien professeur de Ratisbonne et d'autres théologiens sur le rapport à l'histoire, au progrès et à l'évolution.

Au milieu, un clergé de base insécurisé perd parfois confiance, s'interroge, se divise. Tel prêtre qui a trop critiqué un évêque allié d'une dictature ou qui vit avec une compagne est sanctionné, tout comme telle sœur américaine[2] qui a écrit un ouvrage psychanalytique déculpabilisant la masturbation. Ils entrent en dissidence.

Dans les diocèses du Sud, des catholiques, encouragés par des évêques de l'Opus Dei ou d'autres mouvements conservateurs, mais en majorité par attachement viscéral à la primauté du pape, font le pèlerinage à Rome pour s'incliner devant Benoît XVI lors de l'audience du mercredi place Saint-Pierre, l'assurer de leur solidarité dans la tempête. Ils voient à l'œuvre la zizanie du diable.

---

1. Robert Blair Kaiser, *National Catholic Reporter*, août 2012.
2. La CDF sanctionnera en 2012 l'ouvrage de la religieuse américaine Margaret A. Farley, datant de 2006, intitulé *Just Love : a Framework for Christian Sexual Ethics*.

Le pape a su sans doute beaucoup de choses, mais à travers le filtre de son entourage. Il est informé chaque jour des tensions de son Église d'1,2 milliard de fidèles : pénurie de vocations, manque de cadres compétents, regroupements de paroisses, sous-emploi des femmes et des laïcs, prêtres dictateurs dans leurs paroisses, budgets dans le rouge, scandales immobiliers, argent sale... Certains scandales de mœurs sont à la puissance dix dans certains diocèses d'Afrique...

Sous Benoît XVI, une question de fond taraude l'Église, remontant sans cesse vers Rome. Elle porte sur le permis, le défendu et l'allègement de la souffrance, alors que les mœurs évoluent. C'est, comme on le verra, le débat central de la modernité. Le fossé est souvent Nord/Sud. Exemple parmi d'autres qui a fait beaucoup de bruit : en 2009, une Brésilienne de Recife de neuf ans, violée par le compagnon de sa mère, avorte. Sa mère et l'équipe médicale sont excommuniées par l'archevêque local. Selon le droit canon, quiconque provoque un avortement est en état d'excommunication. Le violeur, lui, n'a pas de problèmes. La sanction provoque un tollé. Le cardinal romain responsable des évêques[1] approuve le prélat au nom de la défense sacrée de la vie. Le journal du Saint-Siège, *L'Osservatore Romano*, publie un éditorial d'un archevêque italien, proche du pape, Rino Fisichella, « Du côté de la fillette brésilienne » critiquant la manière dure dont le cas a été traité. Les blogs chrétiens se déchaînent, manifestant la division dans l'Église.

D'autres polémiques du même ordre déchaînent les médias sur des cas très humains et douloureux : des femmes qui meurent après que des médecins catholiques eurent refusé l'avortement, des personnes dans un coma végétatif dont la famille demande qu'elles puissent mourir, des

---

1. Le cardinal Giovanni Battista Re, préfet de la Congrégation des évêques.

malades eux-mêmes qui demandent de mourir sans souffrir. En Italie même, pays de profonde culture catholique, les fidèles sont majoritairement pour une évolution de l'Église sur ces sujets, et la critiquent. L'Église a le rôle ingrat, est jugée sur ces sujets automatiquement rétrograde. Joseph Ratzinger, qui redit les valeurs « non négociables » sur la vie et la mort, apparaît sans pitié, ce qui n'est sûrement pas le cas. Souvent, dans ses discours, il exprime au contraire sa compréhension pour ces personnes, ces situations, appelant à prier pour elles et les entourer – une attitude qui annonce celle de son successeur –, tout en rappelant aussitôt après ce qui est pour lui la Loi divine.

Dans le clergé même, dans le cœur des prêtres et religieuses, alors que les séminaires et couvents ne peuvent plus vivre à l'écart de la modernité, ces sujets ne peuvent qu'être motifs de tensions, de troubles, voire de drames.

Aux maux internes, s'ajoutent des défis externes comme le refus des élites laïques européennes de reconnaître les racines chrétiennes dans la Constitution européenne et ailleurs. Benoît XVI le vit très douloureusement, lui qui exalte le mysticisme européen comme celui d'une Hildegarde de Bingen, la mystique rhénane du XIIᵉ siècle qu'il a faite docteur de l'Église[1]. Dans l'interdiction faite à l'Église d'intervenir dans la sphère publique, il voit une forme sournoise de persécution religieuse sans violence.

Et puis, il y a l'exode dramatique des chrétiens d'Orient, de l'Irak à l'Égypte en passant par la Syrie, la montée des salafistes et d'al-Qaïda, les violences, persécutions, discriminations petites ou grandes dont sont la plupart du temps victimes les minorités chrétiennes – dans 145 pays du

---

1. Le 7 octobre 2012 dans la basilique Saint-Pierre. Hildegarde est la quatrième femme docteur de l'Église après Catherine de Sienne, Thérèse d'Ávila et Thérèse de Lisieux.

monde[1] –, la concurrence d'un islam sûr de lui à côté des chrétiens frileux, autocritiques et contestataires. « Bientôt il n'y aura plus que des mosquées à la place des églises », lance un jour exaspéré un prélat de la Curie, amer, à des journalistes. Et les cardinaux africains se montrent les plus inquiets face à la montée de l'islam.

Si les médias sont braqués sur le Vatican (confondant souvent d'ailleurs celui-ci et l'Église), la catholicité reste ce corps jeune, parfois menacé, tiraillé de partout, pour qui l'autorité morale d'un pape, même s'il est parfois mal compris, reste la boussole. On l'a vu lors des canonisations sur la place Saint-Pierre, moments de joie pour célébrer des petites femmes et hommes des temps passés, pleins de défauts, mais héroïques dans leur amour de Dieu et des hommes jusqu'au martyre. Le pape Benoît XVI a su si bien leur rendre hommage ! À partir de leur petit exemple, il a pris de la hauteur. Du Ghana à la Corée du Sud et au Brésil, l'enthousiasme, la ferveur, la jeunesse marquent encore les Églises locales dont les coutures craquent de toutes parts... Avec des problèmes qui n'intéressent personne dans la médiasphère, se plaint-on, amèrement, à la Secrétairerie d'État du Vatican... Vatican, où règne une ambiance décidément pessimiste et défaitiste.

---

1. Étude de l'institut américain PEW Research Center, juin 2013.

3

Benoît XVI,
la fermeté alliée à la douceur

« JE ne cherche pas à être un autre. Ce que je peux donner, je le donne, et ce que je ne peux pas je ne cherche pas de le donner. Je ne tente pas de faire de moi ce que je ne suis pas. Je fais ce que je peux », dira de lui, dans un livre d'entretiens[1], ce pape qui ne voulait pas être pape mais qui n'a fait que ce dont il était convaincu et capable. Une façon bien modeste de se présenter, pour ce pontife soi-disant intraitable. Cette sincérité, ce détachement se retrouvent dans sa façon de s'effacer.

Panzerkardinal ?

Qu'en est-il donc du « Rottweiler de Dieu » ou du *Panzerkardinal*, ces surnoms qui ont aussi à voir avec les clichés

---

1. *Lumière du monde*, avec le journaliste allemand Peter Seewald, 2010.

anti-allemands ? Est-il cette Mercedes sur autoroute qui trace sa route vite, puissamment et sans bruit, comme le dit avec humour un observateur français, qui reconnaît l'avoir craint à son élection avant de modérer son jugement. Avant les voyages de Benoît XVI, les critiques ont souvent été féroces. À leur issue, par exemple en Angleterre, respect au moins pour son talent intellectuel, reconnaissance de sa délicatesse ont gagné du terrain. Tous les témoignages attestent de son écoute et d'une prodigieuse mémoire des gens. Quand il invite des jeunes des JMJ à déjeuner, ils pensent qu'ils vont assister à un repas très formel. Mais il ne les sermonne pas, leur pose des questions sur leur vie concrète, cherche à les mettre à l'aise. Il parle peu.

Le cardinal Georges Marie Martin Cottier, dominicain, ancien théologien de la maison pontificale, se souvient d'un « homme de dialogue, très doux, cherchant le consensus » et de son « don étonnant de synthèse » à la Commission théologique internationale. Un jour, son secrétaire était venu lui faire signer des dossiers pendant que le débat animé continuait, et Ratzinger a fait une synthèse époustouflante.

« On dit de ce pape, s'amuse le vieux prélat, qu'il est Allemand, mais il n'a rien à voir avec le profil un peu militaire de certains Allemands. Il est d'abord Bavarois, très marqué par la latinité. [...] Il a pour lui la musique qui donne toute sa finesse [à sa spiritualité]. »

Pour Mgr Cottier, ce qui caractérise Ratzinger est un sens très fort de l'histoire : le Christ de la foi et le Christ de l'histoire se rejoignent. Il sera en désaccord avec la démythologisation de l'Ancien Testament du théologien protestant Rudolf Bultmann (1884-1976), qui estimait que les faits sur le Jésus historique ne sont pas nécessaires à la foi. Pour lui, le christianisme est une religion de la raison accomplie dans la vie de Jésus.

Moins pape de l'espérance et de l'intuition missionnaire que Jean-Paul II, il semble aussi plus attaché
d'abord à « porter un diagnostic intellectuel sur les
idées qui portent au malaise actuel », explique le vieux
cardinal suisse.

Le directeur de L'*Osservatore Romano*, Giovanni Maria
Vian, le définit comme réformateur dans la tradition. Pour
ce pape, la tradition n'est pas figée mais dynamique.

Mgr Barthelémy Adoukonou, Béninois et aujourd'hui
numéro deux du Conseil pontifical de la culture, a été suivi
dans sa thèse de jeune prêtre par Joseph Ratzinger, alors
à l'université de Ratisbonne en Bavière. Il allait déjeuner
régulièrement dans sa maison proche de Pentling. Dans
une Église pas encore très ouverte aux étudiants africains,
Ratzinger l'a aidé concrètement dans ses démarches pour
percevoir sa bourse, financé la dactylographie de sa thèse,
fait subventionner un projet de création d'une ferme-école
jouxtant un séminaire au Bénin.

Joseph Ratzinger invitait déjà des théologiens de tous
bords dans un *Schülerkreis* (cercle d'élèves) qui a continué
de se retrouver chaque année dans sa résidence d'été de
Castel Gandolfo, près de Rome, au grand plaisir du pape :
une quarantaine d'élèves dont le cardinal de Vienne Christoph Schönborn et le même Adoukonou. Sans élever la
voix, « il est à l'écoute de tous, ce n'est pas un conservateur
enfermé dans son univers ».

« Quand il s'agissait de choses vitales pour la foi,
ajoute Mgr Adoukonou, Ratzinger était tranchant tout
en étant humain. Ce qui me frappait c'était sa franchise
et sa clarté. Il a la clarté des Latins et la profondeur des
Allemands. Il cherche à apporter des clartés dans nos
impasses. »

Quand le pape s'est rendu en 2011 dans ce pays d'Afrique
de l'Ouest, pour se recueillir sur la tombe de son grand

ami le cardinal Bernardin Gantin et délivrer le message du synode pour l'Afrique, il a tenu à rencontrer, dans un programme chargé, la famille Adoukonou.

Une enfance comme une anticipation du paradis

Comme pour la Pologne de Karol Wojtyła, le pays natal est aussi essentiel pour comprendre Joseph Ratzinger. *Velgelt's Gott* (Que Dieu te récompense). Quand des Bavarois sont venus au Vatican fêter au printemps 2012 le 60[1] anniversaire de son ordination[1], Benoît XVI a évoqué sous les ors du palais pontifical cette formule de remerciement de la langue populaire qui lui va droit au cœur.

Benoît XVI, qui, contrairement à Jean-Paul II, ne s'est pas entouré de compatriotes, reste très lié à sa Bavière très catholique avec ses calvaires et ses églises baroques expressives, où la foi reste marquée par la Contre-Réforme. « Une culture imprégnée de joie car née d'une acceptation intérieure du monde », écrit-il.

C'est un milieu modeste, vivant en terre rurale, loin de Munich, que celui du jeune Josef Alois, né en 1927 dans la bourgade de Marktl am Inn, six ans avant l'arrivée des nazis au pouvoir. Une arrière-grand-mère juive du côté maternel. Des parents très pieux, mariés à 43 et 35 ans, par annonce dans un journal d'Altötting, le sanctuaire marial proche. Lui Joseph, elle Marie, comme à Nazareth. Trois enfants, dont il est le dernier. Une fratrie très unie. Un père gendarme gardien de la loi. En délicatesse avec les criminels du parti nazi, il s'était frotté aux SA avant 1933, avait interdit leurs rassemblements. Il maudissait la *Hitlerei* et ne voulait pas servir un clochard.

---

1. Fête bavaroise au Vatican le 8 avril 2012.

En 1932, ses supérieurs lui avaient conseillé pour sa tranquillité sa mutation dans un village, Aschau. Il conseilla à sa femme, raconte Georg Ratzinger à l'écrivain allemand Michael Hesemann[1], pour ne pas mettre sa famille en danger, de rejoindre dans le village une nouvelle petite section du NSDAP. « On n'y parlait jamais de Hitler, mais échangeait les recettes de cuisine et on a parfois récité ensemble le rosaire », dira-t-elle. Un propos qui peut choquer, révélateur de la mentalité d'une époque.

L'existence des camps de concentration était connue, un handicapé de leur connaissance avait été éliminé. Le drame des juifs, sa dimension devaient être cependant lointains, dans ces régions rurales d'où l'antisémitisme était pourtant loin d'être absent. Le père n'en parlait jamais, selon Georg. Benoît XVI confiera avoir mieux connu les juifs plus tard. L'amitié avec les responsables juifs bavarois « m'a rendu plus proche le peuple juif », dira-t-il. Les rabbins en témoignent. Dans sa visite à Auschwitz, en 2006, le pape se verra reprocher d'avoir limité la responsabilité de la Shoah à une bande de bandits et non au peuple allemand tout entier. Mais dans sa dernière catéchèse au clergé romain, peu avant sa démission, il soulignera que la Shoah a été surtout perpétrée par des chrétiens allemands, d'où la nécessité particulière pour l'Église allemande de la déclaration du Concile *Nostra Ætate* célébrant la proximité avec les juifs, votée à la fin de Vatican II.

L'enfance bavaroise de Joseph se déroulera entre l'étude, la nature, la musique, la vie paroissiale (on préparait la messe dominicale dès le samedi chez les Ratzinger), les visites au sanctuaire marial proche d'Altötting. Il en gardera

---

1. Récit de la jeunesse du pape par son frère, Mgr Georg Ratzinger, rassemblé par Michael Hesemann, *Mein Bruder, der Papst*.

la nostalgie du respect, de la simplicité, de la dévotion, de la vie communautaire.

Los de la Rencontre mondiale des familles à Milan au printemps 2012, une Vietnamienne de 7 ans, Cat Tien, lui demande : « Comment c'était quand t'étais petit ? » « J'imagine qu'au paradis ce sera comme c'était dans ma jeunesse », répond le pape. « Toute la famille chantait, ce sont des moments inoubliables. Nous avions un seul cœur et une seule âme, aussi dans des temps très difficiles. » De cette enfance semble venir l'attachement à la famille. Il la voit comme une petite Église, un instrument privilégié d'humanisation de la société et de nouvelle évangélisation. « Les cruautés des guerres mondiales ne l'ont ni sali ni blessé. Sa mère et sa sœur aînée n'ont certes pas déifié le petit mais l'ont entouré de tout leur amour. Il n'a jamais connu le mal dans sa famille », a estimé le journaliste Paul Badde de *Die Welt*, bon connaisseur du pape[1]. Ce bonheur dans la cellule familiale explique peut-être qu'il semble si mal à l'aise face aux nouvelles formes de famille. Pour lui, il n'y a qu'une famille naturelle, il s'opposera au mariage homosexuel au nom d'une loi naturelle non religieuse.

Possible que cette enfance protégée ait « provoqué chez lui un manque de connaissance des hommes [...] et une candeur quasi proverbiale », selon Paul Badde. Candeur et manque de sens des réalités politiques que l'on retrouverait dans certaines de ses gaffes ou la confiance excessive dans ses collaborateurs.

Répondant également à une question sur le mariage, à Milan, il insistera plus sur la fidélité que sur la passion amoureuse, qu'il voit comme possible feu de paille : « tomber amoureux est beau, mais n'est peut-être pas toujours perpétuel ».

---

1. Article de Paul Badde, vaticaniste réputé de *Die Welt*, 7 août 2012.

Selon son frère aîné Georg[1], Joseph n'aurait pas eu l'occasion de tomber amoureux. « Pour nous, il a été très clair très tôt que nous suivrions un autre chemin et renoncerions au mariage », confiait-il à l'hebdomadaire *Bunte*. À l'école, le jeune fils de gendarme n'a bien évidemment aucun mal avec les humanités et goûte peu à l'exercice physique. Mais le nazisme viendra le rejoindre en 1936, avec son inscription forcée – il a 9 ans – avec son frère dans la *Hitlerjugend*. Ils y participeront au minimum. Il fait tout pour se montrer le moins militaire possible. Le Reich voudrait bien contrôler les écoles religieuses, les séminaires, l'éducation. L'idée s'ancre alors en lui d'une religion indépendante de tout pouvoir politique. Il se plonge dans les humanités – dont le latin qu'il aimera tant – pour se protéger de l'idéologie moderniste, révolutionnaire d'alors : l'idéologie du *Blut und Boden* nazie.

La période de la guerre est bien documentée : à seize ans, en 1943, Joseph est affecté à la défense anti-aérienne des usines BMW de Munich, avant d'aller au service du travail obligatoire, d'où il refuse d'entrer aux SS[2]. Un officier de la Wehrmacht vient interroger un jour chacun sur ce qu'il veut faire. Joseph, qui a 16 ans et est séminariste, répond curé, ce qui lui vaut des sarcasmes. Fin 1944, survient la période la plus dure, dans une unité qui doit édifier le *Südostwall* dans le Burgenland à la frontière austro-hongroise. Les SS tyrannisent les jeunes hommes. Il décrira la pseudo-liturgie du travail, célébrée lors de longs rituels en l'honneur de la bêche. Il déserte, est presque pris en retournant chez lui. Il est interné par les Américains quelques semaines dans un camp de prisonniers. Günter

---

1. Interview de Georg Ratzinger à *Bunte*, 21 septembre 2009.
2. La guerre de Joseph Ratzinger est notamment relatée dans *Mein Bruder, der Papst* de G. Ratzinger.

Grass affirmera dans son autobiographie parue en 2006 *Pelures d'oignon* y avoir refait le monde en jouant aux dés avec un certain Joseph. Un épisode que le frère du pape juge inventé. Vrai ou faux, le dialogue livré par Grass est joli : « Je disais, il y a plusieurs vérités ; il disait, il n'y en a qu'une. Je disais : je ne crois plus à rien ; il alignait les dogmes les uns après les autres... »

Le 29 juin 1951, Georg et Joseph sont ordonnés par le vieux cardinal Michael von Faulhaber, ferme opposant au nazisme. Une photo célèbre montre les deux Ratzinger, visages creusés, ouvrant largement les bras, en signe d'acceptation : le plus beau jour de leur vie. Dans *Lumière du monde*[1], Benoît confie : « Le fil conducteur de ma vie est celui-ci : le christianisme donne la joie et élargit les horizons. »

L'inspirateur dans l'ombre de Jean-Paul II

Le jeune Bavarois va avoir une carrière fulgurante. Curieux de tout, dévoreur de livres, découvrant Claudel, Mauriac et Bernanos, il se rapproche des grands théologiens réformistes – les Balthasar, Congar, Lubac, etc. Il fait sa thèse de doctorat sur le saint italien Bonaventure, qui, au XIIIe siècle, affirme de manière optimiste que l'histoire est un chemin où les œuvres du christianisme progressent, mais qui soutient aussi que les normes humaines sont établies de manière céleste, ce qui n'aide pas précisément à avoir une vision souple de l'humain...

Bouillonnant d'idées, il critique durement la glaciation de la Curie, ses méthodes dignes de l'Inquisition. Il s'engage pour la messe en langues vernaculaires, dialogue avec des théologiens protestants, participe à des pétitions

---

1. Entretiens avec Peter Seewald, 2010.

et réflexions sur la possibilité d'ouvrir la prêtrise à des hommes mariés et de permettre aux divorcés remariés de communier. « La foi doit sortir de son blindage (*Panzer*), doit faire face au présent avec un nouveau langage, une nouvelle ouverture. Une plus grande liberté soit s'instaurer dans l'Église[1]. »

Il s'agissait de « dégager le cœur propre de la foi sous des couches sclérosées », dira-t-il en 1997[2].

Qui est donc ce prêtre, qui circule à vélo et qui était le consulteur (*peritus*) du cardinal Josef Richard Frings au Concile Vatican II, enthousiaste, voulant faire bouger les lignes, avant de s'affoler de la transformation des mœurs et de devenir un conservateur ?

1968, pour le prêtre éduqué dans les valeurs de respect et de piété, aura été un traumatisme. À l'université de Tübingen, racontera son collègue théologien Hans Küng qui devait devenir son plus virulent critique, il sera choqué par les étudiants qui montent sur les tables et ne respectent pas les valeurs anciennes.

Le pape Wojtyła appellera celui qui était alors archevêque de Munich, plus jeune cardinal de l'Église (à 50 ans en 1977) à ses côtés en 1981. Il va trouver dans Rome et la Curie sa nouvelle patrie, frappant par son caractère peu intrigant et la brillance de sa pensée. « D'abord agréable et courtois, il avait une vie très retirée, n'était pas un mondain », se souvient le cardinal Cottier.

« Si un journaliste moyennement informé des questions de l'Église posait une question dans une conférence de presse, le cardinal Ratzinger trouvait toujours un trou dans son raisonnement pour le ridiculiser mais de manière

---

1. Joseph Ratzinger avait rédigé pour Frings un discours très percutant contre la Curie, en octobre 1962, début du Concile Vatican II.
2. Publié dans *Le Sel de la terre*, un autre livre d'entretiens en 1997.

60 DE BENOÎT À FRANÇOIS, UNE RÉVOLUTION TRANQUILLE

extrêmement gentille et même élégante. Il nous parlait comme à des élèves qui posent parfois des questions ingénues », se rappelle le journaliste vaticaniste Bruno Bartoloni. Il sera zélé à la tête de la puissante Congrégation pour la doctrine de la foi, l'ancien Saint-Office. Un rigoriste humain, dit-on de lui. Mais il restera détesté de certains théologiens progressistes qu'il a cassés. Lui n'aime pas les étiquettes, la dichotomie progressistes/conservateurs. Il ne s'y reconnaît pas. Il aime la dialectique, la *disputatio*, l'expression d'hypothèses, y compris audacieuses. Pour lui, le pluralisme est constitutif de la théologie, mais, quand il s'agit du dogme, il cherche l'unique réponse finale. Car l'Église de Dieu n'est pas selon lui une démocratie terrestre, avec sa minorité et sa majorité. Il est vite redouté pour ses nombreux « non ». Il met au pas de nombreux théologiens qu'il juge égarés sur les chemins du marxisme et du freudisme, leur fait rectifier leurs livres. La théologie de la libération en fera les frais quand elle sera amie de la révolution, même s'il reconnaîtra certaines intuitions bonnes, notamment l'option préférentielle pour les pauvres. Il affirme aussi que les protestants forment des communautés ecclésiales mais ne sont pas des Églises à part entière, seule l'Église catholique l'étant (*Dominus Iesus*[1]). Il s'expliquera ainsi théologiquement : « [L'Église ne peut exister que] là on l'on trouve l'eucharistie. » Il assurera s'en tenir à la définition de Vatican II et n'émettre aucun jugement négatif.

Quand il préside à la rédaction d'une version actuelle du catéchisme, publiée en 1982, le nouveau gardien du dogme aura sans doute contribué à ce qu'elle soit dans un langage clair, répondant aux sujets les plus universels

---

1. La déclaration « Dominus Iesus » du 6 août 2000, sera très discutée et lui vaudra beaucoup d'inimitiés chez les protestants.

comme les plus intimes. Ferme sur les mœurs, le texte laisse entrevoir parfois légèrement plus de compréhension sur bien des thèmes difficiles, comme l'homosexualité. Le Bavarois fera une distinction fondamentale qui aide à le cerner : il s'attache à séparer ses vues personnelles de celles qui découlent de sa fonction. Il paraîtra souvent plus libre quand il signera de son nom de théologien. Quand il sera pape, il fera de même : il lancera des pistes qui sont autant d'ouvertures, par exemple pour le préservatif en cas de danger pour le partenaire d'un prostitué homosexuel. Il sera le premier pape à avoir prononcé le mot « préservatif ». Loin d'être insensible, il adhère donc à ce pragmatisme bien connu que l'Église appelle le choix du moindre mal.

Le pape qui aurait préféré se retirer avec des livres

On a dit au Vatican qu'il aurait bien aimé par exemple en devenir le grand archiviste. Mais il n'a pu échapper à la place centrale qu'il tenait déjà et qui l'a conduit à devenir pape à 78 ans. Après vingt-trois ans passés comme gardien du dogme, il était omniprésent. Reconnu meilleur connaisseur des dogmes, dans la période incertaine à l'issue du long règne du grand pape polonais. Selon un cardinal, Joseph Ratzinger « a su gérer parfaitement les funérailles, a piloté avec tact les rencontres informelles des groupes de cardinaux qui précèdent un conclave. Il s'est tout simplement imposé par sa supériorité intellectuelle ». Il ne recueillait pas la plus grande sympathie. Solitaire, il ne connaissait pas si bien qu'on l'a dit les autres prélats de la Curie, était en retrait de toute cette cour. Mais les voix se sont finalement portées sur lui au conclave, car il semblait assurer le mieux dans une période troublée la continuité par rapport à Wojtyła, en étant son homme de confiance. Il présentait le moins de risques doctrinaux, son orthodoxie dogmatique rassurait. »

Il choisit le nom de Benoît, Benedetto. Parce qu'il veut dire béni de Dieu, qu'il sonne musicalement, qu'il évoque le fondateur des Bénédictins, la primauté de la prière, lui rappelant ses retraites au monastère de Subiaco, au sud de Rome. Et aussi en hommage à un pape mal aimé, Benoît XV, qui avait tenté pendant la Première Guerre mondiale de lutter pour l'arrêt des massacres entre Allemands et Français.

Le nouveau successeur de Pierre apparaîtra comme complexe, réservé. Il serre longuement la main, prend du temps, regarde, écoute en fixant, comme s'il était lui-même intimidé, comme si chacun l'étonnait. Dans les foules, il semble hésiter à prendre les enfants dans les bras, puis s'y habituera. Bref baiser, signe de croix sur le front. Rien à voir avec l'aisance de François. Pour répondre aux acclamations des jeunes, il remue ses doigts de pianiste en signe d'approbation. Quand il s'en va, il lève tout juste les bras pour saluer. « Le pape n'est pas la star autour de laquelle tout tourne », dira-t-il de lui.

Parfois, surtout au début, il se retire dans une certaine solitude, semble se couper du monde et rentrer dans le sien, un monde d'artiste et de mystique. En vacances dans les Alpes, on le voit ainsi plusieurs fois s'isoler avec son piano, et jouer longuement, inaccessible.

Aux médias, Benoît XVI apparaîtra parfois déconnecté. De la citation en 2006 de l'ancien empereur byzantin Manuel II Paléologue sur la violence dans l'islam à l'affirmation que l'évangélisation à l'époque des Conquistadores « n'a imposé à aucun moment une aliénation des cultures précolombiennes » au Brésil en 2007[1], c'est un schéma identique : une volonté de marteler des vérités à ses yeux particulièrement importantes, en faisant fi du contexte historique contemporain, qu'il connaît pourtant : toute religion, y compris l'islam, peut être violente, et l'Évangile libère des idoles traditionnelles, apportant une bonne nouvelle. Deux vérités qui doivent être dites quels que soient les dégâts.

À Ratisbonne, celui qui débattait avec des théologiens et des philosophes comme Jürgen Habermas à Munich en 2004, s'est retrouvé dans l'ambiance universitaire, entre amis. A-t-il cru pouvoir parler à l'abri de l'observation des médias ? Après coup, il exprimera les regrets d'avoir blessé l'islam et la culture amérindienne. Le vaticaniste rigoureux Marco Politi fustigera cette attitude détachée qui fait des dégâts pour l'Église universelle. « Ratzinger, théologien plus que géopoliticien, n'est pas la personne qu'il faut pour être le pape, il est un penseur qui ne gouverne pas », tranchera Politi, en commentant son livre paru en 2012, *Joseph Ratzinger, crise d'un pontificat*. Ces blessures, qui font encore mal des années après, alimentent l'extrémisme anti-chrétien, auraient pu être évitées. Bien des imams, en dépit des belles paroles en public, en veulent encore au pape pour Ratisbonne, et ils ont accueilli froidement l'annonce de sa démission. Le prix est lourd. Mais peut-être le pape veut-il que parfois la vérité blesse, pour faire avancer une cause ? Surtout celle de la non-violence.

Ratzinger le musicien est à l'affût de la fausse note. Il considère la foi comme une partition. Lui ne peut changer la partition. Il n'y avait pas de femmes apôtres dans les Évangiles, donc il ne peut y avoir d'ordination de femmes : tel est son raisonnement. Il est un homme possédé par

---

1. Dans un discours aux évêques latino-américains en 2007 à Aparecida (Brésil).

l'idée (l'illusion) de l'unique Vérité d'en haut dont est dépositaire un pape, même si des vérités parcellaires sont valables et des chemins divers et respectables conduisent au salut. Son catholicisme intégral mais pas intégriste peut sembler insultant. À l'encontre des protestants, des musulmans, des juifs – par exemple en autorisant, dans une concession aux traditionalistes, l'ancien missel tridentin (en latin), dans lequel on prie le Vendredi Saint pour leur conversion. Cela fera dire aux critiques qu'il est incapable de sentir les humeurs, d'anticiper les réactions hostiles.

Perfectionniste de Dieu, en pleine crise Vatileaks, il va se donner le mal d'écrire une longue lettre aux évêques allemands sur le sens d'une expression de la messe (Jésus a donné son sang *pro multis* – pour la multitude), sa bonne traduction et son juste sens[1]. Dans un message aux jeunes des JMJ de Rio, publié trois mois avant sa démission, il démontrera aussi cette exigence de la perfection minutieuse : « Vous devez connaître votre foi avec la même précision avec laquelle un spécialiste en informatique connaît le système d'exploitation d'un ordinateur[2]. »

Il écoute pourtant attentivement les doléances qui manifestent les approches contradictoires que suscite sans cesse le message divin. Il recevra longuement son ancien collègue Hans Küng en décembre 2008 à Castel Gandolfo, pour ensuite ne tenir aucun compte de ses revendications radicales... Il fait siennes les impatiences, semble même partiellement les partager...

Dans le prêche de la messe chrismale du Jeudi Saint 2012, il s'exprime curieusement en employant le nous, en se plaçant du point de vue des prêtres contestataires autrichiens : « Face aux exigences d'obéissance imposées

---

1. Lettre aux évêques allemands du 26 avril 2012.
2. Message pour les JMJ de Rio, le 16 novembre 2012.

par Rome, dit-il, laissons-nous interroger encore une fois : est-ce qu'avec de telles considérations n'est pas défendu en fait l'immobilisme, le durcissement de la tradition ?» Il semble reconnaître la légitimité de leur question, même si ensuite il ne valide pas leur insubordination et appelle à l'obéissance. Peut-être reconnaît-il humblement qu'il n'a pas toutes les solutions, qu'il n'a pas tous les éléments ou l'âge pour comprendre bien certaines choses qui requièrent des réponses argumentées et nuancées ? C'est pourquoi il laissera à son successeur la tâche de percevoir d'un œil neuf ces questions et de réagir aux nouveaux défis complexes qui attendent l'Église, comme il l'a dit dans son annonce de démission. Il n'appelle sûrement pas son successeur à des tournants révolutionnaires de la doctrine, mais il lui fait confiance dans l'Esprit Saint et la continuité pour trouver des voies nouvelles. C'est une attitude courageuse.

Autre témoignage d'ouverture dans le couvent augustinien d'Erfurt où Martin Luther fut séminariste catholique, en septembre 2011 : le pape reconnaissait au moins au début comme une proximité spirituelle avec le Réformateur, admettant qu'il était habité de l'amour de Dieu et d'un désir de guérir l'Église. « Ce qui ne lui donnait pas la paix était la question de Dieu, qui fut la passion profonde et le ressort de sa vie et son itinéraire tout entier », lançait-il en hommage, en appelant à sortir d'une vision confessionnelle qui empêche protestants et catholiques de voir les grandes choses qu'ils ont en commun.

Entre tradition et simplicité

Le *camauro* et la mosette, coiffe et écharpe rouges bordées d'hermine blanche… Benoît est-il réac, vieux jeu ? Certains ont cru voir en lui un homme aimant la pompe comme les prélats d'autrefois… Pourquoi ces gestes sinon par le désir de rappeler une tradition oubliée, de montrer que le Concile n'a pas été la mise au feu des vieilleries comme la Révolution culturelle de Mao ? Pour le *camauro*, le pape s'est défendu avec humour et une certaine candeur dans le livre *Lumière du monde*, appelant à éviter les interprétations superflues. « J'avais froid et je suis sensible de la tête. Et j'ai dit, puisque nous avons le *camauro*, coiffons-nous-en ! » C'est une expression d'un humour auto-ironique, souvent attesté par ses proches.

La simplicité personnelle s'allie à une volonté obsessionnelle de respecter le rituel, et surtout la belle liturgie, sa passion. La liturgie, rappelle-t-il, a été le sujet de la première Constitution[1] du Concile Vatican II, parce qu'elle est l'expression de Dieu. Ce qui le rapproche le plus des lefebvristes. Il refuse toute désacralisation, il la déteste. Il n'a pas de mots assez durs pour ces shows à la guitare de l'après-Concile qui remplaçaient parfois les messes. Même en Afrique, lors de ses voyages, il y a davantage de prières en latin. Et tant pis si les gens ne comprennent rien ! Curieuse priorité : le latin, qu'il a favorisé en créant en novembre, quelques mois avant sa démission, une nouvelle académie, est pour lui symbole d'universalité de l'Église. Il voudrait que les prêtres le sachent mieux, parce que, pour lui, c'est dans les textes latins qu'est conservée toute la richesse des Écritures et des pères de l'Église. Le latin est selon lui un ciment pour des catholiques tentés sinon par les forces centrifuges de leurs cultures.

Son goût des traditions remonte aussi à la Bavière. C'est également une réaction culturelle au dépouillement protestant. La foi doit exprimer à la fois le tragique et la fête.

Son quotidien au Vatican a été au contraire simple : une vie ponctuelle. Selon son frère Georg et d'autres témoins,

---

1. *Sacrosanctum Concilium*, promulguée le 4 décembre 1963.

lever vers 6 h 30, messe à sept heures, petit déjeuner à huit. Travail sur ses dossiers. Après déjeuner, il s'est reposé un peu dans sa chambre, mais souvent, au lieu de dormir, a écrit des lettres et lu tout ce qu'il pouvait. Il a rédigé ses livres sur Jésus d'une calligraphie fine et peu lisible. Puis venait la promenade dans les jardins du Vatican récitant le rosaire. À Castel Gandolfo il allait nourrir les poissons rouges dans un bassin, méditant. Le dîner était à 19 h 30, suivi du journal télévisé (première chaîne publique italienne), avant le coucher vers 22 h 30. « Mon frère regarde rarement la télévision. Au maximum un film qui parle du Vatican », racontera Georg. Il voit parfois les films ayant trait à l'Église. Il apprécie *Peppone et Don Camillo*, démêlés d'un maire communiste et d'un curé amis, et n'a peut-être pas vu *Habemus papam* du cinéaste italien Nanni Moretti, fable douce-amère d'un pape qui renonce après son élection. Mais qui sait ?

Refait de manière confortable au début du pontificat, moins spartiate que celui de Karol Wojtyła, l'appartement pontifical a abrité des compagnons inséparables de ses anciens appartements : le piano demi-queue sur lequel il joue, principalement Mozart qui allie légèreté et tragique, et quatorze mille livres de sa bibliothèque, dont Benoît XVI a dit lors de leur arrivée : « je me sens maintenant comme entouré par des amis ». À part quelques photos, l'intérieur du pape a été jalousement préservé durant tout le pontificat.

Des visiteurs de tous horizons ne venaient pas à sa table comme sous Jean-Paul II. Une famille pontificale d'une huitaine de personnes le servait. Outre le majordome Paolo Gabriele, il y avait Loredana, Carmela, Cristina et Rossella, quatre laïques italiennes consacrées *Memores Domini* du mouvement catholique conservateur Communion et Libération. Ses secrétaires particuliers aussi, Georg Gänswein surtout, bel Allemand en soutane noire et éminence grise très conservatrice, et le Maltais Alfred Xuereb. La sœur allemande Birgit Wansing l'aidait à rédiger ses textes. Avec cette petite famille, il échangeait, partageait ses repas. Il accusera le coup quand Manuela, qui sera remplacée par Rossella, mourra renversée en 2011 par une voiture à Rome. Et aussi quand sera démasqué Paoletto.

Le pape ne se dispersait pas, mesurait ses forces, afin de ne manquer aucune obligation. Consciencieux, il s'exerçait à l'avance à prononcer ses adresses dans des langues mal connues, dont la dernière qu'il employait brièvement à l'audience générale hebdomadaire, l'arabe.

Les hôtes réguliers ont été rares dans l'appartement : son frère prêtre Georg, ou encore Ingrid Stampa, son ancienne gouvernante, professeur de musique, traductrice, théologienne, qui aurait eu un ascendant sur lui au point que certains vaticanistes l'ont surnommée malicieusement la papesse, et qui connaissait bien Gabriele, étant sa voisine d'immeuble. Au point qu'on a prétendu qu'elle aurait trempé dans Vatileaks et été écartée. Ce qui fut démenti par le Vatican et par les faits : c'est la fidèle Stampa qui a traduit de l'allemand à l'italien le dernier livre de Ratzinger sur l'enfance de Jésus, troisième de sa trilogie sur le Christ, paru à l'automne 2012.

À ce petit monde, Benoît XVI l'homme solitaire était habitué. Eux seuls ont pu avoir vraiment connaissance des moments de chagrin et de bonheur du pape. Il avait besoin de cet entourage. C'est pourquoi il a décidé d'emmener avec lui dans sa retraite dans l'ancien monastère du Vatican son secrétaire particulier Gänswein, même s'il a été promu à la direction de la Maison pontificale (qui organise les journées du nouveau pontife), et les *Memores Domini*.

À l'approche de ses 85 ans, chaque fatigue intense se lisait sur son visage amaigri, dans son regard clair un peu embrumé. Les habituelles spéculations faisaient le tour de la terre : a-t-il un cancer ? Pourquoi s'appuie-t-il souvent sur une canne ? L'arthrose à la hanche droite qui l'amène à circuler sur une plate-forme mobile dans l'immense basilique Saint-Pierre sera-t-elle un jour invalidante ? Ses problèmes cardiaques se sont-ils aggravés ? Il avait renoncé au printemps lors du voyage au Mexique à l'étape de Mexico, situé trop en altitude. À l'automne, les piles de son pacemaker avaient été rechargées dans un hôpital romain. Opération de routine. Les derniers temps avant sa démission, son porte-parole répétait qu'il n'avait aucune maladie grave, souffrait seulement d'une immense fatigue, due à son âge, et de plus en plus visible ces derniers temps. Tous les évêques français qui l'avaient vu lors des visites *ad limina* le disaient : un homme attentif, très réactif pour donner son avis sur les problèmes concrets de l'Église ou les questions théologiques, mais visiblement affaibli.

Il est le premier pape à n'avoir pas exclu de démissionner : « si un pape se rend compte clairement qu'il n'est plus capable physiquement, psychologiquement et spirituellement, d'accomplir les tâches inhérentes à sa fonction, alors il a le droit, et, dans certaines circonstances, l'obligation, de démissionner », avait-il dit dans *Lumière du monde*. Dans la tradition vaticane c'était une petite révolution, une de ces ruptures verbales avec lesquelles ce pape a surpris. Propos conséquent, suivi d'effet le 28 février 2013. Le père jésuite Federico Lombardi, son porte-parole, admet avoir été surpris comme tout le monde, mais il aurait suffi, dit-il, de se souvenir de ces propos très pesés et de quelques autres signaux.

Un seul voyage était programmé en 2013, un long déplacement intercontinental pour les Journées mondiales de la jeunesse (JMJ) à Rio de Janeiro en juillet, où il avait annoncé sa présence deux ans plus tôt aux JMJ de Madrid, « si Dieu le veut ». Colombie, Amérique centrale, il avait refusé ces autres étapes. Le décalage horaire était pour lui redoutable.

Une petite chute dans sa chambre à León au Mexique en mars 2012 l'aurait fait réfléchir. Selon des cardinaux et des proches, il était surtout anxieux de cette rencontre avec la jeunesse catholique, craignant de ne pouvoir répondre à leur enthousiasme. Ces JMJ l'angoissaient. Joseph Ratzinger est sûrement très soucieux d'être à la hauteur, de ne pas paraître amoindri. Une forme légitime de fierté.

Avec Jean-Paul II, si proches et si différents

Une vraie amitié aura rapproché Jean-Paul II et son gardien du dogme. « Je veux vous avoir jusqu'à la fin », avait dit le vieux pape souffrant, refusant sa démission réglementaire à 75 ans. Le cardinal aura été l'un des proches jusqu'au dernier moment. Sa loyauté totale n'excluait pas sans doute de légères divergences. On peut imaginer par exemple qu'il craignait que l'Église soit trop résumée à ses crimes passés par les repentances de l'Année du Jubilé en 2000.

Benoît XVI pâtira de la comparaison avec l'énergique Polonais : chaleureux, froid ; géant communicateur et homme timide ; l'un riant, exprimant ses colères, embrassant ; l'autre répugnant à toute familiarité ; un laïc venu à la prêtrise après avoir travaillé de ses mains, fait du théâtre, été amoureux ; et un homme baigné dans un milieu religieux depuis l'enfance. Cela se traduira sous Jean-Paul II, selon le vaticaniste Marco Tosatti, par une ouverture à la laïcité sans précédent qui marquera à nouveau le pas sous Benoît XVI.

La popularité immense de Jean-Paul II s'expliquait par sa présence incarnée, sexuée, et l'identification qu'il permettait. Après Paul VI, pour la première fois, un pape ne semblait pas éthéré. Mais à la voix chantante et parfois tonnante de Karol, a succédé la voix plus douce, plus faible de Joseph dont l'énergie est tout intériorisée. Dans la vision populaire cela a été perçu comme une perte d'énergie. Les gestes sont aussi importants pour communiquer la force d'un message. Quand, pape depuis quatre mois, il arrive en août 2005 à Cologne pour les premières Journées mondiales de la Jeunesse (JMJ) préparées par son prédécesseur, on ne le sent guère à l'aise avec cet exercice qu'il n'aurait jamais inventé lui-même. Il ne cherche pas à mimer son prédécesseur, et les jeunes le perçoivent bien. Mais quand des centaines d'entre eux descendent dans les eaux du Rhin pour le saluer sur le bateau qui le transporte, ou quand il contemple dans la nuit d'été la multitude de bougies lors de la veillée finale, il exprime sobrement sa joie timide d'être là : si les gestes sont mesurés et hésitants, il a établi un mode de contact, plus recueilli, plus religieux, avec les jeunes.

Une autre comparaison sera faite en sa défaveur, de manière assez injuste : même si Jean-Paul II a pleinement assumé et dirigé le tournant conservateur de l'après-Paul VI, nommant à la Curie des tenants de la plus grande fermeté doctrinale, c'est son gardien du dogme qui sera tenu pour responsable, par l'opinion commune, de tout ce qui n'a pas plu !

Finalement, les vaticanistes habitués à des surprises, à une mise en scène valorisant le message de l'Église, sont déçus. Le nouveau pape ne fait rien d'imprévu, quel ennui ! Le style est *low-key*. Benoît XVI est incapable de se mettre en scène, il fait ce qu'il dit, entend-on répéter au Vatican. Cette authenticité sera sa marque de fabrique. Avec Jean-Paul II, les jeunes notamment aimaient le chanteur et n'écoutaient pas la chanson, dit-on au Vatican. Benoît XVI force l'écoute. Il refuse de se mettre en avant, n'étant qu'un humble vigneron dans la vigne du Seigneur. L'acteur est le Seigneur, la bonne action vient de Lui, de son esprit. C'est aussi dans cette conviction, dans cette confiance absolue, mystique, qu'il a démissionné. Mais l'Église a souffert de cette discrétion.

En huit ans, le pape théologien aura repris les intuitions fortes du pape missionnaire mais il les aura parfois, selon le cas, nuancées, approfondies, parfois adoucies. Il fallait cette phase d'approfondissement après les années tumultueuses du pontificat polonais, soulignent tous les analystes. Phase nécessaire dans une période très mouvante, jugent ceux qui estiment que Benoît XVI restera lui aussi comme un grand pape et non comme un pape de transition.

Sur le fond, les deux hommes ont été deux doigts d'une main. On pourrait parler d'une pensée wojtylo-ratzingérienne sur les grandes questions morales, sociales, économiques, culturelles. Les accents sont un peu différents : la transparence coûte que coûte ; plus de méfiance vis-à-vis des succès apparents ; moins de discours moralisateurs aux jeunes sur les mœurs – on ne verra pas Benoît XVI parler directement de sexualité. Il aura inspiré des encycliques fondamentales du pontificat polonais comme *Foi et raison*, mais sa fibre politique, le flair diplomatique sont certainement moindres.

Ce qui les réunit en profondeur est une inquiétude : de l'expérience en commun du totalitarisme, ils tirent la peur qu'une société qui ne fait plus référence à Dieu, accouchant d'un homme qui se croit Dieu, qui invente ses propres lois, dont le jugement est la seule référence. Ils parlent d'un nouveau totalitarisme ravageur de la société de consommation. Benoît XVI a vécu le nazisme, rejet de Dieu et culte raciste du surhomme, et plus indirectement, le communisme, avec la division de l'Allemagne. Il comparera les deux dictatures à des « pluies acides[1] » sur la chrétienté. Jean-Paul II comme Benoît XVI ont craint le retour d'une nouvelle barbarie au nom d'une idéologie moderne, d'une forme d'eugénisme, d'un mépris des faibles, des vieux et des malades. Ils se sont montrés pessimistes non tant sur l'homme que sur la société occidentale, surtout quand elle touche à la vie (euthanasie). Les évolutions éthiques des dernières années ont amené un pape qui aime la douceur et le débat à se positionner souvent contre, sans crainte d'être impopulaire.

Benoît XVI va préciser, pousser plus avant les analyses déjà très fortes de Jean-Paul II. L'apparence est trompeuse mais, sept ans plus jeune que son aîné, il provient d'une Église moins liée à son passé, plus moderne que celle de la Pologne. L'Église allemande a été un creuset de théologiens audacieux, plus indépendants du catholicisme populaire national, en dialogue permanent avec les protestants. Joseph Ratzinger a été l'un de ceux-là.

À l'heure du bilan, une différence, de taille, apparaît entre les deux hommes, tous deux très mystiques et habités de l'importance de leur fonction, et reflétant leurs caractères si différents : quand la maladie de Parkinson a commencé à épuiser ses forces, l'homme des foules, l'ancien acteur de théâtre avait choisi de ne pas démissionner pour ne pas créer un précédent fâcheux pour ses successeurs, selon des témoignages. Se sentant indispensable en tant que pape, il voulait partager la croix de tous les hommes en ne cachant pas sa propre souffrance au monde. Il ne pouvait descendre de croix, comme l'a fait remarquer son ancien secrétaire Stanisław Dziwisz[2]. Pudique, réservé, Benoît XVI

---

1. Formule employée lors d'un déplacement dans un sanctuaire près d'Erfurt dans l'ex-RDA, en septembre 2011.
2. Le cardinal de Cracovie réagissait de manière peu favorable à l'annonce de la renonciation le 11 février en Pologne.

n'a pas voulu prendre le risque de cette déchéance physique en public. Homme privilégiant la raison, il a estimé que 1,2 milliard de catholiques avaient droit à l'énergie intellectuelle et physique de leur pape, qu'un pontificat sans autorité n'avait pas de sens. En 2003-2005, il avait expérimenté la fin difficile d'un règne extraordinaire. Quand il a senti décliner ses forces à son tour, lui l'homme réservé, détestant être en représentation, a choisi un chemin libératoire et raisonnable : se retirer, ne pas se sentir indispensable, laisser un plus jeune venir à sa place. C'est la dernière surprise, la plus audacieuse, d'un pape aux apparences conservatrices mais aux multiples facettes étonnantes.

4

Le pontificat de Benoît XVI :
repli ou retour aux sources vives ?

La passion d'expliquer Dieu

Cela se passe à La Scala de Milan, en juin 2012, et c'est un des moments les plus révélateurs de ce pontificat[1]. Comme il se plaît à le faire en entendant la musique qu'il aime et connaît, il pose des questions. Il s'interroge, après avoir écouté la neuvième symphonie de Beethoven, sur un séisme meurtrier qui vient de frapper l'Italie centrale, comme Voltaire commentait le grand tremblement de terre de Lisbonne de 1755 : « aussi l'hypothèse qu'un père bon habite au-dessus du ciel constellé nous paraît-elle discutable ? [...] Mais nous chrétiens, nous cherchons un dieu qui ne trône pas à distance, mais entre dans notre vie et notre souffrance. Nous n'avons pas besoin d'un discours irréel sur un Dieu lointain ! »

---

1. Discours au Théâtre de la Scala à Milan, 1er juin 2012.

Autrement dit, soit Dieu est vraiment avec nous, un Dieu bienveillant, soit ce n'est même pas la peine d'y penser. Pour Ratzinger, la foi n'est pas une idée, elle est réelle, presque palpable, concrète. Et les questions qu'on peut se poser sur l'origine de la vie et du mal, les doutes sont légitimes. Il montre qu'il se les est lui-même posées. Ce qui n'est pas légitime est d'exclure, comme il le dit, « l'hypothèse Dieu ».

« Le vrai problème est que Dieu disparaît de l'horizon des hommes et que tandis que s'éteint la lumière provenant de Dieu, l'humanité manque d'orientation, et les effets destructeurs s'en manifestent toujours plus en son sein. »

Ce diagnostic dont on peut discuter la conséquence tragique, Benoît XVI l'aura fait de manière répétée. Et encore à Noël, en 2012, dans la basilique Saint-Pierre, le pape dénoncera un monde où « nous sommes tellement remplis de nous-mêmes, si bien qu'il ne reste aucun espace pour les autres, pour les enfants, les pauvres, les étrangers. Avons-nous vraiment de la place pour Dieu ? N'est-ce pas peut-être Dieu lui-même que nous refoulons ? »

« Dieu ? La question le concernant ne semble jamais urgente. Notre temps est déjà totalement rempli. Les méthodes de notre pensée sont organisées de manière qu'au fond, Il ne doit pas exister. Même s'Il semble frapper à la porte de notre pensée, Il doit être éloigné par quelque raisonnement. Il n'y a pas de place pour Lui. »

Voilà un discours de combat. C'est sur ce terrain qu'a combattu Benoît XVI, bien plus que sur les questions politiques ou de société. Il faut remettre Dieu, le Dieu chrétien, au centre du débat. Dans les terres chrétiennes, beaucoup ne savent plus ce que signifie Pâques alors que tout musulman sait ce qu'est le Ramadan. L'Église dit des choses que les gens ne comprennent plus, admettent des évêques.

Le pontificat est donc défini par la nouvelle annonce du christianisme, dans un langage moderne, avec des mots qu'il veut simples, un langage imagé, et revenant aux sources.

Mais comment attirer, martèle-t-il, si l'on est de mauvais témoins, si l'on ne propose pas quelque chose de crédible, honnête, radical, actuel, joyeux, une vraie bonne nouvelle intelligente ? La joie est curieusement le mot qui revient le plus souvent dans la bouche de cet homme austère. Ce n'est pas une lumière intermittente, de flashes, de fête, de glamour ; la joie de Dieu est aveuglante et profonde. Elle n'enlève pas la gracité. Benoît XVI fait la distinction entre foi et émotion.

Et comment la faire découvrir, la joie, dans la réalité tragique, comment voir au-delà ? Il nous faut sans cesse presser la réalité de tous les côtés, et y voir la marque de Dieu, la bonté de son projet, y compris à travers la Croix, semble-t-il répéter avec beaucoup de douceur. Il le fera de mille façons, en professeur qu'il est, dans mille catéchèses, surprenantes parfois. C'est son charisme à lui. Rien ne l'intéresse plus que ça. Même pas sa passion, la musique.

« Mystérieux, Dieu n'est pas absurde. Si face au mystère la raison ne voit que l'obscurité, ce n'est pas à cause de l'absence de lumière mais de son excès. Cela vaut lorsqu'on fixe le soleil, mais personne n'ira dire qu'il n'est pas lumineux. La foi permet de regarder le soleil de Dieu qui s'est rapproché de l'homme en s'offrant à sa connaissance », dira-t-il dans l'une d'elles en 2012[1].

*
* *

En huit ans, il aura dû gérer deux synodes régionaux (Afrique, Moyen-Orient), et tant de dossiers chauds,

---

1. Catéchèse du 21 novembre 2012.

œcuménisme, dialogue interreligieux, intégristes, Chine, inculturation, moralisation du clergé… Mais la priorité est pour lui la nouvelle évangélisation pour laquelle il a convoqué un synode et une Année de la foi à partir d'octobre 2012. Que le monde n'y porte qu'un intérêt distrait, peu lui importe.

Il promulgue cette Année de la foi, en programme tous les événements sur douze mois, tout en sachant très bien qu'il va démissionner et que son successeur devra prendre le relai. Ce n'est pas un hasard s'il a décidé de céder le pouvoir au milieu du Carême, période de pénitence. Rien n'est au hasard. Il s'en remet à l'Esprit Saint. Une nouvelle fois il manifeste qu'il n'est pas l'acteur irremplaçable.

Pour l'Année de la foi, Benoît XVI n'a pas proposé des recettes miracles. Pas de triomphalisme ni d'esprit de reconquête. Il n'attend pas de grands bouleversements immédiats, des résultats chiffrés, ne goûte pas les campagnes promotionnelles ni les méthodes Coué à la manière Témoins de Jéhovah ou Mormons. Plus réservé que Jean-Paul II à l'égard des nouveaux mouvements d'Église nés après le Concile, il attend pourtant de ces forces vives, souvent charismatiques et plus papistes que le pape, un renouveau. Un mouvement en plein essor comme le Chemin néo-catéchuménal qui envoie en mission des familles jusqu'en Chine, voit son enthousiasme salué même si son autonomie liturgique est doucement critiquée. Benoît encourage surtout de nouvelles formes de petites communautés chaleureuses, comme les premiers chrétiens le faisaient.

Joseph Ratzinger semble suggérer aussi à ceux qui ne sont pas contents : libre à vous, mais si vous êtes catholiques, vous devez l'être intégralement et obéir à l'Église, suivant son enseignement. Il leur dit aussi : soyez clairs, il y a d'autres choix légitimes. Vous pouvez choisir d'être protestants ou agnostiques, ce qui est une forme de réhabilitation des autres choix, de liberté, de radicalité aussi. Chrétien pour lui ne peut vouloir dire tiède. En disant cela, il suscite beaucoup d'inimitiés et d'incompréhensions. « Jean-Paul II a donné à l'Église sa visibilité, et Benoît XVI son intériorité », a résumé le cardinal français Jean-Louis Tauran, qui a dirigé depuis 2007 le dialogue interreligieux avec courage et mesure sous le pape allemand.

Donner une image cohérente, intégrale, débarrassée des scories, de la foi qui s'adresse à chacun, l'universitaire comme l'illettré : c'est ce retour aux fondamentaux auquel ce prêtre, professeur, évêque, cardinal, puis pape aura consacré dans l'écriture le plus grand nombre d'heures de sa vie, bien plus qu'à aller sur le terrain. Il l'aura fait dans ses livres sur la vie de Jésus et d'innombrables ouvrages. Sa trilogie sur Jésus, qu'il a achevée à l'été 2012 au prix d'un gros effort, est considérée comme un chef-d'œuvre, à la fois clair et raffiné, disant toute sa passion pour le mystère de l'Incarnation de Jésus dans le monde. Et s'il est intellectuel, il défend toujours la foi des simples contre les docteurs de la loi, arrogants. Comme le fera d'une autre manière son successeur. C'est pourquoi beaucoup de ses livres sont curieusement hautement théologiques et limpides quand on fait l'effort d'entrer dedans.

Le travail d'explication lui semble essentiel. À toutes les époques, a-t-il souligné dans son discours-programme de décembre 2005, les chrétiens ont dû être « toujours prêts à rendre raison à quiconque leur demanderait le *Logos*, la raison de leur foi [pour éviter que] la foi et la raison entrent dans une opposition irréconciliable ».

Quatre ou cinq idées forces pour la purification de la foi ressortent de ce travail. D'abord, la foi catholique ne peut être qu'un choix libre, ne pouvant être contrainte. Ensuite elle ne peut être fondée sur la violence. Elle s'ancre aussi dans une tradition. Et puis, foi et raison sont intrinsèquement liées, foi et science ne se contredisent pas, puisque la foi n'est pas magique. Enfin, concept le plus difficile à saisir et qui explique d'une certaine manière la raideur théologique de ce pape : « nous n'avons pas la vérité, la Vérité nous possède ». À nous de la chercher, de lui obéir. La raison de Dieu dépasse infiniment nos raisonnements, nos logiques limitées.

Quelques *aggiornamenti*

Dans les faits, le pontificat sera plus marqué par un nouveau ton que par des réformes. Une nouvelle simplicité est perceptible, dans la manière dont Benoît XVI évoque des activités triviales – la lecture d'un roman policier, par exemple, lors d'une catéchèse. Dans les entretiens en direct, improvisés, sa volonté d'être concret est frappante, tout comme une façon de chercher des solutions respectueuses de la liberté des personnes sur des questions qu'il sait être des thèmes brûlants et polémiques, des divorcés remariés interdits d'eucharistie aux prêtres en concubinage. Comment concilier observation de la loi chrétienne et humanité ? « Là où un prêtre vit avec une femme il faut vérifier s'il y a une véritable volonté de mariage et s'ils pourraient former un bon ménage. S'il en est ainsi, ils doivent suivre ce chemin », affirme par exemple calmement ce pape réputé intraitable. Ou encore : les divorcés, interdits d'aller communier, peuvent vivre spirituellement, assure-t-il, le sacrement de l'eucharistie pendant la messe...

Curieusement, ce pape fustige les systèmes et les idées collectives qui gouvernent les sociétés mais parle souvent de la sainteté ordinaire de millions de gens.

Tout en ne remettant jamais en question la hiérarchie, des observateurs ont noté chez Benoît XVI une ferme condamnation d'un cléricalisme qui prétend que tout se fait par les prêtres. Certaines nominations de personnalités originales dans une Curie majoritairement conservatrice ont laissé augurer une ouverture, comme celle du cardinal brésilien João Braz de Aviz, apôtre d'une version moderne et modérée de la théologie de la libération, à la tête du ministère coiffant huit cent mille religieux et religieuses à travers le monde.

Mais sous Benoît XVI, l'immobilité de fait domine et beaucoup reste à faire pour un meilleur partage effectif du pouvoir avec les laïcs. Le rôle fondamental des femmes dans l'histoire de l'Église est aussi exalté pendant ce pontificat, ainsi que leur capacité d'innovation et leur lien spécial avec Dieu, dans un monde dominé par les hommes. « Ce pape est très sensible au rôle des femmes, c'est lui qui a accepté qu'il y ait des femmes dans *L'Osservatore Romano* », a affirmé l'éditorialiste du quotidien du Vatican, Lucetta Scaraffia, selon laquelle il a soutenu notamment un nouveau supplément féminin mensuel du journal : *Donne, chiesa, mondo*. Pour autant, le sacerdoce des femmes n'est nullement envisagé, et les hommes, par exemple à la Curie, laissent encore peu de place aux femmes, cantonnés dans quelques rôles subalternes.

La culture, l'art, l'information sont d'autres domaines d'ouverture et d'investissement. Deux ministères (culture et communication sociale) très actifs s'en occupent.

Avec l'appui du pape, des tweets d'évêques et de cardinaux, et même des tweet-homélies sont apparus, tout comme des blogs de religieux. Benoît XVI semble conscient que la Toile présente d'énormes potentialités pour l'Église : elle doit y investir, pour endiguer une expression toujours plus éclatée dans la cathosphère. Le grand événement de l'automne 2012 pour les médias a été l'ouverture d'un compte Twitter du pape. Rédigés par ses services et basés sur ses homélies et ses messages, les tweets du pape, au ton très religieux, ont dit la proximité de Dieu. Un pari risqué, ont prévenu certains au Vatican. Un pari nécessaire, a répondu le Conseil pontifical des communications sociales, Internet devant être aussi un lieu d'évangélisation. En quelques semaines, 2,5 millions de *followers* se sont inscrits aux tweets du pape en neuf langues, dont le latin. Mais, parmi eux, peu de messages vraiment constructifs. Par contre beaucoup d'incohérences, d'insultes. La pédophilie, la richesse de l'Église, la condamnation de l'homosexualité sont parmi les thèmes les plus récurrents. L'Église et le pape conservent une image de marque profondément mauvaise. Le bilan de l'expérience a été discuté, mais celle-ci sera reprise, avec un succès majeur, par le pape François.

Quant à *L'Osservatore Romano*, jadis *Pravda* du Saint-Siège, il se renouvelle aussi sous Benoît XVI, mettant l'accent sur l'histoire et la culture, tout en gardant sa vocation de lieu d'expression quasi officielle. Son directeur, l'historien Giovanni Maria Vian insiste : il s'agit de décisions efficaces du pape, et « une transformation est en train de s'opérer au cœur même de la Secrétairerie d'État », centre névralgique du pouvoir. La tâche est immense.

*
* *

Dans la première encyclique de son pontificat en 2005, Benoît XVI a évoqué avec délicatesse un autre domaine sur lequel il est classé rétrograde. *Deus Caritas Est* parle des relations entre l'*eros* et l'*agape* (amour-charité, amour de Dieu). Il y ajoute la *philia*, l'amitié.

Il donne raison à Nietzsche d'avoir reproché au christianisme d'avoir été l'adversaire de la corporéité, ce qui a eu pour conséquence que « l'essence du christianisme serait alors coupée des relations vitales et fondamentales [...], constituerait un monde en soi, [...] fortement détaché de la complexité de l'existence humaine[1] ». L'*eros*, qu'il distingue du sexe marchandise, est bon et complémentaire de l'*agape*, dit-il. Ce texte a été apprécié par des intellectuels non croyants comme une nouveauté. Sa bienveillance surtout a été remarquée.

Cette réhabilitation du corps et de l'*eros* ne signifie aucune révision des dogmes. Mais le seul fait que le pape exalte la sexualité – qu'elle soit vécue activement dans le mariage ou chastement dans le célibat – comme faisant partie d'un plan divin du beau et du bien, est une évolution en profondeur. Le défenseur de la nature qu'est Benoît XVI exalte de la même façon la Création, et le pape musicien l'art, la beauté, voie la plus fascinante pour parvenir à rencontrer Dieu. Autant de chemins non strictement religieux pour venir à la foi.

Pourtant, en partageant la vision de Jean-Paul II d'une sexualité visant à la procréation, Benoît XVI a échoué à apporter un vrai renouveau concret attendu de beaucoup. Le plaisir n'est jamais vraiment réhabilité. Alors que l'Église a beaucoup à s'interroger sur les raisons psychologiques des crimes de ses pasteurs pédophiles, elle peine toujours à trouver des réponses délicates aux questions de la sexualité, même si elle n'est plus négative sur le corps. Le philosophe français Dany-Robert Dufour a ainsi jugé dans le quotidien *Le Monde* que « le déni [par l'Église] des activités fantasmatiques et érotiques s'expose à subir de sérieux retours du refoulé ». Ces sujets seront donc à l'ordre du jour du nouveau pontificat. Là aussi, la tâche est immense.

---

1. *Deus Caritas Est*, encyclique du 25 décembre 2005.

Eurocentrisme ?

Sous Benoît XVI comme sous Jean-Paul II, le Saint-Siège a continué à multiplier des prises de position, parfois radicales, sur justice, paix, immigration, pauvreté, environnement, crise financière. Benoît XVI a fustigé très durement le monde immoral des spéculateurs, a écrit une encyclique sociale très impressionnante, *Caritas in veritate*[1], la *Rerum novarum* du début du XXIe siècle.

Mais le pape, a-t-on regretté de Séoul à Mexico, n'a-t-il pas été tout de même trop tourné vers l'Europe à laquelle il a réservé la majorité de ses voyages et de ses pensées ? Les Latino-Américains ont ressenti un désintérêt par rapport à Jean-Paul II. Et pourquoi les hauts responsables de la Curie sont-ils restés majoritairement des Occidentaux ?

Un missionnaire témoigne que des théologiens indiens regrettent que ce pape ait puisé ses références dans des sources occidentales, notamment grecques. Cet homme qui n'avait voyagé quasiment qu'en Europe avant d'être pape avait, selon lui, un vrai déficit à comprendre une vraie inculturation, ne connaissant rien aux traditions religieuses hindoues. Il n'a pas voyagé en Asie durant son pontificat.

Ce n'est pas par désintérêt pour le Sud. Il a fait avancer le dossier chinois. Envers l'Afrique, il a avoué avoir une affection particulière. Son âme jeune est une réserve de vie et de vitalité aussi pour ré-évangéliser les vieilles Églises fatiguées d'Occident.

Comme Jean-Paul II, Benoît XVI accuse l'Occident d'exporter ses conceptions de santé reproductive (avortement, préservatif) et de famille recomposée. C'est, dit-il, une nouvelle forme d'impérialisme, de colonialisme. Ces thèmes sont des brûlots, sur lesquels le Saint-Siège croise

---

1. *Caritas in veritate*, encyclique publiée le 29 juin 2009.

le fer à l'ONU avec les Occidentaux. Le pape vivra avec amertume le fait que les médias n'aient retenu de son voyage au Cameroun et en Angola en 2009 que sa réflexion sur le préservatif qui peut aggraver le problème du sida. La famille traditionnelle, cellule humanisante de la société, menacée par les migrations et l'individualisme, l'obsède. Il en fera au Mexique davantage un thème aussi central que le narcotrafic.

Laurent, Béninois de 27 ans, lors de son voyage à Cotonou, justifiera ainsi le message du pape : « Benoît XVI a un discours franc. Il dit que notre culture peut trouver son aisance dans l'Église. Sans son exhortation à la fidélité dans notre famille africaine, elle éclaterait encore plus, alors que notre société connaît une mutation très rapide. »

Les voyages de Benoît XVI, comme ceux de Jean-Paul II, ont été des pèlerinages aux sources religieuses des identités, mais il leur a manqué les intuitions prophétiques du pape polonais. Même si les moments d'émotion n'ont pas manqué, et que ce pape a su montrer parfois sa joie au milieu des foules.

L'influence de la papauté pour faire appliquer les droits fondamentaux n'a plus été pleinement utilisée, ont déploré certains, dans le monde diplomatique et au Vatican même. On n'entendra pas Benoît XVI tonner : « il faut que quelque chose change ici », comme Wojtyła à Haïti[1] devant le dictateur Jean-Claude Duvalier. Au Mexique, il condamnera les cartels dont les parrains financent les bonnes œuvres, mais n'emploiera pas de mots très précis pour leurs massacres épouvantables. De peur de s'immiscer dans une réalité politique violente, de voir sa parole récupérée et de compliquer les choses, sans doute. Au Liban, il saura à sa manière, par petites touches, dire les mots qu'il faut pour la Syrie

---

1. Jean-Paul II à Port-au-Prince en mars 1983.

martyrisée, mais prudent il ne dénoncera pas nommément le régime de Assad. Une mission de cardinaux en Syrie, improvisée au dernier moment, fera long feu en octobre 2012. La démarche discrète sera privilégiée. À Cuba, il parlera de l'apport de l'Église à la société dans un discours tourné vers l'avenir, rompant avec le ressentiment, qui évitera de faire le jeu des anti-castristes et des castristes les plus durs. Typique, ce refus d'accentuer les conflits, au risque de décevoir.

Quand, durant une messe à Santiago de Cuba, un homme hurlera contre le régime avant d'être emmené, une petite sœur éclatera en larmes au premier rang car ce perturbateur aura osé s'en prendre à la réconciliation voulue par le pape...

Combat contre la société liquide et pour les valeurs non négociables

Déjà Jean-Paul II la dénonçait après l'effondrement du communisme, Benoît XVI la fustige avec un ton plus sombre : la dictature du relativisme, par perte du sens de la vérité.

Le rouleau compresseur du relativisme, né de la société de consommation à l'américaine s'imposera bientôt, via *tele-novelas*, publicité et multimédia, au sud du monde encore très croyant. Tel est le diagnostic.

Benoît XVI rentre moins dedans que Jean-Paul II, n'ayant pas la violence du lutteur. Mais la dénonciation est plus détaillée. « Désert » est le mot clé. Mais aussi « nihilisme », « séduction du mal », dont la « puissance avance masquée sous les habits du bien ». De la société liquide, reprise du philosophe polonais Zygmunt Bauman, il parlera notamment en 2011 à Venise, citée bâtie sur l'eau mais haut lieu de culture et de spiritualité. Dans des termes rappelant ceux de sociologues comme Alain Ehrenberg, il dénoncera le culte de l'autoréalisation, qui empêcherait la bonne relation avec l'autre et Dieu, le rêve de vaincre la mort et d'être perpétuellement jeune, la société de l'avoir. Dans une chartreuse, lieu de silence total, à Serra San Bruno en Calabre fin 2011, le pape décrira très concrètement une mutation anthropologique des jeunes, « immergés dans une dimension virtuelle, à cause des messages audiovisuels qui accompagnent leur vie du matin au soir ». Ce pape, de manière originale, pointe des violences psychologiques qui rendent l'homme malheureux. Cette analyse aiguë, dont François tirera les travaux pratiques, est une originalité.

Le retour du magique lui semble dangereux. Alors qu'il n'est pas encore pape, Joseph Ratzinger critiquera même en 2003 Harry Potter, gentil sorcier moral, qu'il voit comme une distorsion du christianisme[1]. La nostalgie de Dieu expliquerait aussi l'explosion du pentecôtisme qui l'inquiète, une foi selon lui déformée par le miraculeux et les faux prophètes, à laquelle il ne montre guère d'estime.

Joseph Ratzinger est doublement blessé par l'indifférence des élites européennes à son cri d'alarme et par l'exportation de la société liquide vers le sud, où l'homme est resté naturellement religieux. Il leur reproche de remettre en cause une loi naturelle avec des lois contre la vie. Il appelle les chrétiens à un fort sens critique, à la résistance.

De cela découle la lutte pour les « valeurs non négociables ». Ce sont les non à l'avortement, à l'euthanasie, à la manipulation génétique et aux nouvelles formes de famille. C'est pour lui un combat mondial contre des dangers mondiaux, et ce qui se vote au congrès des États-Unis ou à l'Assemblée nationale en France a un impact dans le Sud.

---

1. Soutien exprimé par Joseph Ratzinger à l'écrivain allemand Gabriele Kuby, très critique sur Harry Potter, en 2003.

Au nom de l'objection de conscience, en pleine campagne électorale américaine, il a adopté une position hostile à la réforme de la santé de l'administration démocrate, qui oblige les institutions catholiques américaines à cotiser pour une assurance-santé remboursant la contraception et la pilule abortive. Alors même que l'administration Obama va dans le sens de la justice sociale prônée par l'Église. Conscient qu'une série de non ne suffit pas, Benoît XVI cherche des alternatives. C'est le cas en médecine quand il encourage des thérapies par les cellules souches adultes, pour remplacer celles avec les cellules embryonnaires qui détruisent les embryons. Le cardinal Joachim Meisner de Cologne, un proche, a proposé en janvier qu'un médicament puisse être proposé aux femmes violées dans une très brève période après le viol[1] : « si après un viol, un supplément (médicinal) est utilisé dans le but d'empêcher la fertilisation, c'est de mon point de vue justifiable ». Mgr Meisner n'a pas lancé sa petite phrase par hasard. Cette toute petite ouverture montre que ce pape légaliste est à la recherche de solutions sur les questions les plus discutées au sein de l'Église, puisqu'il s'agit de cas humains douloureux.

Les derniers mois du pontificat seront marqués par les inquiétudes de l'Église sur l'adoption dans différents pays de lois sur le mariage gay. Ce qui inquiète Benoît XVI est surtout l'adoption par des couples homosexuels et la théorie du *gender*, qui parle de sexe social au lieu du sexe biologique. Contre le *gender*, le pape s'est élevé directement, appelant à ne pas exporter ces théories dans le monde entier. Il a mobilisé ses meilleures plumes, et *L'Osservatore Romano* a consacré de nombreux articles au débat en France. L'approche de l'Église française a été spécialement louée à

---

1. Déclaration du cardinal Meisner à Cologne, le 31 janvier 2013.

Rome, car cherchant des arguments anthropologiques qui puissent, au nom de la raison et de la morale naturelle, rassembler au-delà des limites des confessions religieuses. Le pape, sans jamais prononcer l'expression mariage gay, a explicitement salué cette démarche anthropologique, citant longuement un traité très brillant du grand rabbin de France Gilles Bernheim, sur l'importance de la filiation[1]. Le discours était largement de sa main.

La famille est un dossier clé pour Benoît XVI. C'est une valeur non négociable en général et la famille chrétienne est élevée au rang de petite Église domestique, capable de transmettre une foi en perdition.

Main tendue aux agnostiques, sévérité envers les chrétiens de routine

Joseph Ratzinger va tendre la main non seulement aux autres religions, mais aussi aux agnostiques et aux athées, pour une alliance de la raison humaniste ou encore une alliance des civilisations dans la défense de cette loi naturelle qui serait partagée au-delà des convictions religieuses. Ce dialogue avec les agnostiques – ce qui est nouveau – semble quasiment mis sur un pied d'égalité avec le dialogue interreligieux.

Il a lancé, avec l'aide de son très brillant ministre de la Culture, le cardinal Gianfranco Ravasi, une série de rencontres dites du « Parvis des gentils » pour organiser le dialogue avec les non-croyants. Allusion au Temple de Jérusalem, où existait un tel parvis, espace de rencontre pour les non-juifs. Il a dialogué avec l'écrivain agnostique Julia Kristeva et quelques autres à Assise en septembre 2011, élargissant aux non-croyants une rencontre interreligieuse.

---

1. Discours annuel du pape à la Curie romaine, le 21 décembre 2012.

Surprise de la part d'un homme réputé inconditionnel de l'Église, Benoît XVI a critiqué parallèlement les catholiques de routine dans les paroisses et institutions caritatives bien organisées mais parfois désenchantées de son pays, l'Allemagne.

« Les agnostiques qui au sujet de la question de Dieu ne trouvent pas la paix, les personnes qui souffrent à cause de nos péchés (allusion par exemple aux victimes de la pédophilie) et ont le désir d'un cœur pur, sont plus proches du royaume de Dieu que ne le sont les fidèles de routine », lancera-t-il à Fribourg. Le reproche bien sûr va bien au-delà de l'Allemagne[1].

Selon Mgr Claudio Maria Celli, responsable des communications sociales du Vatican, Benoît XVI « dit qu'il faut établir un dialogue respectueux avec les vérités des autres ». Ce dialogue est visible quand il encourage les catholiques africains à dialoguer avec les cultes traditionnels, pourvu qu'ils excluent la sorcellerie, quand il leur dit en 2011 à Cotonou au Bénin que les affiliations religieuses diverses dans une même famille sont comme les doigts d'une même main.

*

* *

Benoît XVI rejette le syncrétisme, qui détruit selon lui la spécificité de chaque culte. Si, en 2006, à la mosquée bleue d'Istanbul, les lèvres du pape bougeront pour une prière au Dieu unique d'Abraham, à Assise, en septembre 2011, il demandera que chaque religieux prie séparément dans sa cellule, reculant par rapport à la démarche plus audacieuse de Jean-Paul II lors des précédentes rencontres. Des

---

1. Discours aux catholiques allemands engagés dans la société civile, à Fribourg, le 25 septembre 2011.

cardinaux regretteront l'absence d'une prière commune minimale. Mais pour le théologien Ratzinger, si les religions ont des parties de la vérité, elles n'ont rien à gagner à se mélanger... Cela ne signifie pas qu'il n'accorde pas une importance primordiale au dialogue, surtout avec les deux autres monothéismes, fils d'Abraham. Il sait que juifs, chrétiens et musulmans adorent le même Dieu.

Ce jour-là, le pape était venu en train de Rome et exprimait sa joie d'être là, de saluer ces religieux dans tous leurs costumes. Dans la basilique Sainte-Marie-des-Anges au pied de la ville de saint François, il avait placé le rabbin David Rosen de Jérusalem à sa droite. Car c'est avec les juifs que les relations interreligieuses sont les plus chaleureuses. Ils sont pères dans la foi, Jean-Paul II les désignait déjà comme frères aînés.

Dans son pontificat, le pape allemand aura multiplié les gestes envers le judaïsme. Il est allé dans des synagogues, de Cologne à Jérusalem. Il a clarifié que ce n'était pas le peuple juif en tant que tel qui était accusé dans l'écriture d'avoir crucifié Jésus, mais ses grands prêtres d'alors. Comme Karol Wojtyła, il a condamné l'antisémitisme catholique, et a été l'ami de plusieurs grands rabbins juifs et apprécié d'eux. Il a un grand intérêt théologique pour les liens entre l'Ancien et le Nouveau Testament, et estime que seule la question de reconnaissance de Jésus comme Dieu les sépare. Un problème insurmontable il est vrai, mais qui ne doit plus empêcher l'amitié.

Même si l'affaire des intégristes lefebvristes ou le procès de béatification de Pie XII, soupçonné de passivité pendant la guerre face à la Shoah, qu'il a autorisé, ont créé des incompréhensions régulières et vives.

Avec les musulmans, les efforts pour retisser les relations de confiance après la gaffe de l'université de Ratisbonne en 2006 restent difficiles, à quelques exceptions près. D'ailleurs, ils n'étaient pas très bien représentés à Assise. La sensibilité des musulmans reste à vif au moindre incident, ils regrettent Jean-Paul II, plus direct, plus chaleureux. Que Benoît ait visité plusieurs mosquées n'y change rien. L'hostilité des imams salafistes s'est donné libre cours. Visiblement l'affinité observée entre Ratzinger et les juifs n'existe pas de la même manière avec les dignitaires de l'islam, qui soupçonnent le pape de ne pas le respecter. L'université Al-Azhar se réjouira du départ d'un pape qu'elle rendra responsable de tous les accrocs. C'est avec les chiites iraniens, les théologiens de Qhom, que le dialogue sera le plus chaleureux et le plus prometteur. Mais partout, le drame des chrétiens d'Orient, marginalisés, chassés, menacés, dont les témoignages affluent au Vatican, et l'impression de parler dans le vide de paix et de concorde, rendent les efforts difficiles.

Le pape allemand en a été très affecté lors de la fin de son pontificat. Au Liban, en septembre, il avait condamné avec beaucoup de vigueur le fondamentalisme religieux et la prétention de la charia de prendre le pas sur la laïcité dans certains pays. Dans sa bouche, la présence des chrétiens en Orient y est le meilleur rempart de la laïcité, cette séparation-coopération entre sphère politique et religieuse qu'il a constamment défendue, même face aux catholiques intégristes.

*

* *

Même intérêt et en même temps impression de lenteur dans l'œcuménisme, où Benoît XVI a jugé que ce qui compte d'abord est la purification de la mémoire. Un rapprochement spectaculaire, dit-il, ne se décrète pas. Il ne sert à rien, selon lui, d'être apparemment réconciliés sur la base d'accords ambigus. Si un rapprochement continu a eu lieu avec les orthodoxes, notamment avec son ami Bartholomée, patriarche de Constantinople, le pape Ratzinger n'a fait aucun des pas substantiels que les Églises protestantes espéraient, même si des questions théologiques ont été épurées jadis grâce à lui et si un document commun sur cinq siècles d'histoire d'incompréhensions et cinquante ans de dialogue a pu être rédigé. Les protestants sont à son goût trop en phase avec la société moderne. Il les respecte, mais il ne les comprend pas. Des femmes évêques et des évêques gays, ce n'est pas son univers.

Une des ouvertures de son pontificat sera précisément d'inviter les Anglicans qui se trouvent en désaccord avec leur Église sur ses positions trop libérales, notamment sur l'ordination des femmes et la question homosexuelle à rejoindre le giron romain. Des centaines de prêtres et d'évêques, certains mariés, ont ainsi rejoint l'Église romaine. Mais cette offre de la part d'une Église catholique jugée encore dominatrice par le monde éclaté des Églises protestantes aura été souvent mal perçue.

Ces dialogues restent difficiles, et ils se font en douceur, avec prudence, sur la durée. Le pape ne les a jamais bloqués, les a toujours encouragés. Pas vraiment de gestes prophétiques de Benoît XVI dans ces domaines. Des déclarations communes, des rencontres.

Pour le pape, l'intuition essentielle du dialogue d'Assise lancé par Jean-Paul II est une alliance contre la violence. On a tué, on tue encore au nom du Christ et de Dieu, martèle-t-il sans cesse, et cela a pour résultat que les non-croyants assimilent les religions et les chrétiens à la violence et à la haine. Il le redit fermement en 2012 aux Mexicains au pied d'une immense statue du Christ-Roi[1] au centre de ce

---

1. Grande messe finale du voyage au Mexique, près de León, le 25 mars 2012.

pays très catholique affligé par la violence endémique du narcotrafic, ce Christ-Roi est pacificateur et non guerrier : « la royauté du Christ n'est pas comme beaucoup l'avaient comprise et la comprennent ». Le refus d'un Dieu violent et intolérant est pour lui la vraie base intéressante d'un dialogue interreligieux.

*

* *

Benoît XVI se montrera par ailleurs étonnament dur avec l'Église institution. Précisément parce qu'il a une très haute idée de l'Église, corps mystique du Christ, il fustige le goût du pouvoir et de la gloire et rêve de l'époque des premières communautés décrites par saint Paul, même si elles se querellaient. Il dénonce les péchés de toutes sortes des prêtres, de manière explicite.

Cette fermeté se répercute ensuite dans les discours de simples prêtres sur le terrain. En ce dimanche de juillet 2012, un prêtre haïtien prêche dans le sanctuaire de Notre-Dame de Vassivière, en Auvergne, devant une assemblée de catholiques français âgés : à côté des bons pasteurs, il y a dans l'Église des mauvais pasteurs, « la parole ne vaut rien sans le témoignage », fustige-t-il. Tel est le message sévère qui vient de Rome.

Dans son voyage dans son pays, en septembre 2011, il juge que la sécularisation a aidé l'Église à sa purification, même quand elle l'a appauvrie, affaiblie. Il prêche pour une Église démondanisée, se positionnant à la fois contre les progressistes qui veulent une Église politique et par-tisane et les intégristes qui rêvent de l'alliance du trône et de l'autel. « Les sécularisations, [...] l'expropriation des biens de l'Église ou la suppression des privilèges signi-fièrent chaque fois une profonde libération de l'Église de formes de mondanité », dira-t-il même[1]. N'annonce-t-il pas quelqu'un, ne lui prépare-t-il pas son terrain ?

Pourtant, même s'il affirme que l'Église n'est pas un parti, elle reste liée aux affaires, aux mécènes, aux milieux politiques, aux aristocraties, aux groupes de pression. Comme le montre le défilé de puissants, italiens et autres, qui se pressent pour le saluer aux audiences générales, et aussi certains documents de Vatileaks faisant état d'alliances pas toujours claires avec de sombres puissances, des personnages intrigants, des intermédiaires douteux.

Avide de clarté, le pape accepte volontiers que l'État ait ses exigences. Il demande en retour que l'Église soit associée aux débats de la société. Il parle souvent de laïcité. Pour lui, la laïcité a été même un apport du christianisme primitif, à partir de la devise de Jésus : « Rendez à César ce qui est à César, à Dieu ce qui est à Dieu. » Ce rapport où État et Églises indépendantes coopèrent est cependant contesté en France, et aussi, de plus en plus, en Espagne, en Pologne, en Italie surtout. Où les évêques se mêlent de tout.

En Italie, le Saint-Siège se voit reprocher d'avoir longtemps soutenu Silvio Berlusconi malgré ses frasques, uniquement parce qu'il avait promis de ne pas faire voter des lois contre la vie (bioéthique, fin de vie, etc.). Cela n'empêche que le respect de Benoît XVI à l'égard des institutions italiennes lui vaudra l'amitié sincère du président italien, l'ancien communiste Giorgio Napolitano, et réciproquement. L'ancien président du Conseil Mario Monti aura cherché, huit fois en moins d'un an, le conseil spirituel du pape. Celui-ci a accepté que l'Église commence à réduire ses privilèges fiscaux très importants dans la péninsule en crise. Mais en même temps le souverain pontife insiste

---

1. Discours aux catholiques allemands engagés dans la société civile, le 25 septembre 2011 à Fribourg.

pour que l'Église conserve ses institutions éducatives et de santé, contestées par le camp laïc. Des institutions où, pour Benoît XVI, il doit être possible d'exercer l'objection de conscience sur les valeurs non négociables. L'évolution des jurisprudences européennes, qui tendent à contester cette objection de conscience, est un autre crève-cœur pour Benoît XVI. Un brûlot, en Italie et dans l'Europe en général !

Sa conception de l'autonomie Église/État et des droits des uns et des autres, Benoît XVI l'a exposée brillamment dans son discours au Bundestag en 2011 où il appelait à la collaboration de Jérusalem (la foi dans le Dieu unique), d'Athènes (la raison philosophique) et de Rome (la pensée juridique) pour le bien commun et contre le danger d'une nouvelle barbarie. Un discours qui mériterait d'être étudié dans les facultés de droit du monde entier, observe le cardinal Tauran.

S'adressant aux catholiques de Chine en 2007, il a tendu la main de la coopération au régime communiste, afin qu'il reconnaisse l'autonomie de la religion catholique et cesse de contrôler une partie des catholiques chinois : l'Église ne demande aucun privilège. « Les autorités civiles sont bien conscientes que l'Église, dans son enseignement, invite les fidèles à être des bons citoyens, des collaborateurs respectueux et actifs en faveur du bien commun de leur pays, mais il est également clair qu'elle demande à l'État de garantir à ces mêmes citoyens catholiques le plein exercice de leur foi. » Avec Pékin, une petite détente en résultera, de courte durée[1], jusqu'à fin 2011.

*

*   *

---

1. « Lettre aux catholiques de Chine », le 27 mai 2007.

Parallèlement l'exigence du pape à l'intérieur se marque par plusieurs inflexions dans le culte : insistance sur le dimanche, jour du Seigneur, premier jour de la semaine et non dernier, redécouverte de l'importance des sacrements (eucharistie, confession), liturgies plus recueillies, encouragement à prendre l'hostie dans la bouche, retour de la génuflexion.

Certaines des inflexions sont nettement conservatrices. Comme si la consigne était de ne plus accepter le décontracté soixante-huitard. Sous Benoît XVI, l'Église est devenue plus stricte sur l'habit religieux, qui doit être sobre, strict et indiquer l'identité catholique. Un retour en vogue de la soutane a été observé, et pas seulement à Rome, que les jeunes prêtres et séminaristes ont suivi souvent avec zèle. Depuis l'élection de François, un début de retour du balancier est déjà constaté.

Particulièrement polémiques ont été les critères rigoureux qui ont pu amener à refuser le baptême et le mariage, quand les intéressés le faisaient par convention sociale ou n'étaient pas en règle.

Une autre rigueur a été celle des critères désormais très sélectifs pour entrer au séminaire. Les fuites de la réalité, les motifs superficiels, les névroses sont dépistés, aussi, justement, pour éviter les abus pédophiles. La formation psychologique des futurs prêtres à la sexualité est enfin développée. Des candidats, déjà peu nombreux, sont refusés. Choix typiquement ratzingérien : mieux vaut moins de prêtres mais des prêtres sûrs et entièrement dévoués. Il défend la conception d'une sexualité épanouie dans le célibat, pour lui une forme essentielle de liberté. Les homosexuels ont été appelés à aller voir ailleurs. Une directive ressentie comme injuste par beaucoup, cohérente par d'autres. Le pape se prive ainsi sans doute d'un large contingent de candidats.

L'identité doit aussi s'exprimer davantage dans la mission, l'action catholique, l'enseignement, la recherche. Il a été mis un frein à des institutions qui, aux yeux d'une certaine Rome conservatrice, n'ont de label catholique que le nom, ainsi l'Université catholique pontificale du Pérou (PUCP) à Lima, où la théologie de la libération s'est développée, ne peut plus porter le titre de pontifical. L'Église risque de se priver d'une institution prestigieuse, pont entre elle et la société, comme la défendent les jésuites. La belle idée postconciliaire de l'enfouissement dans l'humain a semblé sous Benoît XVI perdre du terrain...

Le pape et le Concile : renouveau dans la continuité

Le grand découragement né sous Jean-Paul II s'est accentué dans le camp progressiste. Les progressistes ont eu l'impression d'essuyer toutes les réprimandes, alors que les « tradis » étaient courtisés. Rome leur a dit qu'ils ont tort lorsqu'ils refusent d'afficher sur leurs drapeaux leur foi dans leurs actions philanthropiques, lorsqu'ils veulent accueillir avant de demander aux gens de changer leurs comportements. Ils ont reproché au Vatican de les empêcher de coopérer avec les ONG non chrétiennes, sous prétexte qu'elles apportent des moyens d'aide non catholiques (préservatif, pilule, etc.), de voir le mal partout dès lors que ce n'est pas estampillé catholique.

Un long travail d'incorporation des sciences humaines (psychanalyse, sociologie) va-t-il aussi être annihilé ? Une jeune génération de prêtres sûrs d'eux, propres sur eux, venus des Légionnaires du Christ ou d'autres mouvements conservateurs, a débarqué dans les paroisses, jugeant sévèrement le curé, faisant la leçon au vieux jésuite en jeans dans le bidonville.

A été favorisé un nouveau profil, le conservateur créatif, qui préconise une ouverture sociale en affirmant les dogmes sans complexe. Un Angelo Scola ou un Timothy Dolan, cardinaux de Milan et New York, en sont des protagonistes. Ils sont offensifs mais pas obtus ou misanthropes, connaissent la soif de Dieu dans leurs grandes villes, ont de l'esprit et de l'humour, savent parler aux frontières. Ce qu'ils font d'essentiel, et qui est la marque de Benoît, c'est de parler beaucoup et d'abord de Dieu, ne jamais l'occulter.

Benoît XVI est difficilement classable. Est-il un restaurateur ? Son effort par exemple pour ramener au bercail les intégristes lefebvristes a suscité les plus grandes crispations. Pourquoi, disaient des prêtres français, se donner tant de mal pour une minorité d'intolérants, nostalgiques de l'Action française ? Ce pape regretterait-il le Concile, la liberté religieuse, la fin de l'hégémonie catholique sur la société ? Sûrement pas.

C'est d'abord au nom du premier devoir de tout pontife, l'unité du troupeau chrétien, que Benoît XVI a agi avec les lefebvristes. Il aura tout fait, se sera exposé en première ligne, aura été critiqué pour cet engagement excessif. Ce dossier, il avait échoué à le régler en 1988, un cuisant échec personnel. C'est peut-être pour cela qu'il s'est attaché à le débloquer. Ces centaines de prêtres disponibles et fervents restés en marge, égarés dans la nostalgie du passé, Benoît XVI, qui aime une certaine tradition mais n'est nullement intégriste, pensait qu'ils n'étaient pas des pestiférés ! Mais il leur demandait d'accepter le magistère de l'Église sur le Concile. Inconditionnellement. Il a échoué de nouveau en 2012 dans cette partie de bras-de-fer. Un crève-cœur pour lui. Un dossier que son successeur François ne traitera pas avec autant de patience, mais avec plus de fermeté.

*

* *

L'Année de la foi, qui s'est ouverte en octobre 2012, a coïncidé avec le 50ᵉ anniversaire de Vatican II. Occasion urgente de faire le point. Pour Benoît XVI, le Concile n'a pas été une rupture mais un renouveau dans la continuité, qui n'a pas donné tous ses fruits. « Ceux qui espéraient qu'à travers le oui fondamental à l'époque moderne, toutes les tensions se seraient relâchées [...] avaient sous-estimé les tensions intérieures et les contradictions de l'époque moderne elle-même », avait-il dit lors de son discours-programme à la Curie à Noël 2005.

« Il y avait un faux optimisme après le Concile, quand les couvents fermaient, quand les séminaires fermaient, et qu'ils (certains théologiens NDLR) disaient : mais c'est rien, tout va bien ! Non, tout ne va pas bien, il y a aussi des chutes graves, périlleuses, et nous devons reconnaître avec réalisme qu'ainsi, ça ne peut pas aller, qu'on ne doit pas aller là où se font des choses erronées. » Une semaine avant sa démission, dans cette catéchèse très personnelle, portant sur l'Église[1] et ses fondateurs Pierre et Paul, qui exprime une sorte d'amertume, Joseph Ratzinger soulignait à quel point les chefs de l'Église choisis par Dieu étaient des hommes imparfaits et pécheurs mais qui obéissaient cependant à Dieu. Il exprimait subitement toute sa colère, son amertume contre tous les évêques, religieux et religieuses qui avaient réformé à tour de bras leurs communautés,

---

1. Catéchèse au Séminaire romain majeur, le 8 février 2013, sur les fondateurs de l'Église, Pierre et Paul.

sans connaître vraiment les textes du Concile, ni obéir au pape : l'improvisation, la désobéissance avaient désorienté le clergé, vidé la liturgie de sa substance et finalement vidé les églises, selon lui. Le sel de la terre s'était affadi. Dans ces propos désabusés, on retrouve le gardien du dogme de Jean-Paul II, passionné de pureté doctrinale et finalement intransigeant quand l'Église est en jeu.

Devant le clergé de Rome, dans sa toute dernière caté-chèse du Mercredi des Cendres 2013, sorte de testament improvisé, un pape libre de ses paroles, prophétique, proclamait avec une extraordinaire passion que le vrai Concile ne s'était encore pleinement réalisé, que c'était maintenant, après un long enfantement douloureux, qu'il donnerait pleinement ses fruits. Il ajoutait que ce qui a été connu a été le concile des journalistes et non celui des deux mille pères de l'Église réunis au Vatican pendant trois ans. Et le concile des journalistes n'a eu qu'une lecture politique, profane et réformée de débats élevés et fondamentaux. Et le pape de résumer les unes après les autres les constitutions et déclarations approuvées qui disent le primat de Dieu.

On percevait à ce moment-là, particulièrement dense et émouvant, à quel point le Concile, ce renouvellement voulu d'une Église fossilisée, avait été un espoir immense pour le jeune théologien devenu pape, au point de conditionner toute sa vie, toute sa pensée. Benoît XVI a rappelé l'enthou-siasme qui l'avait amené à Rome avec le cardinal de Cologne Joseph Frings, la joie de cette rencontre planétaire, l'affir-mation « Nous sommes l'Église » des évêques allemands, français et néerlandais qui voulaient renouveler l'Église en profondeur. Il a fait revivre l'enjeu immense des débats sur l'Église, la parole de Dieu, le rapport au monde, la liberté religieuse... Toutes choses nouvelles, extrêmement riches.

Puis viendra l'après-Concile, les mouvements de 1968. Mgr Ratzinger verra les prêtres renoncer par milliers pour se marier, les vocations chuter, foi et psychologie être selon lui dangereusement mêlées – comme dans la communauté française des Béatitudes, qui a été l'objet d'un procès pour pédophilie. Il déplorera les messes et la catéchèse bâclées, les sacrements abandonnés, les scandales divers, les prêtres qui s'érigent en gourous. Après cette dernière catéchèse magistrale de son pontificat, on a mieux compris la démarche constante de Benoît XVI : tenir l'Église en équilibre entre la révolution et l'intégrisme. Dans les entêtements des deux côtés, il a vu de l'orgueil, mère dans le christianisme de tous les défauts, tentation que propose sans cesse Satan aux hommes.

Joseph Ratzinger semble avoir eu surtout du mal avec la révolution des mœurs. Or, dans toute révolution il est inévitable que la parole se libère. Les sœurs américaines, féministes radicales, sont ainsi le fruit de l'intelligence et de la liberté qu'a insufflée le Concile. Elles ont engagé des réflexions sur les catégories en marge de l'Église, les réalités sexuelles, la condition de la femme. Elles ont voulu une Église des Marie-Madeleine, et pas seulement sur le papier. Elles se sont rebellées contre leurs évêques, demandant à grands cris des réformes. Mais Joseph Ratzinger, depuis les amphis de mai 1968, a eu la hantise d'une théologie trop *buonista*, qui dirait : le mal n'existe pas, tout est détermination psychologique. Il n'a pas vu dans leurs idées nouvelles des fruits du Concile, même s'il serait faux d'affirmer qu'il n'a pas compris – et aussi parfois salué en parole – leur générosité et leur passion. Il les comprenait peut-être un peu mieux que Jean-Paul II, mais a estimé qu'elles faisaient erreur. Derrière Benoît XVI, l'efficace machine à corriger les déviations, la Congrégation pour la doctrine de la foi, était là pour rectifier et punir, non seulement des prêtres et évêques pédophiles, ce qui était voulu par Benoît XVI et justifié, mais aussi de malheureux théologiens un peu audacieux !

Dans deux livres choc, *Confessions d'un cardinal* et *L'Espérance du cardinal*, le journaliste Olivier Le Gendre avait interrogé un cardinal anonyme qui n'a pas voté Ratzinger au conclave de 2005. Il ressort de ses confidences qu'un groupe minoritaire aurait voulu qu'une ligne plus collégiale, moins centralisatrice, plus libérale, l'emporte. Un groupe qui voulait un Vatican III pour parler sans tabou réforme de la Curie, collégialité, rôle du pape, contraception, mariage des prêtres, sexualité, qui prônait une évolution douce des dogmes, mais sans laxisme. Leur grand espoir était l'éminent jésuite bibliste et ancien cardinal de Milan Carlo Maria Martini, mort le 31 août 2012 mais qui, malade au conclave, n'était pas candidat.

Le cardinal Martini, qui entretenait une relation d'estime avec Ratzinger, incarnait une force de proposition ouvertement critique mais non pas de dissidence. Dans une interview publiée après sa mort, il appellera les évêques et le pape à évoluer, dira que l'Église a peur et éloigne par sa rigidité doctrinale des générations entières de chrétiens.

Benoît XVI, par crainte de brèches béantes que provoqueraient des ouvertures timides, par conviction aussi que le message chrétien ne convaincra que s'il est intégralement proposé, a au contraire fait le choix de peu bouger. Pour lui, un Vatican III est tabou, tout simplement parce que Vatican II n'est pas achevé. Dans certaines paroisses d'Occident transformées en déserts, l'impasse est vécue dramatiquement.

Mais il ne faut pas se leurrer, même un pontife libéral acceptant des ouvertures sur les mœurs, même un Martini – donné papabile au conclave de 2005 et que sa maladie avait empêché de se présenter – n'aurait jamais accepté de révolutions sur les grandes questions éthiques de la vie et de la mort. Même si son style est différent, le successeur de Benoît ne devrait pas faire exception à cette fermeté, alors que les sociétés sont de plus en plus postchrétiennes. En effet, croyant à la Providence divine, tout pape pense que ces questions ne relèvent pas de l'homme et de sa volonté. C'est la grande fracture, irréconciliable, des papes avec l'idéologie des Lumières, qui a mis l'autodétermination de l'homme au centre. Idéologie des Lumières où par ailleurs plusieurs pontifes – et Joseph Ratzinger le premier – ont reconnu certaines vérités et une réaction légitime au fanatisme religieux, sans cesse dénoncé par ce pape de la raison.

5

Un départ en grâce et en beauté, une Église dans le doute

C'EST comme si Benoît XVI, après sa démission, s'était senti plus léger, plus libre ; à mesure qu'il recevait l'expression de la gratitude de la multitude des croyants, cet homme pudique apparaissait davantage tel qu'il était. Il ne cachait pas son émotion et semblait plus proche. Il expliquait aussi, il démontrait de vive voix qu'il n'avait pas été forcé.

Pour la première fois dans un Angelus, devant cent mille personnes massées sur la place Saint-Pierre, Joseph Ratzinger parle de lui à la première personne. « Dieu m'appelle à monter sur le mont », dit-il en rappelant le geste de Jésus et de tous les mystiques après lui qui se sont retirés sur la montagne pour prier. Mais, ce faisant, il indique aussi concrètement sa destination future, dans un monastère sur la colline du Vatican. « Cela ne signifie pas abandonner l'Église », ajoute-t-il tout de suite, bien conscient de l'incompréhension qu'il suscite. « Je suis vraiment ému, je vois l'Église vivante », confie-t-il encore. Il affirmera aussi son affection pour tous ces catholiques lointains et anonymes qui lui ont écrit et qui manifestent clairement que l'Église est vivante.

Lors de l'audience générale suivante, il débute d'une voix ferme en italien : « comme vous le savez j'ai décidé (*ho deciso*) en pleine liberté, pour le bien de l'Église, bien conscient de la gravité de cet acte »… Interrompu par les applaudissements, il répond en remerciant pour la sympathie et les prières… « Je l'ai senti presque physiquement dans ces journées pas faciles pour moi. »

Un des moments les plus chargés d'émotion aura lieu dans la basilique Saint-Pierre devant les cardinaux réunis. Le cardinal Tarcisio Bertone, son fidèle secrétaire d'État, si décrié mais que Benoît XVI a toujours défendu contre les critiques, lui rend un hommage collectif : « Je ne serais pas sincère si je ne disais pas qu'il y a ce soir un voile de tristesse sur notre cœur. […] Votre magistère, dit-il les sanglots dans la voix, a été une fenêtre ouverte [qui] a laissé filtrer les rayons de la vérité et de l'amour de Dieu pour donner lumière et chaleur à notre chemin, surtout quand les nuages s'accumulaient dans le ciel. » Le pape, tassé sur son trône, le regarde, le regard brouillé, sans un mot. Puis il met fin au moment d'émotion, demandant de poursuivre l'office.

Après avoir parlé aux prêtres de Rome pendant trois quarts d'heure, *a braccio*, du Concile, dans la salle Paul-VI, comme un maître à ses élèves, il dit aux cardinaux qui pouvaient en douter qu'il se retire vraiment, loin des réceptions et de toute vie sociale. Il promet qu'il manifestera à son successeur qu'il ne connaît pas encore une obéissance totale. Menant simplement une vie de prière.

À l'issue d'un règne de sept ans, dix mois et neuf jours, le départ de Benoît XVI du Vatican le 28 février vers Castel Gandolfo, où il se retire pour deux mois, est sobre et simple. À l'image de celui qui l'accomplit. On verra l'hélicoptère blanc traverser le ciel radieux de cette fin de février, au-dessus des forums et du Colisée en direction des monts albins bleutés. Le plus beau sera pour la fin. Dans la lumière du soir, au-dessus du lac d'Albano, d'un bleu parfait, Joseph Ratzinger apparaîtra une dernière fois de la loggia du petit palais pontifical, devant une foule dense et fervente. Les mots sont légers, affectueux, sans amertume. Il promet sa prière, son attention, se dit entouré par l'amitié et la beauté de la création. « Je suis désormais simplement le pèlerin qui finit son chemin sur la terre. » Un peu plus tard, les gardes suisses se retirent de la porte à deux battants qui lourdement se referme, dans un bruit sourd.

Les jours suivants, le père Federico Lombardi confiera aux journalistes que le pape émérite dort bien et va bien. Il a enfin le temps de lire un livre d'Urs von Balthasar, un de ses maîtres et l'un des principaux théologiens du Concile, *L'Esthétique théologique*, écoute des enregistrements de musique classique, fait des petites promenades dans l'immense parc magique de Castel Gandolfo et s'est remis au piano. Ainsi, il est revenu à ce qu'il aime et dans lequel, à juste titre, il se croit le meilleur : la théologie, la musique, la contemplation, la prière.

Quelques mois plus tard, la publication non fortuite par *L'Osservatore Romano* d'une homélie inédite du cardinal Ratzinger après la mort de Paul VI en 1978, éclairera sous un jour nouveau le sentiment très personnel qu'il avait pu éprouver lui-même pendant son pontificat et surtout au cours de ces derniers mois douloureux.

Sentiment de réticence et d'emprisonnement qui explique peut-être après coup la sérénité, le soulagement, l'impression de libération qu'il a donnés de lui-même les derniers jours, malgré la difficulté qu'a représentée une telle décision.

Malade, épuisé, Paul VI, rapporte-t-il, « ne trouvait aucun plaisir dans le pouvoir, dans la position qu'il occupait et avait lutté intensément avec l'idée de démissionner. [Il] s'était laissé entraîner humainement là où il ne voulait pas aller [...] Combien pouvait être pesante la pensée de ne plus pouvoir s'appartenir à soi-même ! De ne plus avoir un moment de vie privée, d'être enchaîné jusqu'au bout, avec son propre corps qui l'abandonne, à un devoir qui exige, jour après jour le plein et vif engagement de toutes les forces d'un homme ! », écrivait celui qui n'était alors que le cardinal de Munich[1] de ce prédécesseur auquel il ressemble.

*

* *

« Ce pape a été un intellectuel hors pair, même un homme honnête et courageux qui a subi toutes sortes de trahisons. Il n'a pas eu peur de démissionner, bravo pour ça ! Mais il est resté dans sa tour d'ivoire, n'a rien compris à notre époque et à nos mœurs. Décidément il n'était pas dans le coup » : c'est ce qu'un cadre supérieur, interrogé dans une rue de Paris, pouvait dire de ce pontificat, en ce dernier jour de février 2013, jour du départ de Joseph Ratzinger.

Le jugement des Européens est souvent sévère. Un pape au milieu de trop de forces contraires, qui n'a pas su réformer le système, estimé pour une clarté de pensée sans égale, mais qui ne savait pas bien communiquer, qui n'était pas un homme de terrain. Un pape qui a voulu préserver un héritage et réformer en profondeur, mais ne se sera pas fait comprendre...

---

1. Homélie du cardinal de Munich de Joseph Ratzinger, datant d'août 1978, et publié dans *L'Osservatore Romano*, le 20 juin.

Sous ce pontificat, l'Église semble s'être quelque peu éloignée du monde, après le règne planétaire de Jean-Paul II. Benoît XVI a été perçu comme déconnecté, lointain, dans les nuages, par nombre de fidèles catholiques qui ne le connaissaient même pas. Peut-être son aspect extérieur, une voix trop faible pour s'imposer, sont-ils mal passés, sans compter des traits de caractère attribués à l'Allemand. L'opinion n'a pas compris sa douceur, sa délicatesse calme, son attention attestées par ceux qui l'ont approché et que souvent les jeunes des JMJ ont saisies, même s'ils étaient nostalgiques du contact avec Jean-Paul II. Les gens ont retenu l'absence (apparente) d'humour et de chaleur, ce qu'ils ont appelé l'ennui, dès lors qu'ils étaient incapables de l'écouter ou tout simplement de l'entendre. Ils n'ont pas été séduits, comme les vaticanistes, par ses catéchèses lumineuses, parfois tellement belles qu'elles touchent même les moins sympathisants, et qui vont au cœur de la crise existentielle d'aujourd'hui.

« Des perles. Certaines de ses homélies sont parfaites, limpides. Elles resteront. Tant de respect et de rigueur les habitent. Elles sont une base pour nous, une base d'étude, de méditation. Elles offrent des clés d'analyse du monde contemporain pour l'Église. Le pape Benoît sera reconnu comme un père de l'Église. Il sera celui qui, dans notre entrée confuse dans le troisième millénaire, aura clarifié, purifié le message de l'Église. Je le regretterai, mais j'approuve son geste d'humilité », affirme au crépuscule du pontificat un jeune prêtre français de Rome.

Le mouvement des Lumières, Freud, Sartre, Marx, Heidegger et Cie pensaient-ils avoir définitivement mis le christianisme K.O. ? Du couvent des Bernardins (2008) à l'abbaye de Westminster (2010) en passant par le Bundestag (2011), le pari intellectuel de Benoît XVI est d'avoir dit non, et de refuser d'en proposer une version aseptisée et vidée de sa substance. Est-ce ainsi que les Églises attireront à nouveau ? C'est sa conviction.

Parmi ce que ses adversaires reprochent au pape Ratzinger, figurent avant tout un immobilisme dans certaines réformes, une préférence pour les belles traditions du passé, une absence de réponses à des questions brûlantes de société et d'Église, une parole politique insuffisamment forte. Parmi les lumières qu'on lui reconnaît, la toute première reste sa capacité à parler clairement, en prenant sans cesse de nouveaux angles de vue, du Dieu chrétien.

Lors du synode pour la nouvelle évangélisation en octobre au Vatican, le pape a semblé être au diapason de l'Évangile avec les trois cents évêques présents. L'accent était mis sur un retour aux sources, un message cohérent, une purification, la priorité pour les pauvres, la fin de la mondanité, le courage d'affirmer ses convictions à contre-courant, l'énergie. Du Cambodge à l'Argentine et à la Slovaquie, les interventions des pères des synodaux avaient eu un ton souvent très ratzingérien, pas révolutionnaire, mais radical, imaginatif et franc. Ce synode avait été perçu comme le signe que cette Église sous Benoît XVI s'était purifiée, était vivante même si elle est désormais très minoritaire.

Minoritaire ? Cela n'a pas dérangé outre mesure le pape allemand. On se demande même s'il ne préférait pas cette position d'une Église combattante et fervente. Rappelant celle des premiers chrétiens, qui n'étaient pas toujours d'accord entre eux mais étaient vraiment unis en Christ et prêts au martyre. Ce qui a compté pour lui est la cohérence. Ne pas dévier de sa route. Son message n'a pas capté l'audiosphère. Tant pis. Pour lui ce n'était pas trop grave, s'il s'est imprimé dans quelques cœurs. Et, de la crise pédophile à l'enseignement de la foi, Benoît XVI aura apporté sa rigueur. Il a sans doute déjà été oublié de beaucoup. Cela lui est certainement égal, tant il a répété vouloir s'effacer et n'être pas l'acteur central de l'histoire.

Le majordome Paolo Gabriele, en transmettant des documents secrets pour aider *son* pape, s'est certes trompé sur les moyens. Mais il a illustré une volonté répandue de clarté et de lent changement en profondeur que Benoît XVI a tranquillement encouragée.

Comment cette volonté de changement en profondeur a-t-elle débouché sur un nouveau pape ? Sur quelles priorités les cardinaux du conclave, tous formés par Karol Wojtyła et Joseph Ratzinger, ont-ils mis l'accent ? Un pape plus pasteur, moins sérieux, moins perfectionniste, moins de l'appareil, a été élu. Il s'agit de sortir l'Église du carré minoritaire, identitaire, mais comment ? Être en sympathie avec le monde tout en n'étant pas du monde, mais comment ?

DEUXIÈME PARTIE

Nouveau séisme :
un pape du Nouveau Monde

1

François et le Dieu concret
Les premiers pas

> Nous ne devons pas avoir peur de
> la bonté, et même pas non plus de la
> tendresse.
>
> Jorge Mario BERGOGLIO[1].

Le pape du bout du monde qui va vers le monde

*Les premières vingt-quatre heures qui ont changé l'Église –
Décryptage*

« *Fratelli e sorelle, buona sera !* » La silhouette de l'homme
en blanc, sans étole ni mosette, a tout de suite ému.

En 1978, Karol Wojtyła, venu de l'autre côté du Rideau
de fer, dégageait une impression de force et de verdeur,

---

1. François, lors de l'homélie de la messe d'installation du pontificat,
19 mars, basilique Saint-Pierre.

subjuguant la foule avec son « *se sbaglio mi corrigerete*[1] » prononcé avec son accent slave. En 2005, Joseph Ratzinger semblait écrasé par sa charge, la lourdeur des habits, de l'Église même. Sans doute le cinéaste Nanni Moretti se sera-t-il inspiré de lui, avec Michel Piccoli en pape réticent dans *Habemus Papam* ? Ce 13 mars 1913, dans cette nuit pluvieuse, Jorge Mario Bergoglio est apparu dans le dépouillement.

L'Esprit Saint, a-t-il dit tout de suite, est allé chercher un évêque de Rome à l'autre bout du monde. Cette touche d'humour, de distance avec la solennité du moment, a détendu l'ambiance électrique. Elle a plus rappelé le pape polonais que le pape allemand. Mais pourtant le style était très différent, plus doux, plus humble. La voix basse, sourde.

L'image du serviteur de l'Évangile, fort parce que assumant sa faiblesse, s'impose alors. Simple croix de fer sur la poitrine, ce pape m'est apparu *austère*.

Pas d'or, pas de rouge. Silhouette courte et bien droite, parlant italien avec l'accent espagnol. Et pour ceux qui le voient sur leur écran – le visage anguleux, énergique, chaussé de lunettes sur lequel se lit une gravité particulière. Les millions de téléspectateurs et les quelque cent mille personnes qui ont accouru sous la pluie glacée sur la place Saint-Pierre apprennent qu'un pape prend le nom de François d'Assise, patron d'Italie, mais surtout saint des plus populaires – pour son enseignement de la pauvreté, le don de la paix, le respect de la nature.

La voix douce mais ferme s'élève. Pas de phrases compliquées. Des mots plutôt pour accompagner des gestes, aussi importants que les mots.

Ayant écouté silencieusement bras le long du corps l'hymne du Vatican et réservé sa première prière au pape émérite, il s'adresse aux Romains comme leur évêque,

---

1. « Si je me trompe, vous me corrigerez. »

rapprochant ses mains pour faire un cercle avec ses doigts : l'évêque et son peuple ensemble. Les fidèles ont besoin de leur évêque, il a aussi besoin d'eux. Ce mouvement des mains indique que l'Église n'est pas de haut en bas, mais un cercle de solidarité, une communauté.

Et puis, il y a ce geste que nul pape n'a fait avant lui. « Avant, avant que je vous bénisse, a-t-il dit sur le ton d'une prière, je vous demande une faveur. » Dans ce mot, une extrême intensité. J'ai besoin de vous, semblait-il dire, sans vous, je ne peux rien faire. « Je vous demande de prier Dieu de me bénir. » Et il s'est incliné vers la foule. Pendant cette minute intense, un silence impressionnant monte de la place. Des personnes athées, non baptisées, mais aussi des cardinaux, des sœurs, des prêtres témoigneront ensuite de leur émotion à ce moment-là. Le nouveau pape François ne mettra son étole sur les épaules qu'au moment où, à son tour, il bénira la foule.

La papauté et la dimension hiérarchique semblent s'effacer devant celle de l'évêque et du peuple. Non seulement les Romains ont pu apprécier mais les fidèles aux quatre coins du monde. Certains catholiques traditionnels ont pu être décontenancés.

« Quand je l'ai vu à la télévision sur la loggia, ne rien dire pendant un bon moment, et puis ce mot "prions", j'ai éclaté en sanglots », déclare F., Vietnamienne qui a perdu la foi.

« C'était un homme seul. Et il n'a pas dit : je vous bénis, mais d'abord priez pour moi. La prière ? Le monde contemporain l'a désapprise, ce monde truffé de chiffres, d'idées efficaces qui s'entraînent, s'enchaînent les unes aux autres. C'est cette attitude du pauvre dont le monde a besoin. Elle est le luxe, la force du pauvre. La prière est plus forte que la métaphysique qui parfois a donné Hitler. Ne pas faire, c'est faire ! Prier, c'est faire ! », affirme cette femme de 60 ans dans ce beau témoignage.

Les jours suivants, on en saura plus sur ces premières heures car les cardinaux n'ont pas résisté à l'envie de raconter ici et là aux journalistes comment s'était passée l'élection dans la chapelle Sixtine, et Jorge Bergoglio en a lui-même confié quelques détails.

« Je suis un pécheur, mais confiant dans l'infinie patience de Dieu, dans un esprit d'obéissance, j'accepte », a dit aux cardinaux celui qui s'était effacé au conclave de 2005 devant Joseph Ratzinger. Il s'est levé pour aller saluer longuement le cardinal de Bombay, Ivan Dias, dans une chaise roulante, avant d'embrasser les autres, un à un.

Quelques minutes plus tôt, pendant l'ultime vote, « quand cela commençait à devenir un peu périlleux », racontera-t-il[1], « mon voisin le cardinal Claudio Hummes, archevêque émérite de São Paulo, un grand ami, m'embrassa et me dit : "Tu ne dois pas oublier les pauvres." » Ainsi a été choisi le nom de François d'Assise. D'abord en relation aux pauvres, puis en pensant aux guerres. François est à la fois l'homme de la pauvreté, l'homme de la paix, l'homme qui aime et protège la création.

Un autre cardinal lui conseillait de s'appeler Adrien « parce que Adrien VI avait été un réformateur et qu'il convient de réformer l'Église ». Un autre lui avait proposé « Clément XV : comme ça tu te vengeras de Clément XIV qui a supprimé la Compagnie de Jésus ! » « Ce sont juste des blagues », précise le premier pape jésuite. Les premières d'une longue série.

Le soir même, il décrochera plusieurs fois son téléphone, comme il le faisait avant. Il surprend des amis ou encore l'évêque auxiliaire de Buenos Aires pour qu'il décourage ses fidèles de faire un voyage coûteux jusqu'à Rome. Il vaut mieux,

---

1. Le 16 mars, trois jours après son élection, le pape s'adresse dans la salle Paul-VI aux milliers de représentants des médias et leurs familles.

dit-il, réserver cette somme aux pauvres dans le diocèse[1]. Il avait fait de même en 2001 quand il avait été créé cardinal. Il prendra l'ascenseur avec les autres prélats du conclave, ne montera pas dans la limousine noire immatriculée SCV1[2] pour retourner à la résidence Sainte-Marthe, préférant se serrer dans le minibus, y gardera sa chambre où il était entré cardinal. Au dîner de fête, il admonestera ses électeurs : « Que Dieu vous pardonne ! »

Le lendemain, assis au fond d'une voiture de la Gendarmerie vaticane, il ira chercher ses affaires et payer la note lui-même à la Casa del Clero, résidence à côté de l'église Saint-Louis-des-Français. Montera lui-même dans sa chambre faire ses valises... Un prêtre résident racontera la scène : « Le portier était stupéfait : "Non, Votre Sainteté, vous ne pouvez pas payer, maintenant que vous êtes pape !" "Et comment donc ! Qui paiera alors ?", répond Jorge Bergoglio.» Ce refus des privilèges dénote déjà un style, une autonomie, un désir de ne pas être dépendant d'un appareil.

Dans sa première visite dans son diocèse, il se rend en pèlerinage à la Vierge de Sainte-Marie-Majeure, la *Salus populi romani*, patronne de son diocèse. Il lui apporte un simple bouquet de fleurs, et se recueille devant l'autel où saint Ignace de Loyola avait célébré sa première messe. Il adresse aux prêtres confesseurs de la basilique une petite phrase marquante : « Vous êtes des confesseurs. Alors soyez miséricordieux envers les âmes. Elles en ont besoin. »

Dans l'après-midi, il récite le rosaire devant la reproduction grandeur nature de la grotte de Lourdes dans les jardins du Vatican.

---

1. Appel téléphonique révélé par le porte-parole du Saint-Siège, le père Federico Lombardi.
2. « *Stato della Città del Vaticano.* »

Puis la traditionnelle messe *pro ecclesia* avec les cardinaux dans la chapelle Sixtine est l'occasion pour lui de donner le ton. Il n'est pas assis sur un trône quand les cardinaux s'approchent de lui mais debout face à eux : *Primus inter pares*. C'est une courte homélie improvisée (*a braccio*) qu'il prononce, en trois points. *Cheminer, édifier, confesser* sa foi sont ses axes pour l'avenir de l'Église. Des phrases brèves, tranchantes, d'une voix douce mais où vibre parfois une colère. « *Questo non va !* » (Ça ne va pas !), répète-t-il, mettant l'accent sur le *va*. Des gestes l'accompagnent comme s'il avait besoin de mimer. S'adressant aux princes de l'Église, il parle de la mondanité du diable et insiste sur le fait que lui-même, les évêques, les prêtres, ne peuvent suivre le Christ sans accepter de porter sa croix : « Quand nous marchons sans la croix, quand nous bâtissons sans la croix, quand nous confessons le Christ sans la croix, nous ne sommes pas les disciples du Seigneur, nous sommes mondains, nous sommes des évêques, des prêtres, des cardinaux, des papes, tous, tous... Mais pas des disciples du Seigneur ! »

Les projets chrétiens sans l'acceptation de la croix, il les voit pérennes, illusoires. Il les compare à des châteaux que construisent les enfants sur la plage. De la main, il imite le sable glissant entre les doigts. « *Tutto va giù.* » (Tout va vers le bas.) Un langage que des enfants aussi peuvent comprendre. La sévérité, la gravité, l'exigence frappent en ce moment où il s'adresse aux cadres dirigeants de son entreprise, responsables de la bonne transmission du message. Il fait allusion à l'ampleur de la crise morale qui risque de faire de l'Église une simple ONG charitable mais sans souffle.

Certains se sont-ils sentis déjà menacés dans cette attaque en règle contre la mondanité ? D'autres, une majorité sans doute, ont-ils été enthousiasmés de ce nouveau ton rude et vigoureux ?

Perception et réalité
Attentes démesurées d'une révolution
et nostalgie de Dieu

QUELQUES gestes, quelques mots d'un nouveau pape auront suffi pour faire passer au vert tous les clignotants qui étaient au rouge. Et la lune de miel dure sous toutes les latitudes. Les foules se pressent sur la place Saint-Pierre. L'Église intéresse à nouveau, prend une teinte riante. On s'en étonne au Vatican. Cela déconcerte aussi : ne va-t-on pas retomber de plus haut ? Ce pape n'emmène-t-il pas l'Église dans une chimère, sur un nuage illusoire, loin des sentiers balisés et droits du pape Benoît ?

Une croix d'or en moins, un *buona sera*, un *buon pranzo* en plus, un handicapé serré longuement et affectueusement dans les bras. Quelques formules lourdes de sens dans le monde actuel : miséricorde, sortir aux périphéries, une Église pauvre pour les pauvres… Ces mots et gestes suscitent en quelques jours une popularité extraordinaire dans le monde non croyant et hostile.

Toute une promesse, un programme évangélique...
mais l'Église en crise reste la même. Elle est entourée de
préjugés, critiquée pour exiger trop et à contre-courant.
Peut-on dissocier le pape et l'Église, dire que l'un est bon,
l'autre est mauvaise ? Et si justement ce pape voulait la
faire aimer, faire redécouvrir la fraîcheur de son message,
la désenclaver ?

Cet accueil suscite des réflexions en profondeur sur la
nostalgie d'une parole autre. Dans cette euphorie com-
préhensible, il peut y avoir aussi un malentendu, une
perception d'un pape imaginé comme on voudrait qu'il
soit, révolutionnaire peut-être, progressiste, mot magique.
Tout comme Benoît XVI était vu comme homme du passé...
La distinction conservateur/progressiste semble parfois la
seule qui intéresse certains médias concernant les papes.

Soif de droiture et de fraternité

Parmi les intuitions justes que les gens ressentent immédiatement, il y a cette capacité de parler au cœur, à répondre
à la soif de vérité, de droiture et de fraternité. « Il semble
si gentil », entend-on souvent, tout simplement.

La Vietnamienne F., 60 ans, qui ressent profondément
le décalage entre la parole des puissants et la réalité des
pauvres, est profondément remuée. Il est simplement autre,
différent, éprouve-t-elle. De famille chrétienne, elle a tant
attendu de l'Église une parole de proximité, en vain, assure-
t-elle. Elle perçoit dans l'attitude pauvre de François un
appel à tous les autres dirigeants, religieux, politiques,
économiques, à ne plus utiliser les pauvres pour leur bonne
conscience et comme alibis.

« J'aime ce pape, on sait ce qu'il fait. Je le préfère à
Benoît XVI. François, lui, n'est pas toujours dans son appar-

tement, et on comprend ce qu'il dit », dit Élise, 9 ans, qui a placé sa photo dans sa chambre à côté d'une image de la Vierge.

Une timide réhabilitation de l'Église avait débuté avec la démission de Benoît XVI. Des reportages bienveillants étaient soudain diffusés par des télévisions sur un univers qu'elles jugeaient dépassé un an plus tôt. La majesté de l'entrée en conclave, le mystère d'une élection à huis clos fascinaient. Le public est friand de rites. Quand il n'a plus de religion, il les reconvertit en cérémonies laïques. Mais cette explication est trop courte. Les regards se tournaient vers cette place Saint-Pierre, lieu – malgré tout – d'une autorité morale, de la transmission d'un message autre. Dans l'inconscient collectif des milieux incroyants, l'Évangile, Jésus éveillent des images positives, même si elles sont souvent vagues.

Il a suffi de plus qu'un homme du Sud s'installe à Rome l'européenne, dans ce temple de la richesse et de la tradition européenne qu'est supposé être le Vatican, pour que la sympathie se mue en enthousiasme médiatique. Une révolution équivalente à la chute du mur de Berlin. Que l'Argentine soit un pays très européanisé, que Bergoglio soit d'origine italienne, comptait peu.

La pauvreté que le pape met en avant fait surtout tilt. Près de Naples, à Cicciano, un acteur italien, Barbato De Stefano, fait réaliser en plâtre une première statue naïve[1] assez laide représentant François souriant dans un champ de pommes de terre. Et De Stefano d'expliquer ce surprenant hommage agraire : « La pauvreté de mon village

---

1. Le 20 mai, cette statue colorée dans le style expressif des crèches napolitaines sera exposée brièvement à Cicciano en Campanie, et présentée par Barbato De Stefano. La référence aux pommes de terre est liée aux ancêtres piémontais de Jorge Bergoglio, qui les cultivaient.

est la richesse même de la communauté dans laquelle je suis né et j'ai grandi. En parcourant le monde, j'ai eu tant d'occasions de comprendre que malheureusement la richesse est la pauvreté de l'homme. »

Nul doute que l'éloge du *poverello* amoureux de la nature qu'était François d'Assise attire, des altermondialistes aux écologistes.

Le désir d'un printemps après le dur hiver

Importants ou anonymes, des catholiques expriment aussi leur enthousiasme : prêtres, religieux, religieuses, séminaristes ont sauté de joie et de surprise, se sont embrassés sur la place le 13 mars 2013.

« J'ai moi-même ce soir pleuré de joie / quand tu nous as invités tous à prier / Dans la diversité de nos conditions et de nos croyances ». Le cardinal français à la retraite Roger Etchegaray rédige le soir même de l'élection ce poème à ce pape qu'il ne connaît pas.

« Je te vois silencieux, les bras ballants / Je pense à l'*Ecce Homo*, l'homme de la Passion / et j'aurais envie d'essuyer tes larmes / Car certains jours tu ne pourras nous les cacher », écrit à 90 ans l'ancien émissaire des missions difficiles de Jean-Paul II, l'avertissant de la dureté de la confrontation entre le monde moderne et une bonne nouvelle dissimulée sous tant de pesanteurs. « Face aux défis gigantesques de ce monde, [l'Église n'est qu'] un petit David, avec une besace contenant, en plein âge nucléaire, des cailloux polis par le torrent de l'Esprit. »

Le courant de sympathie chez les catholiques semble s'expliquer aussi par une frustration face une Église qui ne savait plus parler au monde. Nostalgie d'un printemps après un dur hiver. Benoît XVI, dont les photos ont quasiment disparu dès avril des étalages de souvenirs, lui a injustement été associé. Il suscitait certes l'émotion, le respect, l'affection souvent, mais guère l'enthousiasme des Italiens venus à ses dernières apparitions sur la place Saint-Pierre. « Je souhaite un pape plus communicant. Plus chaleureux, que l'on comprenne mieux. Moins strict sur les questions de mœurs, de l'homosexualité au divorce. Moins conservateur et moins traditionnel. Qui nous soutienne mieux dans nos difficultés quotidiennes », entendait-on dans la foule, même chez des religieuses et religieux.

Pour certains catholiques, Benoît XVI n'avait pas su défendre l'Église contre la mauvaise réputation, les attaques, les médias. Ils voulaient quelqu'un qui sache répliquer avec de bonnes formules, comme Jean-Paul II jadis, et réconcilie l'Église avec le monde moderne. Ils croient l'avoir trouvé.

Des évêques italiens[1] et d'Amérique latine attestent d'un phénomène nouveau dès les premières semaines : ceux qui ne pensaient plus pouvoir trouver compréhension dans les églises y affluent pour se confesser. Le témoignage qu'a su donner François d'un Dieu proche a touché toute une très vaste population de baptisés aux portes de l'Église.

Un homme normal qui nous ressemble

C'est aussi une image personnelle moins coincée. Qu'il porte des chaussures brunes et non les fameux mocassins rouges de Benoît XVI, qu'il reçoive en connaisseur les maillots de foot du club argentin San Lorenzo, qu'il étreigne hommes

---

1. Mgr Rino Fisichella, président du Conseil pontifical pour la nouvelle évangélisation, l'atteste le 15 mai dans une conférence de presse au Vatican. Il évoque des témoignages nombreux d'évêques italiens et latino-américains.

et femmes… Les journalistes, à partir d'un bon appétit (*buon pranzo*) à la fin d'un Angelus dominical, l'ont décrit en bon vivant, en optimiste. Une image populaire un peu bonasse, relève un vaticaniste, et ne correspondant pas à la réalité.

Les croyants et les non-croyants pour qui, notamment en France, le Vatican est une anomalie, se réjouissent d'un homme normal à la tête de l'Église. « Ça se voit tout de suite, lui, il n'est pas de ces *monsignori* gays ! Je l'imagine bien dans un lit avec une femme. D'ailleurs quand il était jeune, il a été amoureux », atteste l'un. « On dit que toutes ces lumières allumées au Vatican, il les éteint derrière lui. Il a protesté contre ce gâchis d'électricité », assure un autre, qui le plaint d'être pape.

Et les scandales disparaissent des unes

Le 13 mars, Vatileaks, les scandales pédophiles, la corruption, les chantages, les sombres intrigues sont sortis subitement du discours médiatique et des unes de la presse. Pour quelques semaines et mois, un temps de grâce, une trêve. Comme si étaient chassés d'un coup les cauchemars nauséeux dont peut-être certains éditorialistes se lassaient sans l'admettre, y compris dans les médias les plus anticléricaux.

Une parole désintéressée, une autorité morale chaleureuse restent des aimants puissants. Sur Twitter, où pullulent les surfeurs peu respectueux, François a déjà dépassé les neuf millions de *followers*, dont plus de cent mille en latin…

Le pape est très préoccupé que cette popularité ne devienne un culte, ne veut pas de statues à sa gloire. « Vous criez Francesco, Francesco, pourquoi ne criez-vous pas Jésus ! », a-t-il lancé, dépité et anxieux, aux fidèles des nouveaux mouvements d'Église qui l'acclamaient à la Pentecôte.

3
Les raisons de l'élection
Le mandat du cardinal Bergoglio

Un bref plaidoyer missionnaire emporte l'élection

« Je ne voulais pas faire le pape », confiera-t-il[1]. Il le sera, imposé par une vague de fond.

Les congrégations qui précèdent le conclave sont particulièrement denses, franches, emportées par une volonté d'aller à l'essentiel. Un mouvement rapide d'adhésion permet l'élection dès le cinquième tour. Pas de climat de règlements de comptes. Une demande de renouveau.

« Autant le préconclave de 2005 avait été dominé par le désir de continuité et de sécurité : on élisait le plus proche du défunt, le cardinal Ratzinger. Autant celui de 2013 est régi par un sentiment de rupture, d'audace, de discontinuité », a observé le cardinal Paul Poupard, ancien ministre

---

1. Le 7 juin, le pape François répond très librement aux questions que lui posent des élèves des collèges jésuites d'Italie et d'Albanie.

de la Culture de Jean-Paul II, qui connaît tout le monde en plus de cinquante ans passés à la Curie.

L'évangélisation et la recherche d'un pape à même de la mener à bras-le-corps étaient la préoccupation pressante des grands électeurs.

Venait en second lieu la réforme de l'institution. Là était demandé beaucoup d'énergie, de sang-froid et un sens stratégique.

L'intervention du cardinal de Buenos Aires devant les congrégations générales en ce début mars est percutante, musclée. Elle est délivrée à partir de quelques notes. Certains mots sont durs, manifestant une profonde réflexion et un esprit prophétique. Elle entraîne de nombreuses adhésions chez les cardinaux, conservateurs en majorité, mais désireux de sortir l'Église de sa crise.

Ce texte sera rendu public par le cardinal de La Havane, Jaime Ortega :

1. Évangéliser suppose le zèle apostolique. Évangéliser suppose pour l'Église l'audace de sortir d'elle-même. L'Église est appelée à sortir d'elle-même pour aller vers les périphéries, non seulement géographiques, mais aussi les périphéries existentielles : celles du mystère du péché, celles de la douleur, celles de l'injustice, celles de l'ignorance et de l'absence religieuse, celles de la pensée, celles de toute misère.

2. Quand l'Église ne sort pas d'elle-même pour évangéliser, elle devient *auto-référente* et alors tombe malade. Les maux qui, au fil du temps, ont touché les institutions religieuses ont leurs racines dans l'auto-référence, une sorte de narcissisme théologique.

Dans l'Apocalypse, Jésus dit qu'il est à la porte et appelle. Évidemment, le texte se réfère à ce qu'il appelle de l'extérieur pour entrer... Mais je pense à toutes les fois où Jésus frappe depuis l'intérieur pour que nous le laissions sortir. L'Église auto-référente porte Jésus-Christ à l'intérieur et ne le laisse pas sortir.

3. L'Église, quand elle est auto-référente, sans s'en rendre compte, croit tenir sa propre lumière. Elle cesse d'être *mysterium lunae* et donne naissance à ce mal si grave qu'est la mondanité spirituelle[1] – selon de Lubac le pire mal qui puisse arriver à l'Église. C'est vivre pour s'apporter la gloire les uns aux autres.

Pour simplifier, il y a deux images de l'Église : l'Église évangélisatrice qui sort d'elle-même, ou l'Église mondaine qui vit en elle-même, d'elle-même et pour elle-même.

Ceci doit apporter la lumière pour les changements et réformes possibles qu'il faut réaliser pour le salut des âmes.

Sous ces voûtes impressionnantes de la Sixtine qui racontent le Jugement dernier et invitent à l'humilité, plusieurs candidatures – d'Américains et d'Européens – seront présentées. Des poids lourds, doctrinalement. Les parieurs extérieurs misent sur un ratzingérien, ferme comme un roc, à la grande culture, le cardinal Angelo Scola de Milan, qui divise cependant les Italiens. Les électeurs veulent-ils d'ailleurs d'un Italien, qui représente un certain retour au passé ? Ratzinger ne se voit-il pas reprocher d'avoir redonné la majorité aux Italiens et Européens ?

Recueillis dans la prière, les cent quinze princes de l'Église méditent la phrase du cardinal de l'hémisphère Sud : « Je pense à toutes les fois où Jésus frappe depuis l'intérieur pour que nous le laissions sortir. » Que faut-il donc faire pour laisser sortir Jésus ? Et aussi pour le laisser entrer dans cette Église où des congrégations riches sont

---

1. Le terme est du grand théologien français Henri de Lubac, cardinal jésuite (1896-1991).

parfois si bien organisées qu'elles ne peuvent plus accueillir l'imprévu qui frappe à leur porte ?

Ne faut-il pas appeler quelqu'un, en dehors du système curial, qui ouvre les fenêtres pour chasser l'odeur de renfermé, qui ait un regard neuf et non d'initié ? Quelqu'un dont en même temps on soit sûr ? C'est alors que l'Esprit a soufflé, imposant le nom de Bergoglio.

« Une expérience extraordinaire de l'Esprit Saint »

Beaucoup de cardinaux disent s'être sentis conduits par l'action de l'Esprit Saint.

Le cardinal argentin avait été un sérieux papabile en 2005 et s'était effacé pour ne pas apparaître comme le candidat des progressistes contre Ratzinger, dans une Église déjà en pleine crise. Déjà alors, une partie des électeurs avaient repéré cet archevêque timide, discret, parlant en peu de mots, qui ne bougeait pas le petit doigt pour faire campagne. Une qualité qui se doublait d'une « austérité et d'une frugalité, alliées à une intense dimension spirituelle », avait rapporté dès lors le vaticaniste Sandro Magister[1].

Huit ans plus tard, il avait pris son billet retour et préparé l'homélie qu'il devait prononcer dans la cathédrale de Buenos Aires pour le Jeudi Saint. Il savait aussi que certains avaient voté pour lui en 2005. Mais son âge (76 ans) semblait un handicap. L'archevêque argentin avait-il un pressentiment, ce qui explique son humeur sombre à son départ pour Rome ? Ses notes montrent qu'il avait réfléchi à la barque de l'Église.

---

1. Dans l'*Espresso*, Sandro Magister en avril 2005, avait misé sur le cardinal Bergoglio.

Dès que le nom de Bergoglio a commencé à apparaître, un mouvement irrésistible s'est déclenché, ont témoigné les présents. Il aurait obtenu quelque quatre-vingt-dix voix sur cent quinze, soit une écrasante majorité.

« Le Seigneur voulait que ce soit lui », a jugé le cardinal Christoph Schönborn[1], selon qui plusieurs signes l'ont annoncé en ces heures historiques. Selon le primat autrichien, le 12 mars, quand le conclave a commencé, personne ne savait qui serait élu. « Nous avons été guidés par l'Esprit Saint vers cet homme assis à l'angle ultime de la chapelle Sixtine. »

Avant le conclave, Schönborn avait rencontré à la sortie de la basilique un couple d'amis latino-américains. « Pouvez-vous me donner un conseil ? » La femme lui avait soufflé à l'oreille : « Bergoglio »...

Un pape élu pour la première fois sur un mandat

Alors que les papes sont généralement élus en raison de qualités morales, d'une œuvre théologique reconnue, d'une carrière dans l'Église, François est, aux yeux du directeur de L'Osservatore Romano, Giovanni Maria Vian, « le premier pontife à l'avoir été avec une mission, sur un mandat : résoudre le problème dans le gouvernement de l'Église ». Sa solidité doctrinale et ses qualités de pasteur en faisaient le candidat idéal.

Les cardinaux américains admiraient sa détermination à Buenos Aires. Ils ont puissamment contribué à le faire

---

1. S'exprimant au Royal Albert Hall de Londres et cité par le site Vatican Insider.

élire. « Ils ont misé sur lui car il était selon eux le seul en mesure de faire le ménage. »

Les électeurs ne voulaient pas un autre professeur pour l'Église. Or le candidat le plus cité, le cardinal Scola, formé à l'école exigeante de Benoît XVI, était précisément un autre professeur.

Pendant le pré conclave, une plainte générale s'était élevée pour faire en sorte que le futur pape ait davantage de contact avec la réalité du vaste monde, selon un cardinal.

Le choix s'est porté sur un « ornithorynque spirituel », un jésuite qui se réclame des franciscains, souligne avec humour le père François Bousquet, théologien et recteur de Saint-Louis-des-Français : « s'il maintient ce mélange détonant des spiritualités jésuite et franciscaine, il peut réformer puissamment l'Église ».

« Le prisme s'est ouvert : le jésuite est caractérisé par le combat spirituel, le discernement, le service, la sympathie avec la culture, la capacité aussi d'organiser le chaos ! Le franciscain se distingue par la pauvreté, la simplicité, le rapport cordial avec le monde. » Vaste programme.

Espoir-illusion des contestataires ?

Les théologiens catholiques contestataires comme le Suisse Hans Küng ou le Brésilien Leonardo Boff ont chanté dès l'élection la louange de ce nouveau pape, avant qu'il n'ait annoncé quoi que ce soit. Surtout son vœu d'une Église pauvre[1] a été salué. Certains se sont mis à attendre l'impossible, non seulement l'abolition de la Curie détestée,

---

1. François devant les représentants des médias au Vatican le 16 mars : « Comme je voudrais une Église pauvre, pour les pauvres ! »

mais aussi l'acceptation des prêtres mariés, des femmes prêtres, du divorce, un assouplissement sur l'avortement, le mariage gay, etc.

Rêve jamais comblé d'une Église humaniste qui s'adapte aux évolutions... C'est sûrement méconnaître la théologie et le profil rigoureux de ce pape jésuite, qui n'aurait jamais été élu sur un tel programme par des hommes de Jean-Paul II et Benoît XVI.

Exemples parmi d'autres des espoirs suscités par Bergoglio : un curé de la Pologne profonde jette en juillet 2013 un pavé dans la mare de sa puissante Église. Avec respect mais détermination, le père Wojciech Lemański ose dresser le procès d'une institution autoritaire, hiérarchisée, ne supportant aucune critique sur ses dogmes en matière de mœurs. Le père Lemanski est démis par son évêque. Il se tourne vers le Vatican en espérant un soutien du nouveau pontificat...

À Metz, des fidèles d'une paroisse où des prêtres ont été démis par leur évêque, sont convaincus que François défend l'Église de la charité contre l'Église des fonctionnaires, et espèrent dans le Vatican[1]. L'attente est donc grande partout, l'illusion aussi parfois... Un curé franc-maçon de Megève fait un pèlerinage de quarante jours dans l'espoir de s'expliquer auprès du pape.

À en croire le théologien de la libération brésilien Leonardo Boff, jadis rappelé à l'ordre par Ratzinger et qui se flatte de connaître Bergoglio, le seul nom de François contient les prémices d'une vaste réforme d'une Église catastrophiquement rigidifiée. « Vous allez être étonnés », assure-t-il[2].

---

1. La paroisse Saint-Simon-Saint-Jude de Metz s'élève le 16 juillet 2013 pour défendre deux prêtres lazaristes sanctionnés par leur évêque.
2. Leonardo Boff, *Der Spiegel*, décembre 2012.

Deux mois après l'élection[1], Hans Küng avait déjà changé de ton. Son rêve d'une protestantisation de l'Église ne se réalisait pas. La catholicité était réaffirmée avec force. Le bouc émissaire qu'était Benoît XVI, accusé de faire revenir l'Église à une sorte de Moyen-Âge, ne servait plus.

« Que faire, se lamentait le théologien suisse, si l'espoir d'une réforme nous était retiré d'en haut ? L'époque où le pape et les évêques pouvaient compter sur l'obéissance des fidèles est révolue. Nous ne devons en aucun cas nous résigner ! Face au manque d'initiatives réformatrices venant d'en haut, il nous faut entreprendre résolument des réformes par en bas. »

« Si le pape François finit par retomber dans les ornières du passé sans accomplir la rénovation nécessaire, "l'appel indignez-vous !" se fera entendre de plus en plus fort à l'intérieur de l'Église », mettait-il en garde. Et il concluait que l'Église pourrait devenir « une grosse secte sans importance ».

L'espoir demeure chez beaucoup. Le mouvement de base *Wir sind Kirche* (Nous sommes l'Église) a ainsi recommandé en juillet[2] à tous les catholiques qui le suivent de soutenir à tous les niveaux le cours de réformes engagé par le pape François. L'héritage de cet autre cardinal jésuite, Carlo Maria Martini, chef de file de l'ouverture dans l'Église, mort en 2012, a sûrement joué, pensent-ils, un rôle dans son élection.

---

1. Hans Küng, tribune parue dans *Le Monde* et plusieurs journaux européens le 13 mai 2013, « Pape François, réformez ».
2. *Wir sind Kirche, Pressemiteilung*, 17 juillet 2013.

Héritier de Bosco
et des curés italiens traditionnels

Pour Jean Mercier, éditorialiste de *La Vie*, la classification progressiste/conservateur ne s'applique pas à François : « Pour beaucoup de catholiques, être social c'est être progressiste et libéral. François ne rentre pas dans ce cadre. Avec lui c'est l'idéal de Frédéric Ozanam qui passe aux commandes : un christianisme à la fois pieux et fortement engagé auprès des pauvres et des exclus. » « François est sans doute encore plus radical que Benoît, même si son appétit pastoral et sa bonne humeur tempèrent ces convictions corsées », écrit-il[1].

C'est aussi ce que pense Vittorio Messori, écrivain italien et éditorialiste spécialiste des derniers papes[2], pour qui François est l'héritier de ce catholicisme social du XIXe siècle, formé de bataillons de curés courageux qui allaient s'occuper de toutes les misères du monde, dans les périphéries existentielles, et dont beaucoup sont bienheureux et certains saints comme Don Giovanni Bosco[3]. Des curés traditionnels, attachés à l'Église, au pape et à la Madone. Qualifiés par les libéraux de leur époque de réactionnaires et d'intransigeants. Des curés audacieux dans le social, n'hésitant pas à se salir les mains. « Il figure parmi les héritiers de cette admirable tradition », le contraire d'une tendance « contestatrice, hétérodoxe, polémique envers les dogmes et la hiérarchie ».

Quant au nom de François, poursuit Messori, il incarne l'obéissance envers la hiérarchie, la vénération pour le

---

1. Jean Mercier, vaticaniste à l'hebdomadaire *La Vie*, blog « Paposcopie », 10 mai 2013.
2. Vittorio Messori, *Corriere della Sera*, 20 mai 2013.
3. Giovanni Melchiorre Bosco (1815-1888) canonisé par Pie XI en 1934.

pape, l'horreur de l'hérésie. « L'homme d'Assise fut un catholique obéissant, pas un révolté ni même un critique de l'Église institutionnelle », estime l'écrivain italien.

« Va et répare mon Église ! »

« Notre Église a été blessée par tant de choses. Benoît les a dénoncées tant de fois, et quand François a été élu, choisissant précisément le nom de François, je pense qu'il a fait sienne la mission de guérir l'Église blessée. Il devra soigner ceux qui ont endommagé la foi, ceux qui se sont réfugiés dans les sectes » : c'est ce que souligne le cardinal hondurien Óscar Rodríguez Maradiaga[1], proche de lui depuis trente ans.

Avec le temps, les langues se délient sur les raisons qui, outre la perte des forces, ont pu renforcer la décision de Benoît XVI de démissionner. Les scandales étaient largement connus de lui. Il se serait plaint une fois d'être entouré de loups et de sangliers[2] à la Curie.

Selon plusieurs sources, il ne se voyait plus l'énergie de renvoyer toute son équipe. Il a donc laissé à son successeur la possibilité de faire partir ceux qui doivent partir. « Si je reste je ne peux tous les renvoyer, je n'en ai ni la force ni l'énergie. Si je pars, je les fais tous tomber », telle a été la pensée du vieux pontife, selon une de ces sources vaticanes.

Quand un pape renonce, c'est toute son équipe qui renonce. Par cet acte, Benoît XVI leur a manifesté qu'ils sont désormais tous provisoires. Et c'est bien ainsi qu'ils ont été reconduits en mars par François, sous contrat précaire.

---

1. Interview au quotidien italien *Il Messaggero*, 13 mai 2013.
2. Cité par le vaticaniste espagnol José Manuel Vidal, dans un article paru le 10 juin 2013.

Benoît XVI se voit reprocher d'avoir laissé trop de pouvoir à ses collaborateurs. « Le problème n'était pas Benoît XVI, mais la manière dont il a été géré », selon le vaticaniste de *La Stampa* Andrea Tornielli.

Le fameux consistoire de février 2012, où une majorité d'Italiens avaient été faits cardinaux, a suscité une bronca contre le cardinal secrétaire d'État Tarcisio Bertone, accusé d'avoir imposé ses choix. D'où le consistoire suivant, où à l'automne, le pape créait six cardinaux non européens. Il y avait bien une crise de gouvernement.

« Benoît XVI a dû se rendre à l'évidence qu'il avait suscité beaucoup d'hostilité avec le premier de ces consistoires. Il s'était en quelque sorte constitué prisonnier. Toutes les critiques remontaient vers lui, mais n'étaient jamais dirigées contre lui. Il les a prises cependant pour lui, et a décrété : je m'en vais », analyse après coup le cardinal Poupard.

Un pape de l'autre bout du monde

Pour beaucoup de cardinaux électeurs, un homme du Sud était évident. « Jusqu'à quand dans l'Église serons-nous dirigés par l'Europe et les États-Unis ! », s'était exclamé, interviewé en mars 2012 par l'agence d'informations religieuses I.Media le cardinal de Curie brésilien, très apprécié de Bergoglio, João Braz de Aviz.

Pour d'autres, habitués à une Église centrée sur un continent européen où le christianisme avait porté des fruits millénaires, le choix de l'homme du Sud était audacieux, voire téméraire, mais nécessaire.

Ce n'est pas n'importe quel Sud, c'est un Sud bien italien. Il n'y a pas pays plus européanisé que l'Argentine. Les parents et grands-parents de Bergoglio sont issus du

Piémont et de Ligurie. François a d'ailleurs souligné qu'il était partiellement italien et qu'il ne l'oubliait pas.

« Avec Bergoglio, on est en terre connue. Les Argentins se considèrent comme Européens. Buenos Aires est une ville d'une culture imprégnée par ses racines italiennes », observe le cardinal suisse Georges Cottier, ancien préfet de la Maison pontificale.

Un Africain ou un Indien n'avaient guère de chances, malgré des candidats de grande valeur. Pour l'évangélisation, un pape ayant l'expérience de la sécularisation accélérée était recherché. Autrement dit, un pape ayant connu la postmodernité à l'œuvre dans les mégalopoles occidentales. Des villes comme Rio de Janeiro, São Paulo ou Buenos Aires remplissaient ces critères.

Nouveau cru du Nouveau Monde coupé d'ancien vin européen

L'élection de Bergoglio est donc un compromis aux yeux de ceux qui craignaient un pape trop étranger à la pensée européenne.

C'est ce qu'a expliqué franchement le cardinal Angelo Scola[1] : avec un homme trop éloigné de la culture de la vieille Europe, on risquait une perte de substance.

« La jeunesse des Églises latino-américaines et africaines est nécessaire mais ne suffit pas », ajoutait Scola, expliquant qu'il y a quelque chose que ces Églises ont encore besoin d'acquérir, c'est la complexité. Celle-ci ne peut venir que de l'Europe fatiguée, de la raison née de l'expérience occidentale, de vingt siècles d'histoire,

---

1. Présentation par le cardinal Angelo Scola de son livre *N'oublions pas Dieu*, le 18 avril 2013 à Milan.

à travers croisades et guerres de Religion, d'un long accouchement de grands penseurs catholiques. « Il y a cette complexité de la réalité que l'Europe porte sur ses épaules. »

Un continent pas en odeur de sainteté

Le choix d'un pape en dehors de l'Europe reste une rupture fondamentale. Le centre de gravité bascule vers l'Amérique latine, continent le plus catholique avec près de 50 % des baptisés. Un continent longtemps regardé avec méfiance en raison de la fascination de ses clercs pour les théologies prônant un Christ révolutionnaire. Un continent dont une partie de l'épiscopat s'était sentie mal comprise de Jean-Paul II et Benoît XVI, qui y avaient parachuté des prélats conservateurs de l'Opus Dei venus remettre de l'ordre. Certains étaient mal acceptés, face aux saints populaires comme l'apôtre brésilien des pauvres, Hélder Câmara.

L'élection de Bergoglio est une rupture également parce que « l'Église en Europe a trop d'histoire derrière elle pour être capable de contempler les défis modernes avec un regard clair. L'Amérique latine ayant le plus grand nombre de catholiques dans le monde, l'explosion de foi qui a lieu là-bas peut servir d'inspiration à un monde occidental de plus en plus sécularisé », analyse l'ancien vaticaniste du *Corriere della Sera*, Luigi Accattoli[1].

Enfin, troisième atout, l'élection de François est un moyen de renforcer l'Église catholique face au succès des mouvements évangélistes.

---

1. Commentaire du 14 mars, à l'agence France-Presse (AFP) au lendemain de l'élection du pape François.

« C'est une chance. François a compris que le centre du monde se déplace lentement vers le Pacifique, l'Asie orientale, la Chine », selon Mgr Bousquet. Désormais, après trois papes étrangers, l'Église est bien universelle. C'est un cardinal congolais, Laurent Monsengwo, qui prêche en 2012 les exercices de Carême, et un jeune cardinal, Luis Antonio Tagle, de Manille qui est la star du synode sur l'évangélisation en octobre de la même année. Et il est même considéré comme très sérieux papabile... pour un prochain conclave.

Le monde est devenu moins cloisonné, dans l'Église aussi.

4

Quel sens dans l'histoire de l'Église ?
Continuité ou rupture ?

JEAN-PAUL II apportait l'espérance, l'énergie et faisait ressortir la dimension universelle de l'Église après la crise qui avait marqué la fin du pontificat de Paul VI ; Benoît XVI, l'exigence de la vérité de la foi à la lumière de la raison ; François va tout de suite sembler apporter la charité et la proximité. Il aura fallu l'ouverture du monde de Jean-Paul II et le labourage de la terre par Benoît XVI – cette tâche austère, aride, a pu ressembler à un hiver de l'Église, à ce moment où la germination n'était pas encore visible – pour permettre au message de proximité de François d'être transmis.

Pourquoi cette suite, cette symphonie en trois mouvements, à une époque marquée par une crise entre le monde et l'Église ?

Un observateur particulièrement avisé d'un institut pontifical en est convaincu : il fallait, après ce moment de communication intense qu'avait été le pontificat de Jean-Paul II, un temps de ressourcement, de réajustement, de rigueur, de retraite spirituelle. Un peu comme quand un budget d'orthodoxie budgétaire succède à un budget de relance. Le très grand pontificat de Jean-Paul II, venu après la crise de confiance de la fin des années Paul VI, avait laissé se développer maints scandales et ambiguïtés. Tellement reconnaissant à ceux qui apportaient des résultats, à ceux qui – comme lui – affirmaient leur allégeance totale au siège de Pierre, le pape polonais n'avait pas été méfiant. Ce n'était pas son tempérament, il faisait confiance. Et s'il était méfiant, c'était, en ancien persécuté des services secrets communistes, envers quiconque critiquait l'Église. Il ne voyait pas autant que Benoît XVI qu'avec le pouvoir viennent l'orgueil, l'esbroufe, l'arrogance, les ambitions personnelles. Beaucoup de choses devaient devenir hors contrôle lors de sa longue maladie. Le pape avait lancé beaucoup de nouveaux ballons mais les problèmes ne trouvaient pas toujours de solutions.

Médiatiquement et psychologiquement, les vingt-sept années du pontificat de Jean-Paul II ont été un âge d'or, ont apporté un souffle d'espérance, le souffle du fameux « n'ayez pas peur ». Au fin fond de l'Asie ou de l'Afrique, les catholiques avaient l'impression d'avoir un père. L'Église devenait plus universelle, elle était dans les médias et dans tous les combats pour les droits humains. Quand il le fallait, elle était à contre-courant, sans fausse honte. Jean-Paul II avait réinstauré une fierté d'être catholique, notamment dans les générations JMJ.

Physiquement tout son contraire, Benoît XVI voulait ordonner ce qui avait bouleversé, clarifier. Son magistère a donc été celui de rechercher inlassablement la vérité. Qu'est-ce que notre foi, qu'est-ce qu'elle dit et ne dit-elle pas... Certains théologiens estiment que la pensée

Ratzinger a dominé l'Église pendant vingt-cinq ans, qu'il est le théologien majeur du début du XXIᵉ siècle.

Et François alors ? L'erreur est, à partir de ses premiers gestes improvisés, de son origine, de son mépris de certains rituels, de voir se profiler une révolution dans la doctrine, de croire qu'il veut renoncer aux dogmes les moins bien compris du christianisme. Non, François poursuit le retour aux sources, à une Église qui croit à ce qu'elle dit, jusqu'au martyre, et il emploie lui-même souvent le terme « à contre-courant ». Après l'espérance réinsufflée par le puissant Jean-Paul II, après la foi remise en musique contemporaine par le fin Benoît XVI, c'est la charité − au sens de chaleur, de feu − que veut montrer le jésuite franciscain.

La rencontre de deux papes, si opposés et si proches

Ils se sont revus en public à plusieurs reprises. François téléphone à son auguste prédécesseur, ne cesse de lui rendre hommage : « Son humilité et sa douceur resteront un patrimoine spirituel pour tous[1]. » On a pressenti que la « cohabitation » ne poserait pas de gros problème, qu'il n'y avait qu'un seul homme aux commandes. Selon des sources vaticanes, François consulterait régulièrement son prédécesseur.

Le 23 mars, quelques jours après sa messe d'installation, François s'est rendu à Castel Gandolfo. Pour certains catholiques, la vision de ces deux hommes habillés de la même soutane blanche, qu'on peut confondre, et le fait qu'on appelle Benoît XVI le pape émérite, restent traumatisants,

---

1. Le pape François lors de l'audience aux cardinaux du 15 mars 2013.

incompréhensibles. Pour d'autres la rencontre est belle et naturelle.

François a multiplié les gestes pour celui qui a dix ans de plus que lui. Même s'il a marché – manque de délicatesse ? – vers la chapelle à pas plus rapides qu'un Benoît XVI épuisé, qui le suivait appuyé sur une canne. Ils se sont agenouillés l'un à côté de l'autre pour prier la Vierge. Une photo les saisira assis face à face dans un petit salon. Entre eux, sur une table basse, une grande boîte blanche fermée et dessus, une grande enveloppe. Les mystères du Vatican, le courrier confidentiel, les affaires... Cette mystérieuse boîte laissée par Benoît à François et montrée aux journalistes suscitera inévitablement leur curiosité. Y avait-il dedans le rapport confidentiel de trois cents pages des trois cardinaux à la retraite sur l'affaire Vatileaks ? D'autres documents encore plus secrets ?

En mai, François accueillera chaleureusement le pape émérite, voûté, dans le monastère Mater Ecclesiae sur la colline du Vatican. Pourquoi Benoît XVI n'avait-il pas choisi de se retirer dans un cloître en Bavière ? A-t-il voulu placer le nouveau pontificat sous l'aile de sa prière et montrer qu'il est toujours là, qu'il n'a pas déserté ? Dans une de ses rares confidences à un hôte de passage, il confiera qu'il ne se sent pas étranger à ce qui se passe. Que vivant comme un moine[1], il prie pour l'Église et approuve l'accent du nouveau pape sur la pauvreté.

Ce jour-là, François l'attend sur le porche. Une seule photo du photographe de *L'Osservatore Romano* les immortalise. Ils prient ensemble dans la chapelle du monastère. Une période totalement inédite s'est ouverte dans le petit État du Vatican avec la présence côte à côte d'un pape à

---

1. Interview dans *Bild Zeitung* du théologien allemand Manfred Lütz après un entretien avec le pape émérite.

la retraite et d'un pape en exercice. Une cohabitation pas forcément facile psychologiquement pour Bergoglio. « Tu ne t'imagines pas l'humilité et la sagesse de cet homme », confie François au téléphone à un de ses amis argentins, Jorge Milia. Bergoglio a parlé de Ratzinger comme « un penseur sublime, qui n'est pas connu et compris de la majeure partie des gens », ajoute cet écrivain[1].

Dans l'avion qui le ramène de Rio à Rome, François confiera affectueusement : « Il ne s'immisce pas ! [...] C'est comme avoir à la maison un grand-père plein de sagesse. »

Proches par l'humilité, éloignés par le caractère

La première encyclique du pontificat, *Lumen Fidei* (la lumière de la foi) publiée début juillet, est une œuvre à quatre mains. Quelle preuve majeure d'une certaine admiration du plus jeune pour le plus vieux ! Benoît XVI l'avait quasiment achevée quand il a démissionné, François l'a reprise, complétée. Elle est signée de lui, mais l'apport de Benoît reste prédominant. Les deux sont à l'unisson : sur « la foi qui ne s'impose pas avec violence, [...] qui n'est pas un fait privé, une opinion subjective, [...] qui ne dissipe pas toutes nos ténèbres, mais est une lampe qui guide nos pas dans la nuit ». Ou encore sur la nature, grammaire écrite par Dieu ou sur la dénonciation d'une modernité privée de la référence à un père commun comme son fondement ultime. Et enfin – et surtout – sur la « crise de la vérité » dans le monde contemporain.

---

1. Conversation téléphonique entre l'écrivain argentin Jorge Milia et Bergoglio, rapportée par le *Corriere della Sera*, le 12 juillet 2013.

Cette encyclique montre aussi l'ouverture encyclopédique des deux hommes, qui citent des auteurs aussi variés que Jean-Jacques Rousseau, T.S. Eliot ou Dostoïevski. Tout autant que Benoît, François dans son enseignement s'efforce de rester au plus près des textes de l'Écriture Sainte. Tout autant que lui aussi, il évite d'évoquer la vie privée des gens, d'y faire intrusion, de parler de ce qui n'est pas de sa compétence, comme le font les mauvais curés.

L'amour de l'Église sans laquelle on ne peut suivre le Christ les réunit profondément, et aussi une conception du rôle du pape : « ils sont tous deux humbles, ils ne veulent pas être les protagonistes (seul Jésus l'est), ils sont en cela en profonde syntonie », relève Andrea Tornielli.

Une parenté entre leurs pensées est frappante : un cardinal allemand et un auteur allemand ont cosigné ce printemps un livre sur les réformes attendues dans l'Église allemande, au titre significatif[1] : *L'héritage de Benoît et la mission de François. Démondanisation de l'Église*. L'Église ne doit pas être un salon, ou un guichet pour bonnes œuvres ni une administration efficace. Les prêtres, tels des curés d'Ars, sont appelés à être des confesseurs solides, rigoureux et disponibles à la demande spirituelle multiforme des hommes qui ne savent plus vers qui se tourner.

Le religieux est un registre différent de celui du sentiment, et n'a rien à voir avec la magie. François n'est pas prêt non plus à abandonner un millimètre du dogme, même s'il n'insiste pas sur lui.

Au registre des différences, il y a certains pans de la réalité que François aborde moins. Il parle peu de la liturgie,

---

1. Livre à quatre mains du cardinal allemand Paul Josef Cordes et du théologien allemand Manfred Lütz : *Benedikts Vermächtnis und Franziskus'Auftrag : Entweltlichung*, Verlag Herder.

qui semble – disent ceux qui lui sont hostiles – le cadet de ses soucis. Il se réfère moins à l'Histoire, évoque moins des institutions de l'Église.

L'abord est autre. Quand Benoît XVI parlait, il y avait un voile de séparation, une hauteur. Avec François, Dieu est transcrit dans le concret. Une catéchèse de Benoît XVI ressemblait un peu à un lac transparent de montagne, sous la limpidité d'un grand ciel. Les courtes homélies en trois points de François, aux phrases heurtées, ressemblent à un torrent bouillonnant. Parfois l'eau, à un endroit plus profond, se fait plus paisible, moins bruyante, puis elle se précipite sur un roc, et se fait entendre fortement. C'est un chant avec des modulations très différentes, et surtout pas monocorde. C'est aussi le tumulte de l'émotion personnelle, de l'effusion d'un homme qui s'exprime. On sent que pour François, être un parfait, un sage, détenir seul la vérité, sans confesser, sans partager cette sagesse, n'a pas de sens.

Contrairement à Benoît XVI qui pointait d'abord le doigt vers le haut, vers la sainteté de Dieu, décrivant la perfection de son plan, la liberté qu'il offrait, assurant aux hommes qu'il est à la portée de tous, François parle de l'imperfection dans laquelle Dieu se propose. Il pointe le doigt vers le prochain. Dieu est en lui, en toi, en nous... François dit la même chose que son prédécesseur. Mais le point de départ du raisonnement est plus accessible, l'objectif semble moins insurmontable.

« Benoît insistait sur la nécessité d'une vie théologale intense – prière, contemplation, intériorisation des mystères – d'où découlait une vie *morale* : engagement, charité active, vie bonne. Avec François on a l'impression que la perspective est renversée, et que c'est l'action tactile et concrète qui va requalifier la vie théologale, lui redonner une profondeur et un souffle », analyse l'éditorialiste de l'hebdomadaire *La Vie*, Jean Mercier[1].

« Alors que Benoît XVI avait choisi d'avoir une Église fervente, rassemblée autour de son petit troupeau, François n'abandonne jamais le combat d'aller vers les périphéries », résume un diplomate, selon lequel c'est là la seule vraie différence de fond.

Pour ceux qui ont été formés par Ratzinger, l'Église serait « le parti de la vérité. Mais l'Église de Bergoglio ne cherchera pas à être cela », assure Gianni Valente, le journaliste de la revue catholique italienne *Trenta Giorni* qui s'est lié d'amitié avec lui quand il était cardinal.

Une autre grande différence entre eux est le caractère plus artiste de Joseph Ratzinger, plus sensible à la beauté de la nature et à la musique.

Dans les gestes, il semblait timide, hiératique. Du bout des doigts, il saluait la foule. Benoît allait par devoir à son contact ; François, lui, s'attarde longtemps avec elle. S'il aime lancer des blagues, c'est comme pour dire « moi aussi je n'ai pas oublié mes origines, j'aime bien être là, simplement, entre amis, comme jadis ».

L'un est-il plus pessimiste, plus rigoriste que l'autre ? Leur carrière les distingue. L'un est un professeur, qui a passé l'essentiel de son temps à écrire des textes qu'il voulait parfaitement cohérents. L'autre est un pasteur qui s'est confronté au terrain.

Leur formation aussi les sépare. Alors que Benoît XVI est passé d'une enfance très pieuse au petit puis au grand séminaire (avec au milieu l'expérience traumatisante de la guerre), François a eu comme Jean-Paul II de nombreuses autres expériences laïques.

---

1. 24 mai 2013.

Les cadres de vie sont aux antipodes. Alors que Benoît XVI était un homme de l'arrière-pays bavarois, et qu'il a engrangé le silence, la solitude, la beauté mystérieuse de la création, François est un homme de la grande ville, avec son brassage, son bruit incessant et ses pauvretés.

Les deux papes ne sont pas non plus de la même génération. François a traversé jeune et loin de l'épicentre la bourrasque de mai 1968, tandis que Benoît l'a vécue directement comme professeur, dans l'épicentre qu'était l'amphithéâtre européen. François, qui n'a pas connu la guerre en Europe, est un prêtre dans l'après-Concile, qui a pu vivre les désillusions et les immenses espoirs sociaux-révolutionnaires qu'avait fait naître Vatican II loin de Rome. Benoît XVI a vécu toute sa jeunesse dans l'Église préconciliaire, a connu les totalitarismes nazi et stalinien. Il a été un des jeunes acteurs du Concile, qui a constitué sa grande passion. Il a travaillé sur ses textes fondateurs, et il a ensuite vu, depuis le Vatican, toutes les déformations de l'œuvre de l'Esprit Saint. D'où cette obsession tragique ensuite de rectifier, de recadrer, toujours.

Périmètres et horizons

Pour la doctrine, l'un, homme de mouvement complète l'autre, homme de fondement.

« La différence entre Benoît XVI et François est avant tout une différence de méthode », explique le cardinal Gianfranco Ravasi, bouillonnant ministre de la Culture nommé par Benoît XVI[1] : « L'un et l'autre veulent rejoindre un même but, mais suivant des approches différentes. Benoît XVI partait du haut. Il présentait les grands systèmes,

1. Interview à l'AFP, accordée avant son voyage au Mexique en mai 2013.

les grands thèmes religieux du point de vue rationnel et dans la vision caractéristique de celui qui regarde la complexité du panorama depuis le sommet. L'approche de François est empirique. Il part de l'expérience pour ensuite élaborer les grandes affirmations et les présenter dans un langage apparemment plus simple. »

Entre celui qui voit les choses de haut et l'homme de terrain, il y a bien une complémentarité : « Le christianisme est à la foi *Logos*, expérience concrète, celle de la chair, de la réalité. Ces deux éléments doivent toujours coexister », explique ce bibliste qui a lancé le Parvis des gentils.

Le cardinal Ravasi fera aussi la distinction entre les périmètres définis par Benoît XVI et les horizons de François, homme des perspectives du bout du monde. La pensée de Benoît XVI consistait à « dessiner un périmètre certain dans lequel devait se tenir l'Église. Le périmètre de la raison, le périmètre de la foi, le périmètre de la vérité, des valeurs, de la morale »… Il fallait « aussi construire un horizon qui va au-delà, qui se dilate, qui s'élargit », observe le même cardinal italien[1].

François, s'il est spontané, n'est pas pour autant un improvisateur. À mesure que les mois passent, on est frappé que François reprenne des éléments clé de Benoît XVI, sur la confusion entre vérité et consensus, sur la distinction entre religion et politique.

« Théologiquement, nous sommes pleinement en harmonie », aurait répondu le pape émérite à l'un de ses rares visiteurs, le théologien Manfred Lütz[2], venu le voir au monastère Mater Ecclesiae.

---

1. Interview à la télévision du Vatican CTV, après l'élection de François.
2. Entretien du 5 juin 2013 déjà cité rapporté par Manfred Lütz dans *Bild Zeitung*.

À qui ressemble François ?

Entre tous ces prédécesseurs de l'après-guerre, c'est au bon pape Jean XXIII que François ressemble le plus. Par sa chaleur, sa bonhomie, sa simplicité. Peut-être aussi comme Jean, a-t-il été avant un conservateur, et, à partir de ses positions très solides, très ancrées, se montre-t-il capable de grandes ouvertures ? Il fait aussi penser au pape du sourire, Jean-Paul Ier, pontife pour trente-trois jours seulement en 1978. Lui aussi prônait le dépouillement, refusait toute prétention, avait des formules audacieuses, déjouait le protocole. Mais la parole de François est plus percutante.

Le sens des reparties et aussi la complicité qui s'instaure avec l'auditoire rappellent aussi Karol Wojtyła. Son réalisme également, qu'il tient comme lui de son expérience précoce du travail manuel, du sentiment amoureux éprouvé dans sa jeunesse. Mais François est plus timide, moins à l'aise avec les médias. Il n'est pas un géant de Dieu, un homme de fer, un charmeur, tous qualificatifs qui définissaient la personnalité exceptionnelle du pape polonais. Jean-Paul II était, comme on l'a joliment dit, le psychopompe de l'Église, ce qui lui donnait son énergie.

François donne de l'énergie mais celle-ci renvoie à Quelqu'un d'autre. Il n'est pas imposant, il n'en impose pas. Avec cette énergie dont il est juste le passeur, l'Église ne s'annonce plus elle-même en tant qu'institution, elle est moins un pouvoir en concurrence avec d'autres pouvoirs. Il confirme ainsi une tendance dessinée par Benoît XVI.

Que François ait décidé de canoniser en 2014 Jean XXIII – même en l'absence d'un miracle de guérison attribué à son intercession (ce qui constitue une nouvelle dérogation aux règles établies), montre bien le lien profond qui le lie au pape du Concile. Annoncer en même temps début juillet 2013 les canonisations de Jean XXIII et de Jean-Paul II, c'était rétablir un équilibre entre deux visages de l'Église, celui d'Angelo Giuseppe Roncalli, le plus oublié, lui étant sans doute le plus familier.

Jean, « le prêtre de campagne bon, avec le sens de l'humour », Jean-Paul, « le grand missionnaire de l'Église, un saint Paul » : ainsi François les définit-il devant les journalistes au retour du Brésil. Il est un peu l'un et l'autre.

5

Le parcours d'une vie
Un cardinal à poigne nommé Bergoglio

Le passager anonyme du métro

C'est un homme qui aime marcher dans les rues ou circuler dans le métro, comme des photos désormais célèbres le montrent, au milieu de la foule anonyme. *Camminare* (cheminer), c'est la première injonction qu'il a donnée pour l'Église[1]. Ne pouvoir aller seul dans les transports publics romains lui manque sûrement aujourd'hui.

Jorge Mario Bergoglio était dans les années 1950 un des nombreux *ragazzi* italiens de Buenos Aires d'immigration récente. Il semble avoir été un garçon un peu taciturne, l'aîné dans une famille de gens modestes qui ont le nécessaire. Il avait comme modèles plusieurs personnages forts, le père, la mère, la grand-mère – cette grand-mère dont il gardera toujours le testament spirituel dans son bréviaire,

---

1. Homélie à la chapelle Sixtine lors de la messe *pro ecclesia*, le 14 mars 2013.

le premier livre qu'il ouvre le matin et le dernier qu'il ferme le soir, encore aujourd'hui[1].

L'histoire de Bergoglio semble marquée par la migration récente qui a amené les familles paternelle et maternelle à quitter le nord de l'Italie, arrachement qui n'est pas dû à la misère, mais au désir de rejoindre des parents. La famille de Bergoglio sait ce que c'est qu'être en chemin.

Un autre trait déterminant est le creuset familial : une famille solide, d'autant plus soudée qu'elle a quitté ses terres natales. Pape, il parlera de ce mot *casa* qui sent bon la demeure, « le lieu où on se retrouve soi-même et avec les autres[2] ».

Les Bergoglio n'ont pas de voiture et ne partent pas l'été en vacances. Jorge vit les engagements de son âge, mouvement catholique, paroisse, sport, entraide. Il joue au football et aime danser le tango.

« Et l'ayant regardé avec miséricorde il le choisit »

C'est la Saint-Mathieu, ce jour de septembre de 1953 : il doit rejoindre ses amis à la gare pour aller à une fête, il est amoureux d'une fille d'une association de l'Action catholique, il a 17 ans. Il doit lui dire qu'il veut se fiancer avec elle. Mais il entre dans une église et se confesse à un prêtre. À travers lui, il sent que Quelqu'un le demande.

---

1. La plupart des souvenirs évoqués dans ce chapitre proviennent du livre d'Andrea Tornielli, *François, le pape des pauvres*. D'autres sont des témoignages directs de Tornielli et de Gianni Valente, qui connaissent personnellement Bergoglio.
2. Discours prononcé au Vatican, à la Casa Maria, foyer d'accueil tenu par les sœurs de la charité de mère Teresa, en mai 2013.

Il en ressort bouleversé et n'en dira rien à la plupart de ses proches pendant plusieurs années. Il choisira en souvenir de ce jour la devise d'évêque qui sera celle de pape : *miserando atque eligendo* (et l'ayant regardé avec miséricorde il le choisit). Comme Jésus a choisi le publicain Mathieu.

Ce qui a marqué surtout le jeune Jorge Mario, c'est un Dieu qui cherche le premier l'homme en quête de sa vérité. « C'est l'expérience religieuse : l'étonnement de rencontrer quelqu'un qui t'attend. À partir de ce moment-là, pour moi, Dieu, est devenu Celui qui te précède. Quelqu'un le recherche mais Lui le cherche d'abord. Quelqu'un veut le rencontrer, mais vient le premier à notre rencontre », dira-t-il[1]. C'est une histoire d'amour, et déjà cette ligne de force de l'immense miséricorde est présente, tout comme l'importance de la médiation, de la confession avec un prêtre, occasion de la conversion.

Expérience du travail à 13 ans

Dans cette jeunesse, il faut retenir aussi cet autre axe fort. À 13 ans, Jorge a fait des petits travaux de nettoyage – d'abord dans une fabrique de chaussettes – tout en continuant à aller à l'école. Puis il entrera dans un laboratoire, où il travaillera entre sept et treize heures avant de rejoindre le lycée. Cette expérience précoce du travail à mi-temps, que son père aura exigée, lui enseigne l'importance de bien faire, et aussi les relations humaines, décevantes comme encourageantes. « Je remercie mon père de m'avoir envoyé travailler. Le travail à un âge

---

1. Livre d'entretiens de Jorge Bergoglio avec les journalistes Sergio Rubin et Francesca Ambrogetti, *Je crois en l'homme*, Flammarion, 2013.

jeune est une des choses qui m'a fait le plus de bien dans la vie[1]. En particulier dans le laboratoire, j'ai appris le bien et le mal de toute activité humaine.» «Le sérieux du travail m'a été enseigné», dira-t-il encore.

Il se forme à la spécialité de chimiste, obtiendra un diplôme ; au moment où Dieu l'appelle, il veut étudier la médecine. Parfois, dans ses homélies, des formules rappelleront ces compétences, montreront quelqu'un qui a travaillé sur la matière, a aimé étudier les phénomènes scientifiques, la corporéité des choses. Ses gestes aussi le manifestent.

Une autre expérience précoce est celle de la douloureuse maladie, quand, à 21 ans, une infection pulmonaire faillit l'emporter. On lui retire une partie du poumon droit. Il apprend sur les conseils d'une sœur à imiter Jésus. «La douleur n'est pas une vertu par elle-même, mais on peut la vivre de manière vertueuse. Notre vocation est la plénitude et la félicité, et, dans cette recherche, la douleur est une limite. C'est pourquoi on ne peut comprendre vraiment le sens de la douleur qu'à travers la douleur de Dieu fait homme, Jésus-Christ», confiera-t-il[2].

Dans Jorge Bergoglio, nul fatalisme ni dolorisme. Il juge que l'Église a exagéré parfois dans l'exaltation de la souffrance. Un de ses films préférés sera *Le Festin de Babette*, de Gabriel Axel, d'après le roman de Karen Blixen. L'histoire de cette servante française émigrée qui arrive dans une communauté protestante dépressive du Jutland, et qui redonne la joie par un festin très coûteux : c'est l'imprudence contre la parcimonie, la chaleur contre la froideur et le dolorisme, l'amour contre la peur de l'amour, qui souvent défigurent la religion.

---

1. Cité dans le livre *Je crois en l'homme*, *op. cit.*
2. *Ibid.*

Entré chez les jésuites, le fils d'immigrés italiens est ordonné prêtre le 13 décembre 1969, à 33 ans, à l'issue d'une longue formation intellectuelle et morale. Il a vécu, avant. Dans cette période agitée de l'après-Concile, où se développe la théologie de la libération, il choisira la compagnie de Jésus parce qu'elle est aux avant-postes. Il en apprécie la discipline, le « langage militaire ».

Il sera professeur de théologie, mais aussi brièvement curé, et deviendra, encore jeune et pour six ans, provincial pour l'Argentine en 1973, jusque dans les années où les généraux prendront le pouvoir. La mission l'intéressait plus que tout, confiera-t-il. Il demandera à être envoyé comme missionnaire au Japon, mais sa faiblesse pulmonaire l'en empêchera.

Buenos Aires a probablement beaucoup changé, mais c'est le même homme qui parcourra la ville en métro, consultant son agenda bien rempli où tout – adresses et rendez-vous – est inscrit à la main.

« Marie qui dénoue les nœuds »

Jorge Bergoglio a amené au Vatican sa vaste culture – de Borges à Dostoïevski –, mais aussi la piété populaire des *barrios*. Le futur pape est un homme pour qui la prière est au centre, qui se repose sur des saints et saintes pour l'aider sur le chemin. La croix est une référence omni-présente. Son tableau préféré est *La Crucifixion blanche* de Marc Chagall, un tableau où figure au centre le Christ sur la croix, comme paisible, tendant les bras sur un fond de terreur et de guerre.

Il vénère saint Joseph le travailleur. Mais la Vierge est au centre. Il a confié son pontificat à la Madone de Fátima, a effectué en septembre un déplacement en Italie dans un sanctuaire de Cagliari, en Sardaigne, où est honorée la même Vierge qui a servi à la fondation de Buenos Aires. À son retour d'un séjour en Allemagne, il avait introduit à Buenos Aires le culte d'une Vierge bavaroise « qui dénoue les nœuds » (*Maria Knotenlöserin*), une image peinte de 1700 qu'il avait découverte à l'église Sankt-Peter in Perlach, à Augsbourg.

Il voue un culte particulier à Thérèse de Lisieux, patronne des missions, dont l'image se trouvait dans son petit appartement de Buenos Aires. Il lui confie ses problèmes et les problèmes des gens, lui demande de les garder dans son cœur. « Quand j'ai un problème, je le lui confie. Je ne demande pas qu'elle le résolve, seulement qu'elle le garde dans ses mains et m'aide. Comme signe, je reçois presque toujours une rose blanche[1]. » Quand il sort dans la rue, s'il voit une rose blanche, il pense que sa prière a été exaucée.

Un jésuite face à la dictature de généraux très catholiques

Le provincial jésuite va être confronté à la dictature des généraux qui prennent le pouvoir en 1976. Une dictature menée au nom des valeurs occidentales chrétiennes contre le danger communiste. Dans les années précédentes déjà, chez les jésuites, la théologie de la libération a divisé. Le père Bergoglio critique les prêtres marxisants, leur fait savoir qu'il n'est pas d'accord avec la lutte armée.

Juste après son élection, une polémique, qui a tout l'air d'être alimentée par autre chose que l'objectivité, enfle soudain. Un livre d'un ancien opposant du mouvement

---

1. Stefania Falasca, *Avvenire*, 14 avril 2013.

d'extrême gauche uruguayen Montoneros, Horacio Verbitsky, paru déjà en 2005, année du précédent conclave, ressort. *El Silencio* porte une accusation lourde : celle de ne pas avoir secouru, voire d'avoir dénoncé deux prêtres jésuites, Orlando Yorio et Franz Jalics, travaillant dans un bidonville.

Un reproche qui sera balayé par la justice et que démentiront d'anciens prêtres de la théologie de la libération, et Jalics lui-même. « On ne peut absolument pas lier le pape François à la dictature. Dans la hiérarchie catholique, il y a eu des évêques complices de la dictature mais pas Bergoglio qui n'était d'ailleurs pas évêque à l'époque », a soutenu le prix Nobel de la paix, Alfonso Pérez Esquivel[1], pourtant fort critique avec l'Église.

Le cardinal devenu pape semble avoir subi une revanche froide d'une classe politique corrompue à qui il a dit ses quatre vérités.

Bon Samaritain

Sans être politisé, le père Bergoglio apparaît pendant la dictature comme quelqu'un d'entreprenant pour aider ses frères prêtres et connaissances diverses en difficulté. Il avertit certains des dangers, en cache d'autres au Colégio Màximo des jésuites, entreprend des démarches pour obtenir des nouvelles de tel ou tel disparu, y compris ceux avec qui il avait eu des conflits idéologiques. Un homme concret qui n'hésite pas à prendre sa voiture, à inventer des stratagèmes, à faire des démarches, tout en conservant une constante prudence pour ne pas mettre en danger l'ensemble des prêtres de la compagnie. On parlera même

---

1. Communiqué de Pérez Esquivel, mars 2013.

d'une liste de contacts, dans des hôtels, des compagnies aériennes, pour aider les opposants à fuir. Alicia de Oliveira, célèbre magistrate persécutée à l'époque de la dictature, raconte[1] : « Je sais de source sûre qu'il a donné une fois à un homme qui lui ressemblait ses papiers d'identité, et une tenue de prêtre, pour l'aider à s'enfuir au Brésil. »

Un autre témoignage est livré par un couple d'Italiens[2]. Giovanni et Laura racontent comment, débarqués en Argentine, ils ont voulu travailler pour l'Église des pauvres en vivant dans une *barraccopoli* de Buenos Aires, la Villa Miseria. Ils ont connu le père Bergoglio venu séjourner plusieurs jours dans le bidonville. Il les mariera. Le 16 octobre 1976 Giovanni est arrêté et disparaît. Le provincial des jésuites le cherche, fait des démarches auprès des forces armées. Dix-huit jours après, Giovanni sera abandonné au bord d'une route, et Bergoglio le fera soigner clandestinement dans un hôpital. Alors que le couple avec leur enfant veut s'installer ailleurs en Argentine, leur ami jésuite leur donne un ordre : « Giovanni, Anna, courage : partez, car ici ce n'est pas fini. D'autres secteurs de l'armée vous cherchent. » Le 17 janvier, ils embarquent pour l'Italie, avec de l'argent donné par Bergoglio.

Le jésuite fidèle en amitié leur rendra visite dans le Frioul. Après l'élection, Giovanni et Laura recevront un court message : « Gardez la joie du cœur et la paix de l'esprit », accompagné d'un chapelet.

En 1977, l'Uruguayen Gonzalo Mosca avait 28 ans et était membre du GAU (Groupe d'action unificatrice), mouvement de gauche opposé à la dictature de ce pays. Il était parvenu à fuir vers Buenos Aires mais restait sous

---

1. Alicia de Oliveira, ancienne médiatrice argentine, *Il Messaggero*, 16 mai 2013.
2. Dans le *Messaggero Veneto*, 12 mai 2013.

la menace des militaires argentins. Son frère, un prêtre jésuite, a alors sollicité l'aide du père Bergoglio. Celui-ci lui a dit : « Viens avec ton frère, et voyons comment nous pouvons l'aider », a témoigné Mosca[1].

La nuit même, Jorge Bergoglio a conduit les deux frères dans un couvent de San Miguel à quelque 30 km de Buenos Aires. Après avoir passé plusieurs jours d'une tension extrême dans ce couvent, où il se faisait passer pour un retraitant, le jeune militant reçut un appel de Bergoglio l'informant du plan à suivre : Mosca et son frère devaient voyager jusqu'à la frontière d'où ils devaient tenter de gagner le Brésil.

« Il nous a conduits à l'aéroport et m'a accompagné pratiquement jusqu'à l'avion, pour me faire profiter de tout le soutien et des garanties liées à son statut », a témoigné encore Gonzalo Mosca.

En mai 2011, le cardinal Bergoglio a donné son feu vert au procès de béatification de deux franciscains torturés et assassinés sous la dictature, Carlos de Dios Murias et Gabriel Longueville. Des prêtres radicaux travaillant dans les bidonvilles ou avec les paysans pauvres, que certains vieux prêtres argentins perçoivent encore comme des marxistes.

Jorge Bergoglio a aussi beaucoup insisté pour que l'épiscopat argentin exprime en 2000 ses regrets pour sa collaboration avec la junte.

Critique des dégâts de la mondialisation

L'Argentine a été très affectée par le capitalisme sauvage. Et par la crise morale et des valeurs qui l'accompagnait. Ravages de la drogue, importation des modes américaines,

---

1. Interview à l'Agence France-Presse de Gonzalo Mosca, le 22 mars 2013.

paupérisation brusque des classes moyennes, criminalité, prostitution. Autant de phénomènes que Bergoglio a observés attentivement.

Le journaliste Gianni Valente, du mensuel catholique *Trenta Giorni*, se souvient d'être allé avec lui en métro dans les *villas*, les bidonvilles, notamment la *ciudad occulta*, un véritable ghetto d'immigrés péruviens, boliviens, cachés par une zone industrielle. « Il n'était pas le prince de l'Église qui allait montrer sa charité, sa bonté d'âme, il était content de voir dans ce bidonville les fruits de la grâce. Il était là, assis, mangeant avec les autres, discutant avec les vieilles. Quand nous revenions ensuite dans le métro, nous pouvions voir qu'il était vraiment heureux », raconte-t-il.

Une fois dans une église d'un quartier difficile, il s'adresse aux fidèles : « Je vous fais une demande : l'Église est-elle un lieu ouvert seulement aux bons ? » La foule comprend qu'elle doit dire non. Il demande à nouveau : « Il y a aussi de la place pour les mauvais ? Ici personne ne chasse personne parce qu'il est mauvais[1] ? »

Un jésuite formé par lui, le père Miguel Yanez, a témoigné[2] que « sa théologie n'était pas une théologie de la libération », avec laquelle il était assez sévère, même si – comme Benoît XVI – il en reconnaît des accents prophétiques pour les pauvres. « Il s'agissait d'une théologie du peuple, prenant en compte tous les aspects de la religion populaire et mariale », a-t-il expliqué.

« Après l'effondrement du socialisme réel, ces courants de pensée ont sombré dans la confusion, incapables aussi bien d'une reformulation radicale que d'une nouvelle créativité, ils ont survécu grâce à la force d'inertie, même si, aujourd'hui encore, il ne manque pas de gens pour vouloir,

---

1. Rapporté par Gianni Valente, dans *Un papa dalla fine del mondo*.
2. Père Miguel Yanez, *La Croix*, 22 avril 2013.

de manière anachronique, la proposer encore », a écrit le cardinal Bergoglio[1].

Dans cette confrontation polémique, Bergoglio aurait été isolé d'un certain nombre de collègues jésuites.

Missionnaire de vocation, les intérêts de Bergoglio vont à l'inculturation de l'Évangile, et l'évangélisation de la culture. Il organisera des réunions avec des évêques d'autres continents sur ce défi pour lui essentiel.

Les relations avec les Kirchner seront orageuses, le cardinal Bergoglio étant très écouté de l'opposition, par son franc-parler : « Il n'hésitait pas à élever la voix, et il continuait à dire au gouvernement Kirchner que la pauvreté continuait d'augmenter. »

Il prendra des positions très dures sur les questions de société. Le projet de mariage homosexuel sera qualifié par le cardinal de démoniaque, quitte à souhaiter, minoritaire dans l'épiscopat, que soient reconnues des unions civiles entre personnes de même sexe. En 2007 il lancera à propos de l'interruption de grossesse, évoquant le cas de l'avortement d'une handicapée mentale violée : « En Argentine, nous avons la peine de mort[2]. »

L'évêque et le pasteur

Quand le cardinal Tauran l'a côtoyé à Buenos Aires, il a été frappé par le contact chaleureux avec les gens. « Dans

1. Préface du cardinal Bergoglio au livre de l'Uruguayen Guzmán Carriquiry Lecour, aujourd'hui secrétaire de la Commission pontificale pour l'Amérique latine, *Globalisation et humanisme chrétien : perspectives sur l'Amérique latine*, 2005.
2. Cités dans l'autobiographie du cardinal Bergoglio, *Je crois en l'homme*, *op. cit.*

la rue les gens le prenaient pour un père », atteste-t-il. Il aimait tant sa ville que, quand il a été question de le nommer à un poste à la Curie, il aurait eu ce mot : « Je vous en prie, si je vais à la Curie, je meurs. »

Il avait laissé vide le luxueux évêché adjacent à la cathédrale. Il habitait un appartement proche, qu'il partageait avec un autre évêque âgé et malade. Le soir il faisait la cuisine lui-même.

« Il cherchait le contact personnel et direct avec les diverses réalités, soit celles positives soit celles problématiques que vivaient ses prêtres, à qui il réservait une grande partie de son temps. Il se préoccupait pour eux, pour leurs paroisses ; et aussi pour leurs proches. Tous les prêtres pouvaient le rencontrer et lui parler quand ils le désiraient. Lui-même convenait des rendez-vous avec eux », a raconté un ancien secrétaire de l'archevêque[1].

Parfois, il disait à celui-ci, le père Martin Garcia Aguirre, qu'une personne qu'il avait rencontrée dans la rue avait besoin d'une lettre de recommandation pour un emploi ou une aide médicale. Il n'aimait pas que les contacts soient filtrés. Il ne l'aimera pas plus au Vatican.

Le père Antonio Maria Grande, aujourd'hui supérieur du Collège sacerdotal argentin de Rome, se souvient d'être allé voir Bergoglio à Buenos Aires, avant de partir en 2011 officier dans la Ville éternelle : « Je lui ai téléphoné, il m'a donné rendez-vous. Il a évoqué avec moi nos origines communes piémontaises. C'était une façon de se présenter l'un à l'autre. Il a montré cette capacité très particulière qu'il a d'entrer en contact avec l'autre, de faciliter le rapport cordial. »

---

1. Témoignage du père jésuite Martin Garcia Aguirre, secrétaire pendant douze ans de l'archevêque de Buenos Aires, paru le 24 avril sur le site Vatican Insider.

Ensuite, témoigne le père Grande, le cardinal lui a conseillé, comme un père spirituel, de ne pas hésiter à lui téléphoner à trois mille kilomètres de distance, pour lui confier ses problèmes. Comme s'il n'y avait pas de distance dans l'Église du Christ.

Jorge Bergoglio semble capable de se démultiplier. Il cherche à aider concrètement un prêtre menacé par les narcotrafiquants, une prostituée qui veut changer de vie. Il n'établit pas de frontières ou de hiérarchie. Il deviendra l'idole des prêtres mariés en accompagnant sur son lit de mort un ancien évêque qui s'était marié, Jerónimo Podestá, pauvre et abandonné de tous. Il fréquentera à Buenos Aires la communauté juive (devenant le grand ami du rabbin Abraham Skorka, qui préfacera son unique autobiographie[1]), les protestants, les associations non confessionnelles, réussira même à dialoguer avec les mères de la Place de mai, parentes de disparus de la dictature, pourtant très remontées contre la hiérarchie catholique.

---

1. Préface d'Abraham Skorka, *Je crois en l'homme, op. cit.*

6

Le style
La proximité des gens, le pape imparfait
ou le pontificat démythifié

« PARFOIS le style est vraiment la substance quand
on parle de *leadership* spirituel », analyse l'expert
américain de la papauté, John Allen[1].

Au début, peu de mesures mais une petite révolution
pacifique, libératoire et quelque peu brouillonne en paroles,
manières et gestes. Tout à coup, le pontife n'est plus lointain, inatteignable.

Tout son langage des gestes et des paroles est énergie. Toute sa personnalité se résume à communiquer la
miséricorde de Dieu et à revitaliser l'Évangile, remarquent
les gens qui côtoient François ou l'ont connu avant son
élection.

---

1. *National Catholic Reporter,* « Francis at hundred days », John Allen,
17 juin 2013.

L'hôte de Sainte-Marthe

Qu'un style soit substance, sa décision de résider à la résidence Sainte-Marthe (et non dans l'appartement pontifical) au Vatican le démontre. Cette grande bâtisse au crépi jaune que Jean-Paul II avait fait construire en 1996 pour loger les cardinaux lors des conclaves et qui héberge des prêtres et religieux n'était pas destinée à être célèbre. Pourtant c'est là que se dessinent les contours du règne. François y est arrivé cardinal et y reste comme pape « jusqu'à nouvel ordre », a répété inlassablement au début le père Federico Lombardi, le porte-parole. Puis les questions se sont taries.

François l'a expliqué lui-même : « Je n'ai pas voulu aller habiter dans le palais apostolique, je m'y rends uniquement pour travailler et pour les audiences. Je suis resté vivre à la maison Sainte-Marthe, une maison d'accueil pour évêques, prêtres et laïcs. Je vis aux yeux de tous et je mène une vie normale : messe publique le matin, déjeuner avec tout le monde dans le réfectoire, etc. Cela me fait du bien et cela évite que je sois isolé[1] », écrit-il dans une lettre à un ami.

« J'essaie d'être et d'agir comme lorsque j'étais à Buenos Aires. Si je changeais, à mon âge, je risquerais d'être ridicule. »

Interrogé par des jeunes, il ose une analyse psychologique[2] : « ce n'était pas seulement une question de richesse, je crois », dit-il, car l'appartement à Sainte-Marthe n'est pas du tout pauvre. « Mais je ressens la nécessité de vivre avec des gens. Si j'étais seul, ça n'irait pas. Un professeur

---

1. Lettre adressée mi-mai 2013 par François à un curé ami argentin, le père Enrique Rodríguez, dit « Quique », et publiée dans le quotidien argentin *Clarin*.
2. Audience aux élèves des écoles jésuites d'Italie et d'Albanie, juin 2013.

m'a fait cette demande : pourquoi n'allez-vous pas habiter là-bas ? Mais, écoutez, professeur... Pour des motifs psychiatriques ! Ma personnalité est ainsi[1] ! »

Cette confidence et cette lettre parue dans le quotidien argentin *Clarin* ne sont pas dues au hasard. Elles sonnent comme des mises au point, alors qu'une partie de bras de fer s'est jouée, de nombreuses voix faisant pression pour qu'il s'installe au troisième étage du palais apostolique.

Au deuxième étage de ce grand hôtel bien astiqué, dans un trois pièces d'une centaine de mètres carrés (avec salon, chambre, bureau), il passe la plus grande partie de ses journées, du lever vers 4 h 30-5 h au coucher vers 22 h. Il y travaille, y reçoit. Pas forcément facile pour les hôtes de se retrouver dans l'ascenseur nez à nez avec le pape...

François redoutait dans l'appartement officiel d'être protégé des rumeurs du monde qui lui parviendraient filtrées, adoucies par des serviteurs obséquieux et désireux de la quiétude de leur roi.

Autrui médiateur est nécessaire, également pour un pape ! Le contact que permet l'autre avec le Christ, qu'il soit une vieille paroissienne ou un cardinal, est une clé de lecture de la personnalité de François : prendre le pouls du monde, ne pas se déconnecter.

À Sainte-Marthe, il invite les uns et les autres à sa table. Il a ainsi dîné incognito avec le pape copte Tawadros et le patriarche de Constantinople Bartholomée, qui habitaient dans la résidence lors de leur passage au printemps. Il est venu les attendre en frère sur le seuil. Du jamais vu au temps de Benoît XVI où l'entretien au palais pontifical n'était pas généralement suivi de ces rencontres informelles.

---

1. Le 7 juin 2013, dialogue avec des élèves des écoles jésuites d'Italie et d'Albanie.

Une homélie brève, événement quotidien de Sainte-Marthe

Sainte-Marthe est très vite devenu le théâtre de l'événement quotidien le plus attendu dans l'Église universelle.

Il a lieu à l'occasion de la messe de sept heures, où viennent différentes catégories professionnelles, prêtres et laïcs, hommes et femmes, qui composent le petit monde du Vatican. Autant d'occasions pour le pape de connaître ceux qui le servent, un contact direct que n'avait pas Benoît XVI. L'important y est l'homélie improvisée, qu'il a préparée dans la solitude de la prière, où, commentant les textes du jour, avec des phrases incisives et vivantes, se dessine sa vision.

Retransmis par Radio Vatican dans le monde entier, ces mots-là, plus encore que ceux prononcés dans les occasions solennelles, sont analysés, interprétés.

À la fin d'une de ces messes, où il salue chacun des quelque soixante hôtes présents, une amie m'a raconté l'avoir interpellé : « Saint-Père, vos paroles sont extraordinaires et elles ont un grand impact partout dans le monde. » Le pape lui dit de sa voix un peu sourde : « C'est Jésus, Jésus. » Son interlocutrice insiste, malicieusement : « C'est Jésus, certes, mais c'est bien un peu vous aussi ? » Il sourit modestement, mais répète sa conviction : « C'est Jésus-Christ. »

Ce pape passe par-dessus le relais des médias. L'interprétation par les vaticanistes n'est plus indispensable.

« Si vous regardez ses textes brefs, vous voyez un style simple, réel, avec des images frappantes. Je ne pense pas qu'il soit particulièrement expert en communication. Il est seulement authentique et ses messages fonctionnent », observe l'Américain Greg Burke, recruté depuis 2012 à la Secrétairerie d'État pour améliorer ses relations publiques.

Le sens de la *battuta* : blagues et formules

L'Église doit être un caillou dans la chaussure du monde ; Dieu n'est pas un Dieu spray[1], un Dieu impersonnel qui est un peu partout mais dont on ne sait pas ce qu'il est ; l'Église ne doit pas être une Église baby-sitter, qui se borne à s'occuper de l'enfant pour qu'il s'endorme[2] ; le chrétien ne doit pas être un chrétien de musée[3] ; les religieuses doivent être mères et ne pas avoir l'air de *zitelle* (vieilles filles[4]) ; le détachement des richesses est essentiel car on n'a jamais vu un camion de déménagement derrière un corbillard[5]. La liste des *battute* de Sainte-Marthe s'allonge... Le pape trouve des expressions de la vie concrète capables d'entrer dans la mémoire de qui l'écoute.

Souvent la parole de Benoît XVI, faute d'exemples, de formules, ne franchissait pas toujours le seuil des maisons, le pape allemand atteignant un petit troupeau d'initiés.

Ces expressions sont des pastiches rapprochant des mots de registres différents, courant sur les réseaux sociaux.

Dans certaines, une imprudence ou un ton corrosif révèlent un homme qui veut revitaliser, électriser le langage religieux, quitte, pourquoi pas, à choquer, par exemple avec les vieilles filles.

La *battuta* est aussi une façon humble de ne pas donner de leçon, de se mettre au niveau de l'autre.

« La métaphore est très importante, observe le père Rocco D'Ambrosio, professeur d'éthique politique à l'Université

---

1. Homélie Sainte-Marthe, le 18 avril 2013.
2. Homélie Sainte Marthe, le 17 avril 2013.
3. Homélie Sainte-Marthe, le 23 mai 2013.
4. Audience aux supérieures de congrégations féminines, le 8 mai 2013.
5. Homélie Sainte-Marthe, le 21 juin 2013.

grégorienne[1] : le pape est immédiatement compris de personnes simples qui ne raisonnent pas à partir de constructions idéologiques, tandis qu'il peut y avoir un refus de ceux qui pensent à la foi en termes idéologiques, à partir de constructions, de traditions qu'ils ne réussissent pas à rénover. »

Et le père D'Ambrosio d'émettre un constat : « Plus il plaît à ceux qui sont loin [de l'Église], à leurs intelligences profondes, moins il plaît aux proches qui ont perdu la fraîcheur de la foi. »

« Un magistère affectif »

Une des références spirituelles de Bergoglio est un jésuite, Pierre Favre (1506-1547), aujourd'hui bienheureux, un des premiers compagnons d'Ignace de Loyola[2]. C'était un contemplatif en action, qui avait une capacité de magistère affectif, c'est-à-dire un don pour savoir pénétrer les conditions de chacun et donc d'entrer en communication avec lui. Traversant l'Europe déchirée de l'époque, il était entré en contact avec toutes sortes de misères, avait cherché à les soulager, et aussi à réconcilier les frères catholiques et protestants séparés.

François est « le pasteur des âmes, il a une manière de regarder face à face chaque personne qu'il rencontre dans la foule, et ils sont nombreux, chaque mercredi, chaque dimanche. Alors chacun sur la place Saint-Pierre ou ailleurs peut se sentir regardé ainsi », remarque le vaticaniste Sandro Magister.

Selon le père argentin Grande, François veut « rendre présente l'actualité de la personne de Jésus ». C'est une

---

1. D'Ambrosio à l'agence italienne ANSA, le 12 juin 2013.
2. *Avvenire*, journal des évêques italiens, 20 juin.

forme de la nouvelle évangélisation tant préparée et voulue par Benoît XVI. « Dieu doit être joignable, au milieu des difficultés », et le rôle du pasteur est de transmettre cette « parole d'actualité », qui n'est pas « sa propriété », ajoute ce prêtre.

La colère face au monde divisé

À mesure que les mois passent, des traits de caractère de François sont apparus plus clairement. Notamment qu'il est loin d'être un doux et un pacifique, mais un homme nerveux, un inquiet, un révolté face à l'injustice qui habite le monde… et l'Église. Déjà Jean-Paul II et Benoît XVI exprimaient cette intensité dramatique, avec leurs tempéraments propres.

Son visage souvent montre angoisse et colère quand il décrit ce qui ne va pas. « Qu'est ce que je fais de ma vie pour l'unité, je divise, je divise, je divise », s'exclame-t-il, les traits tirés, parlant pour l'homme en général, comme s'il pensait à toutes ces petitesses et intrigues qui défigurent le message de l'Église.

Il aime ces mots simples, concrets en italien qu'il oppose : *su* (vers le haut) et *giù* (vers le bas), en accompagnant le mouvement de ses mains. Ceux qui l'ont connu l'ont vu évoluer. Autoritaire, inflexible, ombrageux, il avait été surnommé par certains en Argentine « l'homme qui ne sourit jamais ». Les épreuves, notamment les dures années de la dictature, l'avaient amené à s'adoucir, au contact des victimes et des exclus.

Le plaisir du pasteur dans la foule

Ses vrais moments de bonheur, il semble les vivre dans la foule ou dans le contact amical.

Si l'on approche de la place Saint-Pierre avant l'audience générale du mercredi, la foule vibre déjà, joyeuse et chantante. Cela commence dès 7 h ou 8 h du matin le mercredi, alors que l'audience est à 10 h 30.

Les gens y vont désormais avec l'espoir de pouvoir peut-être rencontrer, toucher, parler au pape, lui faire embrasser les bébés.

Dialogue des gestes, habitude du Sud, d'Amérique latine. Lors d'un long tour en jeep découverte, il donne souvent sa calotte blanche. Il adresse divers signes, le doigt tendu vers ses yeux chaussés de lunettes pour montrer qu'il a vu, le pouce levé en signe de solidarité, l'index vers le front pour signifier qu'il a compris une demande de prière. Ou il conseille à des parents de mettre un bob sur la tête de leurs enfants.

Un dialogue des mots complète celui des gestes. Pendant la catéchèse, il n'hésite pas à faire répéter la foule. Pour qu'elle ne soit pas passive, qu'elle se sente concernée, « Dieu est le plus fort », demande-t-il de crier fort, en référence au diable. Lors de la fête de l'Évangile de la vie, le 16 juin, il lance : « Êtes-vous d'accord ? Alors disons-le ensemble : Dieu est le vivant et le miséricordieux. Encore une fois, Dieu est le vivant et le miséricordieux. » Plusieurs fois, il demande à la foule : « Qu'en pensez-vous ? » Il la secoue.

Une autre fois, il lève le regard, l'air malicieux : « Je voudrais vous demander : qui prie l'Esprit Saint chaque jour ? » Il attend la réponse, qui s'élève timide, hésitante de la multitude devant lui. Il a un nouveau regard amusé :

« Pas beaucoup, pas beaucoup ! », dit-il gentiment. « Je n'entends pas une réponse très forte ! […] Vous le ferez, tous les jours ? » Des exclamations et applaudissements s'élèvent, dans la bonne humeur. Il veut que les fidèles ne subissent pas la Parole, mais la vivent.

Après la catéchèse, il va à pied pour rencontrer de nouveau les gens massés derrière les premières barrières.

Un couple se penche, les yeux brillants : il s'approche, il les a vus ! Lui, de forte carrure, un Péruvien, lui confie quelque chose à l'oreille. Le pape écoute, très sérieux, la main posée sur son bras, soudain s'esclaffe, lui répond vivement, pose sa main sur son épaule. Elle, très brune, toute frêle, le visage ridé, tendue par l'émotion, déplie maladroitement de petits rouleaux entourés de rubans. Elle déroule des dessins, des gravures de son lointain diocèse du fond des Andes. Ils font venir leurs deux enfants. François ébouriffe les cheveux bruns bouclés du petit garçon, caresse la joue de la petite fille aux rubans roses, il les embrasse. Fait encore un signe de la main à cette famille illuminée de joie.

Exorcisme ?

Et il termine par une longue rangée de handicapés, leur donnant tout son temps. Le jour de sa première Pentecôte célébrée sur la place Saint-Pierre, il pose fortement ses deux mains sur la tête d'un homme, bouche ouverte, qui semble se reculer dans son fauteuil, apeuré. Et le pape prie intensément, gravement. La télévision de la conférence épiscopale italienne, TV2000, diffuse la séquence, en affirmant qu'il s'agit sans doute d'un exorcisme. Le Vatican dément, mais il se peut que ce soit quelque chose d'approchant, une forte prière pour quelqu'un dans la souffrance.

L'interprétation de TV2000 est révélatrice d'une tentation de surfer sur la ferveur, de l'exploiter, qui ne doit pas lui convenir.

« Ici Bergoglio », « Ici Jorge »

Le pape semble mener une vie à la fois austère et hyperactive.

Par son porte-parole, par quelques indiscrétions de ses proches, la vie quotidienne de ce pape qui ne veut pas que sa vie soit exposée aux médias et se soumet à une règle quasi monastique et militaire, commence à être mieux connue. Il se promène peu dans les jardins, aime téléphoner rapidement et souvent. Il demande des numéros aux employés du central téléphonique, appelle directement des amis, des parents, des journalistes, des connaissances, pour les féliciter pour un nouveau livre, leur demander des nouvelles d'un tel qui fête son anniversaire de mariage, d'une épaule luxée… « Ici Bergoglio. » « Ici Jorge. »

Qu'il ne soit pas un homme parfaitement heureux au sein du Vatican, il le fera comprendre quand il avouera lors d'une homélie de Pentecôte, devant deux cent mille personnes, qu'il regrette de ne plus pouvoir porter librement les sacrements aux gens comme à Buenos Aires : « Quand je vais confesser… euh, plus maintenant, je ne peux pas parce qu'on ne peut sortir d'ici[1] ! »

---

1. Veille de Pentecôte 2013, devant les mouvements d'Église.

Donner l'exemple par la vie…

En se faisant simple et dépouillé, François montre à tous les princes de l'Église une autre manière d'être évêque, plus démocratique, plus populaire. Cela déclenche dans les diocèses les plus reculés des réflexions bien naturelles. Pourquoi notre évêque roule-t-il en limousine aux verres fumés, quand le pape refuse celle du Vatican, pour rouler dans une petite Fiat ou une Renault 4L ?

Pour François, l'Église ne sera pas crédible tant qu'elle prônera des attitudes qu'elle n'observera pas.

Il veut aussi introduire de la bonne humeur au Vatican. Lorsque trente-cinq gardes suisses ont prêté serment début mai, il les a appelés à être joyeux[1]. Ce qui sera, a-t-il ajouté, agréable pour le pape lui-même.

Il est allé apporter de la nourriture et une chaise à un garde suisse, de faction devant la porte de Sainte-Marthe. On ne saura jamais si sa hiérarchie a apprécié…

---

1. Le pape François a reçu les gardes suisses le 6 mai 2013.

7

Originalités et accents
L'Évangile selon François

L E cardinal Roger Etchegaray applique au nouveau pape l'expression même de François d'Assise, qui, selon lui, s'impose : « Il est le pape d'un Évangile sans glose, d'un Évangile pur. »

La miséricorde, mot clé du pontificat

« Soyez miséricordieux ; Dieu ne se lasse pas de pardonner », répète-t-il aux évêques, aux prêtres, à tout un chacun, sans cesse. C'est au centre de tout. Dès son premier Angelus[1], il aura des mots forts : « [Si l'homme] se fatigue ou ne veut pas demander pardon [...] Dieu, lui, ne se lasse jamais de pardonner, jamais », martèle-t-il dans un message plein d'espérance et de chaleur. À l'affiche des

---

1. Premier Angelus, le 17 mars 2013.

cinémas de Rome, au même moment, un *thriller* américain parmi tant d'autres, *Only God Forgives*, symbolise un
monde sans pitié[1].

« Si Dieu ne pardonnait pas tout, le monde n'existerait
pas » : aux milliers de fidèles qui le découvrent sur la place
Saint-Pierre, il rapporte cette phrase d'une *nonna* (grand-
mère) argentine qui était venue le trouver, à la fin d'une
messe à Buenos Aires. « Le mot miséricorde change tout,
change le monde, rend le monde moins froid et plus juste »,
plaide-t-il encore. On pense alors à la mère qui avait fait
avorter la petite fille violée à Recife au Brésil, excommuniée en vertu du droit canon de l'Église universelle, et à
d'autres cas semblables aux quatre coins les plus dévastés
de la planète. Et on se demande quelle attitude aurait eu
l'archevêque de Buenos Aires.

Sa devise d'archevêque – qui rappelle le choix du percep-
teur d'impôts, Matthieu, par le Christ – qu'il a gardée comme
pape est magnifique et donne beaucoup d'espérance. *Miserando atque eligendo* : l'ayant regardé avec miséricorde, il
le choisit. C'est aussi une devise exigeante, qui attend de
l'homme choisi une réponse à la miséricorde. La personne
regardée avec amour est investie d'une réponse à donner,
elle devient coresponsable. C'est ce que Jésus demande à
la Samaritaine qui a cinq maris : « Va et ne pèche plus. »

Le vaticaniste italien Andrea Tornielli titrera enthousiaste : « La première encyclique du pape, l'encyclique de
la miséricorde. » Dans le christianisme, « le message le plus
important est la miséricorde », confie le pape[2].

François appelle à ne pas craindre le Jugement dernier.
Si existent bien une foi de la peur et la peur devant la
foi, il veut sortir de cet enfermement. « Quelqu'un pen-

---

1. Film de Nicolas Winding Refn, 2013 (Seul Dieu pardonne).
2. Premier Angelus sur la place Saint-Pierre, le 17 mars 2013.

sera peut-être : Mon péché est tellement grand ! Je n'ai pas le courage de faire retour, de penser que Dieu puisse m'accueillir et qu'il m'attende », dit-il en commentant l'Évangile de l'Enfant prodigue. Eh bien non, « il n'y a aucune situation personnelle dans laquelle Dieu ne puisse entrer pour pardonner ». Il met en avant l'importance oubliée de la confession, de la démarche de pénitence. Il réutilise sans complexe des termes oubliés des moralistes contemporains. À l'époque où le sentiment de culpabilité est réexpliqué – souvent utilement – par les psychologues, il parle de la honte, vertu de l'humble, pour guérir[1]. La miséricorde est première et toujours offerte. S'il y a miséricorde, celui qui la demande doit être sérieux et cohérent. C'est un thème récurrent chez François. « Le pécheur qui a fait de grandes fautes [est le] préféré [s'il revient vers Dieu] », répète-t-il[2].

Femmes abandonnées, familles disloquées, criminalité juvénile, on sent chez lui une grande attention pour ces marges existentielles. Même le criminel du narcotrafic peut trouver en Dieu la conversion et le pardon. Pour signifier l'ampleur de la tâche du salut, il n'hésite pas à placer les autres, y compris les hommes d'Église, devant la réalité crue : « Dans l'Évangile, un beau passage nous raconte que le berger revient, s'aperçoit qu'il manque une de ses cent brebis et part la chercher… Frères et sœurs, mais nous n'en avons qu'une seule, il nous en manque quatre-vingt-dix-neuf[3] ! »

Ce pape est un pasteur confesseur. Pour lui, le sacrement de la confession, de la réconciliation est essentiel. Il

---

1. Homélie à Sainte-Marthe, le 29 avril 2013.
2. Angelus du 25 août 2013.
3. Discours devant un congrès ecclésial du diocèse de Rome, le 17 juin 2013, cité par l'agence I.Media.

aime le prodiguer, l'apporter. Il le faisait à Buenos Aires. Communiquer la bonté de Dieu, son offre de réconciliation, son regard d'amour. Comme tout est mouvement dans la pensée de François, la miséricorde proposée, le repentir consenti, le pardon demandé, la réparation constituent une chaîne dynamique. Quand l'homme reconnaît sa faute, Dieu oublie totalement ce péché, dit François et un nouveau départ est possible.

La centralité de l'entretien, du conseil spirituel

Une femme argentine lui écrit qu'elle a été violée par un policier et ensuite menacée quand elle a porté plainte ; une autre, enceinte, veut garder son bébé, alors que son ami qui lui avait caché être marié l'a abandonnée et lui conseille l'avortement, mais craint que l'Église refuse de le baptiser ; un homme italien en chaise roulante vient de perdre son frère assassiné lors d'un hold-up et se retrouve seul : il demande au pape des raisons de vivre ; une grand-mère téléphone au pape parce que son petit-fils de 14 ans s'est écroulé d'un arrêt cardiaque lors d'un match de beach-volley…

À chaque fois, par téléphone souvent, le pape reprend contact avec ces personnes, les réconforte, leur parle de la miséricorde, à leur grande stupeur. Il passerait une partie de ses journées à ouvrir son courrier personnel. Certains appels sont ensuite révélés par ceux qui ont eu la surprise d'une lettre ou d'un appel. Pourquoi l'un plutôt que l'autre ? Selon son entourage, le pape réagit à l'émotion que provoque en lui une situation concrète. Cette méthode n'est pas sans risque, il peut y avoir de faux appels rapportés par la presse : des mythomanes affirmant avoir été appelés ou des manipulateurs imitant la voix du pape…

Par l'appel individualisé, François rend plus concret un message universel. Il inverse la méthode, d'une manière pédagogique. Benoît XVI parlait à tous mais jamais à l'individu. Lui parle à tous, mais aussi à l'individu X ou Y, montrant que Dieu se préoccupe de chacun. Cela a à voir avec la priorité qu'il a toujours accordée au sacrement dit de « réconciliation ».

François aime prodiguer ses conseils spirituels. Padre Pepe, Jose Mario di Paola, un prêtre argentin des *villas miserias* venu le revoir en août au Vatican, en a témoigné. Pepe a expliqué[1] comment, durant des années, le cardinal Bergoglio l'avait écouté, conseillé, alors que prêtre, il traversait une crise, et pensait fonder une famille. Finalement, il a réussi à le conforter dans sa vocation de prêtre. Cet exemple illustre une caractéristique du pontificat : le pape, les évêques, les prêtres, sont appelés à être des pères spirituels, alliant doigté psychologique et clairvoyance spirituelle. Cette vision jésuite implique que l'Église occupe davantage cet espace de l'écoute, aux côtés des psychologues laïcs.

« Tu étais prisonnier et je t'ai visité »

Pour le pape, une des limites extrêmes de la souffrance est sans doute celle que vit le prisonnier, encore plus s'il est jeune, s'il est étranger. Il a choisi d'en rencontrer à Rio. Le Jeudi Saint, quelques semaines après son élection[2], il est allé laver les pieds à des jeunes, garçons et filles, chrétiens et musulmans, dans un centre de détention pour mineurs,

---

1. Entretien de Padre Pepe avec la journaliste Stefania Falasca, *Avvenire*, 29 août 2013.
2. Institut pénal de Casal del Marmo, Rome, le 28 avril 2013.

aux portes de Rome. Il l'avait déjà fait à Buenos Aires. Il continue. Il leur a tout simplement remonté le moral ou tenté de le faire. « Maintenant nous allons faire cette cérémonie du lavement des pieds et il faut que chacun de nous pense : "Est-ce que vraiment je suis disposée, disposé, à servir, à aider l'autre ?" Pensons à cela, seulement. Et pensons que ce signe est une caresse de Jésus, que fait Jésus, parce que Jésus est venu précisément pour cela : pour servir, pour nous aider. »

Le pape, qui souffre des genoux, a eu du mal à se baisser, s'est agenouillé et a lavé les pieds de chacun, sans leur demander une quelconque carte d'identité religieuse ou un livret de moralité. *Miserando atque eligendo*. Sa prédilection pour les prisonniers, il la révélera en utilisant pour ses messes des hosties envoyées d'une prison de Buenos Aires, fabriquées dans son atelier par une détenue.

« Je suis un grand pécheur », « Priez pour moi »

En prononçant ces mots devant les cardinaux lors de l'élection, puis en répétant devant chaque interlocuteur « Priez pour moi », le nouveau pape a beaucoup touché. Il n'est plus en dehors, au-dessus, à côté, le pape est un homme comme les autres, faillible.

« J'en ai tellement besoin » dit-il, en insistant sur la nécessité d'avancer ensemble en priant les uns pour les autres.

Il n'hésitera pas à parler de ses faiblesses physiques – son ablation d'une partie du poumon – et de son caractère, sans fausse honte : « nervosité[1] », caractère « pas très organisé[2] ».

---

1. Homélie à Sainte-Marthe, le 11 juin 2013.
2. Propos rapportés par la revue chilienne *Reflexión y Liberación* de son entretien du 6 juin 2013 avec les religieux latino-américains du CLAR.

Devant les jeunes des collèges jésuites lycéens italiens, il ne s'exclut pas quand il dit : « La vie est difficile, toujours ! Il y a des moments difficiles ; secs, sans joie intérieure ; on est dans l'obscurité intérieure[1]. »

L'Église est souvent perçue comme l'institution qui émet des jugements de haut, nullement solidaires avec les difficultés objectives privées des gens, leurs doutes, leurs contradictions, leur ténèbres. Il veut changer cette perception.

Il lancera dans un tweet : « Nous avons tous dans le cœur quelque espace d'incrédulité. Disons au Seigneur : Aide-moi dans mon incrédulité[2]. » Le nous – déjà utilisé par Benoît XVI – frappe. Si le péché est collectif, le salut aussi. Cette Église qui ne sera jamais du monde accepte de dire que la tentation du doute, l'imperfection, le sentiment de la faute, elle les connaît aussi. C'est aussi un appel interne aux hommes d'Église et un appel externe aux hommes de toutes origines à bouleverser leur attitude d'orgueil – moi, seul à avoir raison – qui détruit le monde.

Comment cette confession « je suis un pécheur » conduit-elle paradoxalement au sentiment de la joie et à un déblocage que beaucoup ont éprouvé dès le premier jour ? Parce qu'un pape qui reconnaît, cela semble bien dans sa tête et les pieds sur terre.

---

1. Le 7 juin 2013, dialogue avec des élèves des écoles jésuites d'Italie et d'Albanie.
2. Tweet de François, le 27 mai 2013.

La Croix victorieuse

Un aspect des plus originaux de la théologie de Bergoglio est l'insistance sur la Croix, qui assume le mal et permet de le vaincre, une Croix victorieuse. Il aura des paroles fortes qu'on pourrait imaginer inscrites au pied d'une crucifixion du Titien ou du Greco : « Jésus prend sur lui le mal, la saleté, le péché du monde, et il le lave, il le lave avec son sang, avec la miséricorde. » « On ne peut rien sans accepter la croix, sans porter la croix[1]. »

On dit en algèbre que moins par moins égale plus. On peut oser la même équation avec le pape François. Ses deux moins que sont la reconnaissance d'être pécheur et l'insistance sur la Croix – signes normalement de défaite aux yeux du monde – donnent un plus : la joie d'espérer un Dieu proche. Ce sont deux confessions que le monde méprise. Se dire fautif, responsable d'une part, c'est une faiblesse ; considérer les problèmes, sa croix, ne pas les éviter, aborder de front le mal, la souffrance et la mort d'autre part, c'est une folie.

Ne plus faire de cela des tabous ou des non-dits, omniprésents et inquiétants, est la théolothérapie de François.

François et la lutte contre l'amertume

François semble protester contre un certain esprit chagrin, doloriste qui habite de nombreux chrétiens, il les invite à ne pas rechigner et à être patients.

Lors de la fête des Rameaux, le jour même où dans les Églises est lu intégralement le récit de la Passion du Christ, il lance à tous les catholiques : « Ne soyez jamais

---

1. Homélie des Rameaux, le 24 mars 2013.

des hommes, des femmes tristes. Un chrétien ne peut jamais l'être. Notre joie n'est pas une joie qui naît du fait de posséder de nombreuses choses, mais du fait d'avoir rencontré une personne, Jésus, de savoir qu'avec Lui nous ne sommes jamais seuls, même dans les moments difficiles[1]. »

S'adressant aux cardinaux et, derrière eux, à tout le clergé catholique, François leur lance : « Ne cédons jamais à l'amertume, au pessimisme que le Diable nous offre chaque jour, ne cédons jamais au découragement[2]. »

« Quand arrivent les difficultés, tant de tentations surviennent : par exemple celle de la lamentation », dit-il une autre fois dans la chapelle de Sainte-Marthe[3]. « Le silence de supporter la croix n'est pas un silence triste. Il est douloureux, parfois très douloureux, mais il n'est pas triste » et il donne en exemple les yeux jeunes de certaines personnes âgées, quand elles regardent les plus jeunes. « Entrer en patience est la route que Jésus nous enseigne. Entrer en patience, cela ne veut pas dire être triste, c'est une autre chose : cela veut dire supporter le poids des difficultés, le poids des contradictions, le poids des tribulations. » La patience, ajoute-t-il, est « un processus de maturation chrétienne », il faut toute la vie pour venir à maturation, « c'est comme le bon vin ».

Il invite aussi à résister à une tendance très courante dans l'Église, qui est d'idéaliser le passé. « Le monde n'est pas pire qu'il y a cinq siècles[4] » et il faut cesser de dire : « Ah ! les jeunes. » Cela ne l'empêche pas de fustiger les jeunes contemporains qui « cherchent le bonheur dans l'alcool, la drogue, les jeux de hasard, une sexualité déréglée ».

---

1. Homélie à Sainte-Marthe, le 10 mai 2013.
2. Aux cardinaux, le 15 mars 2013.
3. Homélie à Sainte-Marthe, le 17 mai 2013.
4. Devant le clergé de Rome, le 17 juin 2013.

Conflits domestiques
et problèmes quotidiens

En ce 12 juin, comme chaque mercredi, le pape parle à soixante mille personnes rassemblées par un temps radieux sur la place Saint-Pierre. Si, à Manille, à Lima, à Port-au-Prince ou à Johannesbourg, les gens dans les bidonvilles, sur les chantiers, ont allumé leur poste qui retransmet Radio Vatican, ils auront de quoi alimenter leurs réflexions quotidiennes : « Nous avons tous des sympathies ou des antipathies. Faisons une chose aujourd'hui. Peut-être que beaucoup d'entre nous sont fâchés avec quelqu'un, alors disons au moins cela : Seigneur, je suis fâché avec tel ou tel, je te prie pour lui ou pour elle. »

Une telle pense à la mère avec qui elle vit dans vingt mètres carrés et qui ne lui adresse plus la parole, tel autre à ce collègue avec qui il s'est battu pour une femme...

Puis le pape lance un appel contre le travail des enfants, particulièrement les petites filles, recluses et parfois maltraitées, victimes de sévices à la maison. Cela aussi est très concret. Et il prononce quatre verbes : l'enfant doit pouvoir « jouer, étudier, prier, croître dans une atmosphère apaisée ». Jouer vient en premier.

Il appelle à voir la vie comme elle est, à ne pas prétendre qu'un problème n'existe pas ou que Dieu solutionnerait tout comme par miracle. Il propose une honnêteté fondamentale, qui rejoint celle d'un bon thérapeute : ne pas esquiver.

Le secours des larmes qui peuvent être des « lunettes pour voir Dieu », surtout si elles sont lentes, peut être aussi nécessaire[1].

Il y a comme un renversement du raisonnement. Ne plus partir de l'idéal, mais de la réalité infiniment prosaïque.

---

1. Homélie à Sainte-Marthe, le 2 avril 2013.

« Ce n'est pas une bonne attitude que de truquer la vie, de la maquiller : non, non. [...] Nous devons la prendre comme elle est. Et l'Esprit du Seigneur nous donnera la solution aux problèmes[1]. »

Il s'agit de réconcilier le christianisme avec la réalité. Ainsi, comme un père spirituel d'autrefois, il appelle à « se dépouiller des idoles que nous tenons souvent cachées[2] », à ne pas s'isoler, à dialoguer sans cesse avec les proches pour trouver des solutions. « Jésus a eu de la patience avec ceux qu'il rencontrait, il les écoutait lentement », remarque-t-il[3].

Tel un curé d'autrefois jouant le directeur de conscience, il invite à reconnaître les mille travers du quotidien, le bavardage, les médisances, la diffamation, la calomnie – un mal, dit-il, « pire qu'un péché[4] » –, la lamentation systématique et toutes ces choses petites en apparence qui font de la vie un enfer.

« Pas besoin d'aller chez le psychologue pour savoir que quand quelqu'un dénigre l'autre, c'est parce que lui-même ne peut grandir, et qu'il a[5] donc besoin que l'autre soit abaissé », explique-t-il. Selon lui, la guerre mais aussi la parole font des morts tous les jours.

Le pape réhabilite ainsi les valeurs faibles qui sont capables de vaincre, la miséricorde, la simplicité, relève le directeur de l'hebdomadaire *La Vie*, Jean-Pierre Denis[6]. Il n'hésite pas à parler de la *mitezza* (modération, douceur) et de la gentillesse, mots dans lesquels il ne voit aucune fadeur, plutôt le signe de la grandeur d'âme.

---

1. Homélie à Sainte-Marthe, le 13 avril 2013.
2. Homélie à Sainte-Marthe, le 14 avril 2013.
3. Homélie à Sainte-Marthe, le 4 avril 2013.
4. Homélie à Sainte-Marthe, le 15 avril 2013.
5. Homélie à Sainte-Marthe, le 13 juin 2013.
6. « Le retour aux sources du pape François », *La Vie*, 21 mars 2013.

L'exaltation du courage contre la peur
La gifle de François

La morale de Jorge Bergoglio est une morale du combat spirituel, du dépassement, du choix courageux qui rend heureux.

« Nous sommes victimes d'une tendance qui nous pousse vers l'éphémère, comme si nous voulions rester adolescents toute notre vie[1] », regrette-t-il dans une allusion à cette société de l'instantané que Benoît XVI avait si bien décrite. Il rappelle aussi les exhortations de Jean-Paul II en demandant aux jeunes avec une certaine rudesse d'avoir une colonne vertébrale. « Une vie sans défi n'existe pas, et un garçon ou une fille qui ne sait pas comment affronter les défis [...] n'a pas de colonne vertébrale. »

Il parle régulièrement de la peur de s'engager dans un chemin qui paraît trop difficile, dont on ne serait pas digne : « *ci fa paura* », « ça nous fait peur », lance-t-il souvent, employant le « nous ».

Et il exalte le martyre, en appelant les chrétiens occidentaux à reconnaître les actes héroïques de tant de leurs frères africains, asiatiques, moyen-orientaux qui retombent en grâce pour les autres.

Parfois la catéchèse quotidienne du pape ressemble pour les chrétiens désabusés d'Occident à ces gifles de réveil que l'on donne à quelqu'un qui a un malaise, qui est endormi, qui va mourir.

---

1. Homélie à Sainte-Marthe, le 12 juin 2013.

Le chrétien en chemin et en mouvement

Le mot le plus souvent prononcé par François au début de son pontificat a été « sortir » : sortir sur le chemin de la vie, sortir de soi, sortir de l'autoréférentiel, du clérical, de l'institutionnel, du pessimisme ambiant qui a saisi l'Église. Il dit souvent « *avanti* » (de l'avant) comme pour inviter les chrétiens à ne pas être timorés et immobiles. Il oppose souvent à nos fermetures l'Esprit Saint qui pousse vers des directions inattendues. « Souvent nous pensons, nous sommes chrétiens, j'ai reçu le baptême, j'ai fait ma confirmation, ma première communion. La carte d'identité est en règle. Et maintenant : je peux dormir, je suis chrétien[1] ! »

Un autre mot est « cheminer » : on ne peut, en tant que Français ayant vécu l'après-Concile, que penser au père Duval, un autre jésuite avec ses chants *tout au long des longues plaines*, ou *rue des longues haies*.

« Cheminer est un art, car si on marche toujours rapidement, on se fatigue, et on ne peut pas arriver au bout. Mais si on s'arrête pour se reposer, on peut y arriver », recommande-t-il aux jeunes. « Il faut regarder l'horizon et penser au point où l'on veut arriver. Il faut supporter la fatigue du chemin. Ce n'est pas facile, il y a des moments d'obscurité, d'échecs, de chutes. Mais pensez à cela : n'ayez pas peur des échecs, ni des chutes. L'important, ce n'est pas de ne pas tomber, mais de ne pas rester à terre, de continuer à marcher. C'est ennuyeux de marcher seul, il faut marcher en communauté, avec des amis[2]. »

---

1. Homélie de Sainte-Marthe, le 17 avril 2013.
2. Le 7 juin 2013, dialogue avec des élèves des écoles jésuites d'Italie et d'Albanie.

Bergoglio aime l'imprudence de ceux qui se jettent dans le service et l'annonce de l'Évangile. Dans cette imprudence, on est assez loin de Benoît XVI.

Le diable et le combat spirituel

Le diable cherche à vous tromper, surtout ne jamais entrer en dialogue avec lui. Le pape François a refait du diable, souvent disparu des perspectives du chrétien occidental, un personnage central de la vie quotidienne contre lequel il convient de combattre. Il ne s'affuble pas de visages terrifiants ; au contraire, il lui reconnaît le talent de se présenter sous toutes les formes les plus aimables.

Jésus, a-t il expliqué dans une de ses géniales homélies de Sainte-Marthe, a répondu au diable dans les Tentations au désert, en lui opposant la parole de Dieu. « Le dialogue est nécessaire, mais on ne peut pas dialoguer avec le prince de ce monde[1]. » Selon lui la haine du monde contre le christianisme et l'Église peut être inspirée par ce prince, qui est tentateur et diviseur.

Il cite l'exemple de Judas, l'apôtre qui trahit Jésus[2]. « L'idolâtrie de Judas, attaché à l'argent, l'a conduit à s'isoler de la communauté des autres. » C'est le drame, explique-t-il, de la « conscience isolée » du sens communautaire, au contraire de celui qui « donne sa vie, la perd, et la retrouve [en plénitude]. Celui qui comme Judas veut conserver sa vie pour lui-même la perd. Satan entre à ce moment dans le cœur de Judas. Nous devons dire que Satan est un mauvais payeur ! Il nous escroque toujours. »

---

1. Homélie de Sainte-Marthe, le 29 mai 2013.
2. Homélie à Sainte-Marthe, le 14 mai 2013.

S'il parle peu de l'enfer, le pape Bergoglio semble avoir bien présent en tête une présence concrète du Malin, qui, pour lui, n'est pas une métaphore ; il semble nous dire que lui aussi l'a rencontré. Il nous le décrit sous tous ses visages d'escroc, de séducteur, etc. Il est l'Antéchrist qui dévoie le progrès vers une postmodernité inhumaine mais qui se pare de toutes les vertus et de tous les atours. « Peut-être son plus grand succès dans cette époque a été de faire croire qu'il n'existe pas, et que tout peut être rapporté à un plan purement symbolique », affirmait-il dans son livre d'entretiens avec le rabbin de Buenos Aires Abraham Skorka, *Sur la terre comme au ciel*.

Face à ce séducteur, le grand avocat de l'homme est Jésus. Seul Jésus réduit l'Ennemi à l'impuissance, dit-il. Encore une fois dans la lignée de Benoît XVI qui insistait sur cette puissance du Mal, niée par les contemporains, le pape François pense en termes de bataille. Le mot combat est un de ceux qui reviennent le plus dans son vocabulaire.

Cette remise au goût du jour – latino-américaine, hispanique – du diable dans l'Église étonne, est incomprise de nombreux chrétiens et non-chrétiens, qui ne sont plus convaincus de l'existence d'un rival de Dieu, tout en croyant au mal.

« Le Dieu papa » et la Vierge mère : une piété populaire

Ce n'est pas précisément moderne ! Plus d'un des jeunes adeptes de Twitter a dû s'étonner. Le 3 mai 2013, début du mois consacré traditionnellement à Marie, François twittait à ses millions de *followers* : « Il serait beau, en ce mois de mai, de réciter ensemble en famille le chapelet. La prière affermit la vie familiale. »

Au début du xxᵉ siècle, si Pie X avait eu à sa disposition Twitter, il aurait pu adresser le même message aux catholiques.

De même François a envoyé un long message lors de la présentation à la télévision italienne de l'ostension du Saint-Suaire de Turin[1]. « Cette image nous regarde et dans le silence nous parle [...] Ce visage défiguré ressemble à tant de visages d'hommes et de femmes blessés par une vie qui ne respecte pas leur dignité. »

Famille, chapelet, Marie, Saint-Suaire, quoi de plus désuet dans le monde contemporain !

Mais le pape Bergoglio n'en a cure. Dans les *villas* (quartiers pauvres) de Buenos Aires, il a pu voir comment la piété populaire, la dévotion à la Madone pouvaient aider les gens, leur permettre de rester fraternels. Les prêtres qui avaient fait le choix de vivre dans ces *villas* aimaient dans le cardinal Bergoglio le respect qu'il avait pour ces valeurs.

Le catholicisme populaire ! C'est certainement un accent de ce pontificat. La piété populaire « est un trésor de l'Église », dira-t-il[2] devant les confréries venues d'Italie et d'Espagne avec leurs mantilles, leurs crucifix et leurs étendards.

François fait la synthèse entre un propos populaire et une solide culture théologique. La piété populaire est celle de son enfance. Cette foi, pour lui, est plus respectable que tout, bien plus que celle des docteurs de la loi, et il est en cela en accord avec Benoît XVI.

Devant une soixantaine de gardes suisses, il raconte : « Je me rappelle, excusez-moi, une histoire personnelle. Quand j'étais enfant ma grand-mère nous menait chaque Vendredi Saint à la procession aux flambeaux et, à la fin

---

1. Message pour l'ostension du Saint-Suaire à Turin, le 30 mars 2013.
2. Le 7 mai 2013, devant les confréries.

de la procession, arrivait le Christ gisant. Ma grand-mère nous faisait agenouiller et nous disait à nous enfants : Regardez, il est mort, mais demain il sera *ressuscité*. La foi a pénétré ainsi. Tant de gens cherchent à rendre floue cette certitude forte et ont parlé d'une *résurrection spirituelle*. Mais ce n'est pas comme ça. Jésus est vivant [...] À Thomas il a fait mettre les doigts dans ses plaies[1]. »

On croit voir les statues expressives des christs des Églises baroques espagnoles, sur lesquelles le sang coule des plaies béantes. Une éducation imagée de la foi, qui passe aussi par les processions, comme la Contre-Réforme en Amérique latine en a laissé les marques, est à ses yeux nécessaire. Quant aux conceptions qui, pour être en accord avec la science, pensent que tous les mystères chrétiens, y compris la Résurrection, sont simplement des représentations, elles sont loin des siennes.

Pour François, Dieu est le *papa* de tout le monde. Pas un père lointain mais un *papa*. Une autre fois, il dira comme Jean-Paul Ier que « Dieu aime et comprend comme une mère ». Il qualifie Marie de mère[2]. « La Vierge Marie qui est votre maman », dit-il aux futurs prêtres. « Si un prêtre n'a pas cet amour pour sa mère, quelque chose ne va pas[3] ! »

La voie dangereuse du cavalier seul

Pour l'Église qui est « mère, mère, mère », martèle-t-il par trois fois, il fait un plaidoyer passionné. Le modèle de la famille s'applique à l'Église. « Vouloir suivre le Christ sans l'Église, aimer Jésus sans l'Église » est une voie

---

1. Homélie à Sainte-Marthe, le 3 mai 2013.
2. Angelus le 9 juin, place Saint-Pierre.
3. Le 22 avril 2013, devant des séminaristes.

erronée, voire dangereuse[1]. Il est passionnément attaché à l'Église, corps du Christ, même s'il se montre critique de son fonctionnement.

Si le chrétien veut quitter le giron de cette mère, il se leurre, ne va nulle part. Un appel indirect, sans aucune agressivité, mais explicite à tous ceux, des évangélistes aux dissidents de tous poils, qui refusent le magistère de l'Église catholique. Certains ont vu dans cette insistance sur l'Église comme seule source valide d'une foi authentique une filiation avec *Dominus Iesus*, le document du préfet Ratzinger sur la primauté de l'Église catholique par rapport aux protestants.

Exaltation de la mère et du lien familial

Dans la basilique Sainte-Marie-Majeure il dressera un très bel hommage à Marie[2], dont il ne fait pas seulement une figure lointaine, objet de dévotion lointain, mais un modèle concret de mère de famille. Dans ce message, c'est aussi un hommage aux mères qu'il adresse. Autrement dit, il y a des Marie dans votre entourage tout comme il y a des Joseph. « Une mère aide ses enfants à considérer les problèmes avec réalisme, à ne pas se perdre en eux mais à les affronter avec courage, à ne pas être faible, à savoir comment les surmonter. »

Pour l'historienne et journaliste Lucetta Scaraffia, François « opère une sorte de retournement, faisant comprendre comment opère Marie à partir de la description du comportement d'une maman, d'une maman bonne. Une maman comme il y en a tant, comme peut-être a été notre mère

---

1. Homélie de Sainte-Marthe, le 30 mai 2013.
2. Le 6 mai 2013, longue homélie sur Marie à Sainte-Marie-Majeure.

ou notre grand-mère. Très semblable à celles que nous connaissons personnellement, donc, à celles dont nous avons une idée précise, concrète. »

Le lien – maternel, filial, mais aussi paternel, fraternel – qui devrait unir Dieu et les hommes, et les hommes entre eux, lien à multiples sens, avait déjà été mis en valeur par Jean-Paul II et Benoît XVI.

Le cadre familial traditionnel illustre le mieux à ses yeux la relation de Dieu avec les hommes. Est-ce à dire que le nouveau pape serait aveugle à l'expansion rapide des nouvelles formes de coexistence ? Non. C'est précisément parce qu'il voit les souffrances que causent les séparations dans l'Église et dans les familles qu'il insiste sur la Sainte Famille.

8

Sa vision de l'Église
Comment François conçoit l'Église,
ses vertus et ses maux

Poursuivant dans la foulée de son prédécesseur qui avait dénoncé les souillures dans l'Église, il fustige la simonie, un terme qu'on croyait disparu.

Évêques et prêtres qui se laissent vaincre par la tentation de l'argent et de la vanité du carriérisme se transforment en pasteurs qui « mangent la chair de leurs propres brebis[1] ». Tel ou tel « prend la viande de la brebis, pour la manger. Ou il en tire profit, fait des affaires, s'attache à l'argent, devient avare et si souvent simoniaque. Ou encore il profite de la laine par vanité, pour se vanter ». Le propos est violent.

---

1. Messe à Sainte-Marthe, le 15 mai 2013.

Jonas entre Ninive et Tarsis

Un des textes les plus personnels de Jorge Bergoglio est une interview en 2007 au mensuel italien *Trenta Giorni*. Il y plaide clairement pour la charité du témoignage. « Dans un monde que nous ne réussissons pas à intéresser par nos paroles, seule la présence de celui qui nous aime et qui nous sauve peut intéresser », écrit-il.

Et il attaque plus durement que jamais une Église qui s'entoure de certitudes comme de fils de fer barbelés. Ce texte brûlant ne doit pas se lire comme un rejet de la théologie – sûrement pas de celle d'un éminent penseur comme Joseph Ratzinger – mais plutôt comme un rappel que cette recherche de la vérité devient mensongère si elle ne repose sur la charité vécue.

Il analyse dans cette interview l'attitude du prophète Jonas devant la mission que Dieu lui confie, et en filigrane, y définit celle du pasteur :

> Pour Jonas, tout était clair. Il avait des idées claires à propos de Dieu, des idées très claires à propos du bien et du mal. À propos de ce que Dieu fait et de ce qu'Il veut, de ceux qui étaient fidèles à l'Alliance et de ceux qui, au contraire, étaient en dehors de l'Alliance. Il avait la recette pour être un bon prophète. Dieu fait irruption dans sa vie comme un torrent. Il l'envoie à Ninive. Ninive est le symbole de tous ceux qui sont séparés, perdus, de toutes les périphéries de l'humanité. De tous ceux qui sont en dehors, loin. Jonas a vu que la tâche qui lui était confiée consistait seulement à dire à tous ces hommes que les bras de Dieu étaient encore ouverts, que la patience de Dieu était là en attente, pour les guérir par Son pardon et les nourrir de Sa tendresse. Dieu ne l'avait envoyé que pour cela. Il l'envoyait à Ninive, mais lui, il s'est enfui du côté opposé, vers Tarsis.

Ce qu'il fuyait, *ajoute le cardinal de Buenos Aires*, ce n'était pas tant Ninive que l'amour sans mesure de Dieu pour les hommes. C'était cela qui ne rentrait pas dans ses plans. Dieu est venu une fois... et pour le reste, c'est moi qui m'en occupe, voilà ce que s'était dit Jonas. Il voulait faire les choses à sa façon, il voulait tout diriger lui-même. Sa ténacité l'enfermait dans ses jugements inébranlables, dans ses méthodes préétablies, dans ses opinions correctes. Il avait enfermé son âme dans les barbelés des certitudes qui, au lieu de donner de la liberté avec Dieu et d'ouvrir des horizons de plus grand service aux autres, avaient fini par rendre son cœur sourd.

Comme la conscience isolée endurcit le cœur ! *s'exclame alors le cardinal*. Nos certitudes peuvent devenir un mur, une prison qui enferme l'Esprit Saint [...] C'est le risque que court la conscience isolée. La conscience de ceux qui, depuis le monde fermé de leurs Tarsis, se plaignent de tout ou, sentant leur identité menacée, se jettent dans la mêlée pour, finalement, être encore plus occupés d'eux-mêmes.

La mondanité, plus grande calamité

Le pire qui puisse arriver à l'Église est « la "mondanité spirituelle", plus désastreuse que cette lèpre infâme qui avait défiguré l'Épouse aimée au temps des papes libertins. La mondanité spirituelle, c'est se mettre au centre », dira-t-il dans la même interview citant le théologien Henri-Marie de Lubac.

Il s'agit d'un combat contre un état d'esprit plus que contre des signes extérieurs. François n'a pas demandé aux cardinaux d'abandonner leurs croix d'or et leurs soutanes rouges. Il n'ordonne pas de repeindre en blanc les salles décorées de fresques.

Les évêques, répète-t-il, sont parfois « assiégés de mille conditionnements internes et externes », peu disponibles, intéressés par les succès du monde, distraits, oublieux, impatients.

Aux futurs nonces, il a dénoncé la lèpre du carriérisme, et avertit : mieux vaut être pour vous de bons curés de paroisse que des personnages ridicules égarés dans les mondanités de la vie diplomatique[1]. Les nonces, émissaires chargés par le pape de repérer les futurs évêques, doivent précisément choisir ceux qui ne cherchent pas à le devenir !

Benoît XVI s'en prenait à ceux qui s'érigeaient en juges de ce qui est bon ou mauvais, sans se référer au magistère de l'Église, théologiens contestataires comme traditionalistes refusant d'accepter Vatican II. Le combat de François est un peu différent, il touche toutes les formes de mondanité, y compris une forme de mondanité intellectuelle narcissique. Ainsi ces « chrétiens de salon » qui font de grands discours théologiques en buvant le thé[2]. Il parle de ceux qui dans l'Église s'attribueraient bien un prix Nobel de la sainteté[3]. Des attitudes souvent légitimées comme des droits acquis du fait de l'âge, de l'expérience, de l'autorité. Notamment dans les sociétés patriarcales comme en Afrique. Tel évêque africain vit comme un prince. Tel cardinal de Curie donne des fêtes somptueuses.

---

1. Audience aux nonces du monde entier, le 21 juin 2013.
2. Veille de Pentecôte 2013, devant les nouveaux mouvements d'Église sur la place Saint-Pierre.
3. Homélie à Sainte-Marthe, le 14 mai 2013.

L'odeur des brebis

Le pape François usera d'une formule originale lors de la traditionnelle messe chrismale du Jeudi Saint sur le thème de l'onction[1], première occasion pour lui de donner des orientations au clergé : « Les pasteurs doivent être pénétrés de l'odeur de leurs brebis. »

Le problème n'est pas la soutane, c'est de refuser de « se retrousser les manches[2] », avait dit une fois le cardinal argentin à un prêtre traditionaliste.

Lors d'exercices spirituels prêchés en 2006 aux évêques espagnols, le cardinal Bergoglio, qui porte sur sa croix pectorale le bon pasteur et ses brebis, surmontés d'une colombe, avait fustigé l'isolement par rapport au monde : « Qu'est-ce que je défends par cet isolement ? Une dictature pastorale ? Un rôle agréable qui fait de moi un tondeur de brebis au lieu d'être un pasteur ? Les gens veulent que le curé soit un pasteur, et non un tyran ou un précieux qui se perd dans les fioritures de la mode[3]. » Il invite le pasteur à savoir marcher en tête, au milieu ou à l'arrière du troupeau.

Dans son autobiographie, François se dit « intimement persuadé que le choix fondamental que l'Église doit effectuer, ce n'est pas de diminuer ou de supprimer certains préceptes, de rendre telle ou telle chose plus facile, mais c'est de descendre dans la rue pour chercher les gens, de les connaître par leur nom [...] Il est évident, si quelqu'un

---

1. Homélie aux prêtres lors de la « messe chrismale » du Jeudi Saint, le 26 avril 2013.
2. Cité dans le livre d'Andrea Tornielli *Le Pape des pauvres*, Bayard, avril 2013.
3. Cardinal Bergoglio aux évêques espagnols, cité dans « Amour, Service et Humilité », *Magnificat*, avril 2013.

sort de chez lui et va dans la rue, il peut lui arriver d'avoir un accident, mais je préfère mille fois une Église accidentée à une Église malade[1]. »

Lors de la messe chrismale, il revient sans fioritures sur la crise d'identité sacerdotale qui « se greffe sur une crise de civilisation ».

Il ne propose pas vraiment de remèdes. Notamment il ne dit rien sur le célibat de prêtres, parfois vécu douloureusement, et encore moins sur une éventuelle réflexion sur la possibilité d'autoriser certains hommes mariés à devenir prêtres, alors que la crise des vocations se fait dramatiquement sentir en Europe occidentale.

Usant une nouvelle fois de sa formule désormais célèbre de « périphéries », il invite les prêtres à « aller aux périphéries où se trouve la souffrance, où le sang est versé[2] », et à « y donner la petite onction à ceux qui n'ont rien de rien ». Car là, « il y a, dit-il, des prisonniers de mauvais patrons », et « un aveuglement qui désire voir ».

Il parle de ceux qui sont tristes et seuls, qui attendent d'être oints. « L'onction n'est pas destinée à se parfumer soi-même, [ou à] être conservée dans un vase, où l'huile deviendrait rance. »

Quand l'Évangile arrive dans la vie quotidienne, illumine les situations limites, alors on voit les gens sortir de la messe avec le visage de ceux qui ont reçu une bonne nouvelle.

Une Église mal à l'aise dans le monde moderne, qui essaie soit d'innover à tout prix, soit de se rattacher à des traditions désuètes, ne lui convient pas. Cette Église décrite dans certaines comédies filmées, où le curé hyperactif se montre prêt à tout pour intéresser son auditoire

---

1. Interview autobiographique avec Sergio Rubin et Francesca Ambrogetti, *Je crois en l'homme, op. cit.*
2. Homélie de la messe chrismale, Jeudi Saint 2013.

et ramener les jeunes à l'Église. L'Église ne se redressera pas en proposant des cours de formation à la modernité, ou en s'analysant sans cesse – dans l'autocritique ou dans le satisfecit. « Ce ne sont pas dans les auto-expériences et les introspections répétées que nous rencontrons le Seigneur », admoneste-t-il.

La crise que ressent le curé de paroisse, il en voit bien les ressorts : une certaine peur, constituant un cercle vicieux, et que c'est à ce prêtre de rompre courageusement. « Le prêtre qui sort peu de lui-même [...] perd le meilleur de son peuple, ce qui est capable d'allumer le plus profond de son cœur de prêtre. Au lieu d'être un médiateur, il devient un intermédiaire, pire, un gestionnaire. C'est normal qu'il soit découragé, déprimé ; de là provient cette insatisfaction chez certains prêtres qui finissent par être tristes et convertis en collectionneurs d'antiquités ou de nouveautés. »

« Dans cette mer qu'est le monde actuel », mer compliquée, houleuse, ce qui compte, « c'est l'onction [la bénédiction de Dieu par l'intermédiaire du prêtre] et non la fonction », affirme François. Les prêtres ne doivent donc pas oublier leur sacerdoce. Sinon il n'est pas la peine de rester prêtre. Benoît XVI le disait déjà, d'une autre façon.

Le « sacrement de la douane »

« Jésus a institué sept sacrements et nous en créons un huitième : le sacrement du poste de douane pastorale » fustige-t-il les prêtres légalistes, bureaucrates, contrôleurs de la foi. Il a en tête alors un exemple. Une mère célibataire venue dans une église faire baptiser son enfant, et le prêtre a refusé. « Cette femme a eu le courage de poursuivre sa grossesse et de ne pas renvoyer son enfant à l'envoyeur. Et qu'est-ce qu'elle trouve ? Une porte fermée[1]. »

« Ceci n'est pas du zèle, c'est mettre des distances avec Dieu ! » ajoute le pape, scandalisé. On pense aux dames patronnesses contre lesquelles fulminait un Jacques Brel.

Le cardinal Bergoglio s'était fâché tout rouge à Buenos Aires. « Parfois les ministres du culte et les opérateurs pastoraux adoptent quasiment une position patronale comme si l'arbitrage de concéder ou non les sacrements était entre leurs mains », s'étonnait-il, attristé, dans une interview. C'est le chemin en sens inverse qu'il faut parcourir, disait-il, un chemin de grâce et d'espérance si l'on croit vraiment à la grâce du baptême.

« L'enfant n'a aucune responsabilité dans la situation matrimoniale de ses parents[2]. Et puis souvent le baptême des enfants devient pour les parents un nouveau départ. [...] Il arrive souvent [après discussion avec le prêtre] que les parents, qui ne s'étaient pas mariés à l'Église, viennent même demander de venir devant l'autel pour célébrer le sacrement du mariage. »

Dans la même interview désormais célèbre à *Trenta Giorni*, il défendait la tradition, dans les régions rurales de son pays, des *bautizatores*, des hommes ou des femmes qui baptisaient le nouveau-né au village en attendant que vienne le prêtre. Il aime cette foi qui ose et qui a confiance.

« En revanche, pensons à ces bons chrétiens, au secrétaire de la paroisse, à la secrétaire de la paroisse : Bonsoir, bonjour, nous deux, fiancés, nous voulons nous marier. Ah, très bien, installez-vous, si vous voulez la messe, ça coûte tant... Vous avez le certificat de baptême ? »... Au

---

1. Homélie de Sainte-Marthe, le 25 mai 2013.
2. Interview à Gianni Valente pour *Trenta Giorni*, 2007.

lieu de remercier Dieu pour un nouveau mariage, ces bons chrétiens ferment des portes, dira-t-il à Sainte-Marthe.

Ces prises de position claires sont symptomatiques. François pense que les règles n'ont de valeur qu'habitées par l'amour de l'Évangile, sinon ce ne sont plus que des décrets d'une administration incompréhensible, voire cruelle.

À une occasion même, il semble remettre en cause la toute-puissance et l'importance des décrets de la Congrégation pour la doctrine de la foi (CDF). Une réflexion qui n'a pas dû passer inaperçue et faire froncer plus d'un sourcil au Vatican : « Peut-être un jour va vous arriver un dossier de la Congrégation vous disant que vous avez dit telle ou telle chose. Mais ne vous faites pas de soucis. Expliquez ce que vous avez à expliquer, mais allez de l'avant[1] ! » Quelle est la portée de cette phrase ? C'est un des propos les plus curieux du nouveau pontife à ce jour. Ne redimensionne-t-il pas le rôle de l'ancien Saint-Office ?

La volonté de décoincer un système rigide semble évidente. Le pape ne demande pas de mépriser ce qui se dit en haut, mais ces jugements des légistes du Vatican ne sont pas paroles de Dieu.

La priorité de la mission et la relève par les laïcs

Dans son interview en 2007 à *Trenta Giorni*, celui qui n'était encore que cardinal relève que d'anciens théologiens comparaient l'âme à «une sorte de bateau à voile. L'Esprit Saint est le vent qui souffle dans la voile et le

---

1. Le 6 juin, selon des propos de lui rapportés par des religieux latino-américains de la CLAR (Confédération des religieux et religieuses d'Amérique latine et des Caraïbes).

fait avancer [...]. L'Esprit Saint nous fait entrer dans le mystère de Dieu et nous sauve du danger d'une Église gnostique et du danger d'une Église autoréférentielle, en nous conduisant à la mission ».

Il voudrait, note le cardinal dominicain Georges Cottier, que l'Église de Rome elle-même soit prise dans le mouvement de la mission. Car on voit souvent mieux la réalité de la périphérie que du centre.

François critique ceux qui, bien élevés, n'osent pas faire bouger les choses trop tranquilles, ainsi que le confort intellectuel d'une Église élitiste qui pense les réformes en chambre. Il critique aussi un clergé qui, notamment en Amérique latine, veut tout contrôler et maintient les laïcs dans un « manque de maturité[1] », éloigné des responsabilités de la mission.

Interrogé pour savoir s'il jugeait du coup inutile l'élaboration de solutions, de plans, de systèmes, le futur pape l'a démenti fermement dans l'interview à *Trenta Giorni* :

> Au contraire. J'ai dit à mes prêtres : Faites tout ce que vous devez, accomplissez vos devoirs ministériels, vous les connaissez, assumez vos responsabilités et puis laissez la porte ouverte.
>
> Nos sociologues religieux nous disent que l'influence d'une paroisse se fait sentir dans un rayon de six cents mètres. À Buenos Aires, il y a environ deux mille mètres entre une paroisse et l'autre. J'ai alors dit aux prêtres : « Si vous le pouvez, louez un garage et, si vous trouvez un laïc disponible, qu'il y aille. Qu'il soit un peu avec les gens, qu'il fasse un peu de catéchèse et qu'il donne même la communion, si on la lui demande. » Un curé m'a dit :

---

1. Discours au comité de coordination du Celan, Rio de Janeiro, le 28 juillet 2013.

206 DE BENOÎT À FRANÇOIS, UNE RÉVOLUTION TRANQUILLE

« Mais Père, si nous nous comportons de cette façon, alors les gens ne viendront plus à l'église ». « Mais pourquoi ?, lui ai-je demandé, en ce moment, ils viennent à la messe ? » « Non », a-t-il répondu. Et alors ? Sortir de soi-même, c'est aussi sortir de l'enclos de ses convictions considérées comme inamovibles.

Il exalte les missionnaires et ceux qui soignent les plus pauvres dans les hôpitaux, « à genoux sur le pavé », devant leurs malades, qui « n'ont pas de honte, de peur ou de dégoût de toucher la chair du Christ[1] ».

De sa hantise constante de l'autoréférentiel, découle aussi sa volonté que les laïcs ne soient pas phagocytés par un système clérical.

La cléricalisation des laïcs « est un problème. Les prêtres cléricalisent les laïcs et les laïcs nous demandent d'être cléricalisés… C'est vraiment une complicité pécheresse. Et quand on pense que le baptême seul pourrait suffire. »

Il a évoqué à *Trenta Giorni* un exemple qui lui est cher, Nagasaki. « Je pense à ces communautés chrétiennes du Japon qui sont restées sans prêtre pendant plus de deux cents ans. Quand les missionnaires sont revenus, ils ont retrouvé tous les membres de ces communautés baptisés, mariés de façon valide pour l'Église, et tous les morts enterrés avec des funérailles catholiques. Les dons de grâce, source de joie, avaient conservé intacte la foi de ces laïcs qui avaient seulement reçu le baptême et avaient vécu leur mission apostolique en fonction de ce seul baptême. » Il manifeste ainsi clairement l'importance des laïcs dans l'Église.

---

1. Messe solennelle de canonisations de saintes colombienne et mexicaine, le 12 mai 2013, place Saint-Pierre.

9

Le changement
Premières réformes attendues

Patience, persévérance, prudence, les 3 P du pape Bergoglio

Dès le lendemain de l'élection, beaucoup au Vatican l'ont espéré, d'autres l'ont craint : ce pape argentin allait-il révolutionner l'Église, ou au moins la Curie ?

Les tout débuts du pontificat ont été dominés par une très belle parole, mais vides de décisions. Comme s'il préparait prudemment le terrain à la réforme pour laquelle il a été élu.

En mai, un haut prélat du Vatican à la retraite s'impatientait face à l'absence d'arbitrages : « François n'a pas encore commencé à être le pasteur qui guide son troupeau. Il est encore celui qui crée un climat propice pour que poussent les plantes. Il se montre un éducateur des mentalités, pensant qu'on a plus besoin dans l'Église d'un changement des mentalités que d'un changement de structures. Mais cela ne suffit pas et des choses devront être mises en discussion. »

Bergoglio est venu à Rome avec la réputation de prudence et de détermination. On parlait déjà à Buenos Aires des 3 P de Bergoglio : patience, persévérance, prudence. Selon Lucetta Scaraffia, « certains ont pensé qu'il pourrait changer tout et il changera effectivement des choses. C'est un homme très stratège, qui se prépare une stature publique, une image forte, très difficile à attaquer. Il est en train de se bâtir une image intouchable, en raison de la ferveur que son message évangélique suscite. Conscient que des coups seront portés à son pouvoir, il veut être en position de force. À la différence de Benoît XVI ».

Il s'agit d'abord pour François de transformer l'Église par l'exemple. Pour le numéro trois du Vatican, le substitut à la Secrétairerie d'État, Angelo Becciu, François « a commencé son œuvre réformatrice par ses gestes, et nous sommes tous impliqués dans le choix d'un style de vie sobre, dans un exercice du gouvernement plus collégial[1] ».

Le pape a tenté pendant ce temps d'apprivoiser les hommes qui devront faire avec lui la réforme. Bâtir un réseau de liens, de soutiens, connaître personnellement les personnes. Cela demande une énergie énorme et se heurte à des résistances.

Avec les cardinaux qu'il a appelés ses frères, le nouveau pape s'est montré en public très cordial et même louangeur… en les comparant aux bons vins qui se bonifient et en louant la sagesse de l'ancienneté. Il a cité une réminiscence en allemand du poète Friedrich Hölderlin : « *es ist ruhig, das Alter. Und fromm* » (« il est tranquille, le vieil âge. Et pieux[2] »). Manière d'indiquer qu'il a besoin de leur loyauté qui n'est pas toujours acquise d'avance.

---

1. Mgr Becciu dans *L'Unione sarda* et *L'Osservatore Romano*, le 8 juin 2013.
2. Première audience du nouveau pape au collège des cardinaux, le 15 mars 2013.

Au cardinal Fernando Filoni, qui lui présentait son équipe de Propaganda Fide (la Congrégation pour l'évangélisation des peuples) chargée d'envoyer des missionnaires, il s'adressait humblement[1] : « J'apprends à connaître l'Église grâce à vos leçons. » Et il ajoutait une de ses *battute* : « ce ne sont pas des leçons particulières payantes ».

Téléphonant à son ami écrivain argentin Jorge Milia[2], François a reconnu que s'imposer dans la Curie est ardu. « Ça n'a pas été facile, Jorge. Ici il y a de nombreux patrons (*padroni*) du pape, et avec des états de service très anciens », a-t-il dit en sous-entendant clairement les tensions.

Son exaspération culmine quand ses secrétaires fixent son agenda. Dans le passé, confie-t-il, les papes ont été en quelque sorte prisonniers de leurs secrétaires. « C'est moi qui décide désormais ceux que je rencontre », tranchera un Bergoglio très remonté.

Le général jésuite

Comme le perçoit le cardinal suisse Cottier, Bergoglio est « un homme de gouvernement, qui sait prendre des décisions ». Avec le régime des Kirchner, il a su se montrer un fin politique. « Il est très discipliné. S'il parle beaucoup du cœur, il n'est pas sentimental. Il a une structure intérieure forte. » Celui que le vaticaniste Sandro Magister décrit comme le général jésuite, consulte beaucoup et puis décide seul. « Il entend appliquer au pontificat les méthodes de gouvernement typiques de la Compagnie

---

1. Audience aux Œuvres pontificales missionnaires, le 17 mai 2013.
2. Conversation téléphonique entre Jorge Milia et François, rapportée par le site Internet Terre d'America, le 11 juillet 2013.

de Jésus, où des pouvoirs absolus reviennent au préposé général, le pape noir[1]. »

François va se montrer aussi ferme à l'intérieur de son Église que large d'esprit à l'extérieur. La sainteté de la mère Église hiérarchique est à respecter. « Les chemins parallèles à l'intérieur de l'Église sont dangereux. » S'adressant aux nouvelles réalités d'Église qu'il salue à la Pentecôte, il leur adresse une mise en garde : « Quand c'est nous qui voulons faire la diversité et que nous nous fermons sur nos particularismes, sur nos exclusivismes, nous apportons la division. » Une autre forme de l'auto-référentiel abhorré.

Pour ce jésuite rompu aux débats internes difficiles – au sein de sa province argentine, il s'était trouvé en vif désaccord avec ses pairs favorables à la théologie de la libération, alors attaquée par Jean-Paul II –, diversité ne veut pas dire zizanie. Un homme de discipline est arrivé sur le trône de Pierre.

Il sera déterminé, ira jusqu'au bout, n'aura pas peur, ne cèdera pas aux pressions. Cardinal, il avait critiqué ceux des pasteurs qui « n'accomplissent pas leur mission parce qu'ils ont peur d'être taxés d'autoritarisme » et ceux qui « par pusillanimité, se refusent à agir avec décision et fermeté quand il le faudrait : ils cachent et laissent passer des choses qui se transforment ensuite en épouvantables scandales[2] ». Il pensait peut-être alors au scandale du fondateur des Légionnaires du Christ, le père Marcial Maciel, que l'entourage de Jean-Paul II avait laissé nuire.

---

1. Sandro Magister, *l'Espresso*, 20 juin 2013.
2. Le cardinal Bergoglio dans une retraite prêchée aux évêques espagnols, cité dans « Amour, service et humilité », *Magnificat*, en 2006.

La nomination du G8
Premier jalon de la grande réforme nécessaire

La grande réforme a été inaugurée par la création d'une série de commissions tous azimuts. Elle prendra du temps. François saura trancher dans le vif, dans des intérêts établis.

Le premier jalon a été, en mai 2013, la nomination de huit cardinaux des cinq continents pour le conseiller dans les grandes décisions et préparer une réforme de la Constitution *Pastor bonus* de 1988, qui règle le fonctionnement de la Curie.

« Dans la vie chrétienne comme dans celle de l'Église, il existe des structures anciennes et fragiles : il est nécessaire de les renouveler [...]. N'ayons pas peur de laisser tomber les structures fragiles de l'Église qui nous emprisonnent. L'Église s'est toujours autorisée à se réformer », a expliqué François avec insistance[1].

Le changement le plus urgent concernait la structure de la Curie. C'est seulement après que pourrait venir une réflexion sur la doctrine qui n'est pas encore la thématique d'aujourd'hui, avait estimé le cardinal hondurien Óscar Rodríguez Maradiaga, le coordinateur de ce G8[2].

Ce « Conseil de la Couronne » est consultatif. Il ne s'est réuni que tardivement, début octobre. Mais auparavant les cardinaux et le pape avaient été en contact étroit. Dans ses confidences aux religieux latino-américains du CLAR, il a assuré qu'il se reposait sur eux pour les grandes décisions car il se sent trop désorganisé. L'archevêque de

---

1. Dernière homélie à Sainte-Marthe avant la pause estivale, le 6 juillet 2013.
2. Ó. Rodríguez Maradiaga, lors d'une interview à *La Nación de Costa Rica*, 14 juillet 2013.

Munich, Reinhard Marx, un autre des huit, a déjà recruté un conseiller en management de McKinsey.

« Attention, le système est une mosaïque. Si vous tirez un élément, vous risquez de créer la pagaille », avait averti un cardinal de la Curie, qui se disait certain que *Pastor bonus* ne serait pas bouleversé.

La portée symbolique de cet aéropage informel reste cependant grande, et des cardinaux à 10 000 km de Rome, au sud, à l'est et à l'ouest, sont consultés. Ce conseil des huit, dont sept extérieurs à la Curie (allemand, chilien, hondurien, indien, congolais, américain, australien), nommé par lui seul, permet au pape d'avoir des relais à partir du terrain. « Le goulot d'étranglement de la Secrétairerie d'État est laissé en place, mais François choisit des archevêques de confiance qui lui feront passer des messages directement, sans passer par elle. Plus tard, ce conseil pourra peut-être être institutionnalisé », analysait le cardinal Poupard quand il a été créé.

Le cardinal George Pell, un des huit et archevêque de Sydney, a choisi une image du champ de bataille de la Deuxième Guerre mondiale : « J'utilise parfois l'exemple du maréchal Montgomery. Il avait toute une série d'officiers qui travaillaient pour lui à l'état-major équipés de mobylettes et de vélos. Il les envoyait pour voir ce qui se passait, de manière à pouvoir avoir un point de vue à confronter à ce que pensaient ses généraux. Le Saint-Père a besoin de ce type d'information[1]. »

Les personnalités sont toutes intéressantes, du capucin américain Sean O'Malley, connu pour sa lutte contre la pédophilie, au très politique Congolais Laurent Monsengwo, ils ont tous en commun d'être dynamiques et solides. La

---

1. Cardinal George Pell, dans le journal britannique *Catholic Herald*, 31 mai 2013.

nomination de Maradiaga comme coordinateur n'est pas neutre. Le cardinal de Tegucigalpa, à la tête de Caritas Internationalis, a lutté contre la corruption dans son pays au point d'être menacé. Il était mal vu de certains au Vatican, jugé trop socialement progressiste peut-être. « Aux yeux de la cour, Maradiaga était mort, et soudain, voilà que tous les petits marquis se pressent pour le rencontrer », s'amusait au printemps un laïc au Vatican.

Avec efficacité, le pape s'est entouré d'un petit groupe, déjà surnommé « la secretariola », qui travaille avec lui à la résidence Sainte-Marthe et décide tout avec lui. Il a aussi nommé, déplacé, muté des hommes, évinçant avec discrétion quelques collaborateurs incompétents ou faisant scandale, leur évitant le désaveu public et humiliant. Ces changements lui donnent plus de coudées franches pour agir.

Au programme de la grande réforme, une sérieuse cure d'amaigrissement, des regroupements de ministères, des conseils des ministres plus réguliers. Ceux-ci pourront voir le Saint-Père sans passer par le filtre de la Secrétairerie d'État. La collégialité prévue par le concile Vatican II est réactivée et renforcée. La commission du conseil du synode (qui était convoquée lors des synodes) devait être transformée en conseil permanent consultatif. La synodalité est le grand mot à l'ordre du jour.

Le 19 juillet 2013, il a nommé une autre commission de huit experts, dont sept laïcs, chargés d'examiner à fond l'ensemble des problèmes économico-administratifs du Vatican, afin d'obtenir des finances plus transparentes et d'élaborer des projets moins dispendieux. Elle ne dépendra que de lui seul. Et toutes les portes, les tiroirs, les coffres et les placards devront lui être ouverts, sans restriction. Cette désignation d'enquêteurs laïcs pouvant pénétrer partout a été perçue comme le signe d'un changement d'époque au Vatican.

Le G8, cette commission d'enquête et les organes consultatifs qu'il ne cesse de créer redimensionnent de fait le rôle de la Secrétairerie d'État, véritable État dans l'État. Le pape a aussi nommé une « jeune » diplomate de carrière (58 ans), le nonce Pietro Parolin, comme son nouveau secrétaire d'État, en remplacement de l'homme de confiance de Benoît XVI, le peu diplomate Tarcisio Bertone. Ce choix d'un homme ouvert et compétent, qui a suivi les dossiers chauds (du Vietnam au Proche-Orient) a été applaudi. La Secrétairerie d'État devrait redevenir le lieu d'orchestration des relations avec le monde, avant d'être l'organe de contrôle de la Curie.

Pour l'heure, François semble vouloir maintenir en fonction les principaux autres ministres de Benoît XVI, pour manifester sa volonté de continuité et de fidélité avec une Curie qu'il a jugé majoritairement loyale et honnête en dépit des critiques. Manière aussi d'effacer l'impression fausse d'une révolution de palais.

Jorge Mario Bergoglio est déterminé mais réaliste. Il ne faut pas attendre une mise à plat, mais plutôt une refonte, une purification, un élagage. La réforme restera-t-elle surtout d'ordre formel ou exemplaire, ou réussira-t-elle à changer vraiment un système compartimenté, puissant et résilient ?

L'IOR, la banque du pape dans la ligne de mire

Un coup d'accélérateur a été donné au début de l'été pour un des changements espérés, celui de l'Institut pour les œuvres de religion (IOR), la « banque » du Vatican, ce vieil épouvantail qui contribue à sa réputation sulfureuse. Le pape a constitué – encore ! – une commission formée de cinq membres : quatre prélats et une laïque, dont deux Américains. Elle vérifiera sans indulgence dans quelle mesure certaines activités de l'IOR s'écartent de la mission de l'Église. Nul doute que François veut éradiquer de l'Institut tous les intérêts qui ne répondent pas à un besoin des œuvres de charité de l'Église.

Il a accepté fin juin les démissions du directeur et du directeur-adjoint, critiqués pour leur gestion. Le baron et industriel allemand Ernst von Freyberg, nommé en février par Benoît XVI président de l'Institut, neuf mois après la démission spectaculaire du banquier italien Ettore Gotti Tedeschi, a fait éplucher tous les 19 000 comptes. Malgré l'émoi qu'a causé une petite phrase de François – « Saint Pierre n'avait pas de compte en banque[1] » – une fermeture de cet institut indispensable, qui gère les fonds dans le monde entier de centaines de congrégations, actives dans l'éducation, la santé, l'aide sociale, les camps de réfugiés, est exclue.

Il s'agit d'élaguer les branches douteuses, les opérations inutiles et somptuaires, d'établir la transparence et des contrôles plus rapides et plus modernes dans la tour médiévale qui abrite la mystérieuse banque. François n'aime pas les privilèges et les zones grises. Les mesures de transparence adoptées sous Benoît XVI pour que le Vatican soit accepté dans la *white list* des États propres ne sont pas suffisantes, alors que la justice italienne s'intéresse depuis 2010 à quelques comptes encore suspects à l'IOR. Un prélat italien, comptable de l'administration du Saint-Siège, a même été arrêté en juin.

Cette rigueur s'inscrit dans une politique d'économies plus vaste. Des émoluments de cardinaux membres du conseil de surveillance de l'IOR ont été supprimés, tout comme des primes versées aux employés à l'élection de

1. Homélie à Sainte-Marthe, le 11 juin 2013.

chaque nouveau pape. Le pape réduit la flotte des voi-
tures officielles utilisées par la Curie. Les *monsignori* qui
impressionnaient leurs fidèles à bord de limousines sont
mal vus, les anciens ordres équestres qui se réclamaient
de la bienveillance du petit État perçus avec méfiance, les
budgets des multiples fondations passés au peigne fin...

Lobby gay et autres lobbies, libertinage

Que va faire en particulier François du dossier de trois
cents pages que lui a transmis Benoît XVI après les scandales révélées par Vatileaks ?

Entre autres, ce volumineux dossier parlerait du fameux
lobby gay, qui suscite beaucoup de fantasmes et de rumeurs,
et qui pourrait impliquer un ou des prélats haut placés.
Aux religieux latino-américains du CLAR, début juin 2013,
François avait admis son existence. « On parle d'un *lobby
gay*. Oui, eh bien, il existe. » C'était un coup de tonnerre.
Le pape a dénoncé en juillet, dans l'avion qui le ramenait
de Rio, le caractère délictueux des lobbies, qu'ils soient
gays ou francs-maçons, mais non l'inclination sexuelle de
tel ou tel prêtre travaillant au Vatican.

Lobby ? Ce mot est lourd d'angoisse dans l'État le plus
secret du monde. Un groupe d'homosexuels gardant entre
eux le secret sur leurs relations ? Des laïcs ou des prêtres
objets de chantages extérieurs, en échange de la préser-
vation de leurs relations intimes ? La présence d'homosexuels est un fait que le Saint-Siège a toujours su et tu.
Des hommes honnêtes, brillants et de valeur, totalement
dédiés au pape, méritent de voir respectée leur vie professionnelle, s'ils ne commettent pas de fautes, estime-t-on
encore. « Certes, il y a au Vatican des homosexuels qui se
connaissent entre eux. Certains sont nos amis. La plupart

sont irréprochables », raconte un fonctionnaire du Vatican qui a requis l'anonymat. Il se rappelle l'époque de Jean-Paul II : « J'ai entendu parler de chantages dans le passé. Du genre : tel secret sera révélé si vous ne nommez pas un de mes amis... »

Pour le vaticaniste Marco Politi, « un lobby gay, au sens d'un groupe de pression politico-ecclésial, n'existe pas. Il existe des cercles gays libertins qui font aussi des fêtes. Il existe des gays et des hétérosexuels qui mènent discrètement des relations sentimentales. Et il existe des gays qui font partie, en même temps que des *monsignori* hétérosexuels, de cordées de pouvoir ».

Que certains au Vatican aient fait venir des *ragazzi di vita*[1] dans leur appartement ou en rencontrent à l'extérieur, cela est possible et déplorable. Plusieurs articles et ouvrages sulfureux ont été publiés en Italie, colportant beaucoup d'exagérations. Mais certains cas réels et vraiment retentissants ont peut-être contribué à les répandre.

Une curieuse histoire : en juin, le pape avait nommé comme son prélat personnel à l'IOR un nonce qui aurait eu un passé gay très mouvementé alors qu'il était en poste en Uruguay ; ce prélat, Mgr Battista Ricca, était réputé par ailleurs pour son efficacité. Selon le vaticaniste Sandro Magister[2], le dossier soumis au pape avant sa nomination était vide de toute allusion à des liaisons homosexuelles. Le pape a été tenu dans l'ignorance. Il en aurait été furieux.

Ce mensonge par omission pourrait être un des exemples de la fameuse conjuration du silence, qui rend si difficile tout effort de transparence et qu'avait révélée Vatileaks.

---

1. Expression employée par Pier Paolo Pasolini pour désigner les jeunes hommes homosexuels.
2. Sandro Magister, « Le prélat du lobby gay », www.chiesa.espressonline.it, 18 juillet 2013.

Une nouvelle fois, mieux valait cacher au pape un scandale, ont pensé certains ! Mais ce qui était possible avec un Benoît XVI fatigué risque de ne plus fonctionner avec François. Pourtant, Mgr Ricca poursuit ses fonctions et le pape assure qu'une enquête n'a rien trouvé sur lui. « François devra assez vite donner des signaux exemplaires de sa volonté de faire place nette face à la corruption et au libertinage », affirme le vaticaniste Marco Politi.

Un code pénal adapté pour lutter contre les trafics, sans échappatoire

François a voulu qu'un de ses premiers *motu proprio*, décret émis de sa main même, adapte la législation du Vatican aux normes internationales, y introduisant celles en vigueur dans la communauté des nations pour toutes sortes de délits graves. Sans doute, cette réforme majeure était-elle déjà préparée sous Benoît XVI : elle va dans le sens de ce qu'il désirait. Mais, le 11 juillet 2013, le pape argentin a manifesté la volonté que l'État du Vatican et le Saint-Siège – y compris leurs représentants à l'étranger – n'échappent plus jamais aux règles juridiques internationales ; qu'il ne puisse plus s'y trouver quelqu'un – même un haut prélat – pensant pouvoir y continuer ses méfaits impunément. Tous les employés du Saint-Siège sur place et à l'étranger sont passibles de poursuites par la justice du Vatican.

Le nouvel État du Vatican, lors de la signature des accords du Latran en 1929 avec l'Italie, avait repris en gros un ancien code pénal du défunt Royaume d'Italie. Curieusement, des conventions sur les crimes de guerre, sur la discrimination raciale, sur les droits de l'enfant, contre la torture et d'autres peines cruelles et dégradantes n'avaient pas encore été introduites dans le droit du Vatican. Les délits contre les mineurs – trafic, prostitution, violences sexuelles, pornographie – sont incorporés eux aussi dans le dispositif pénal. Un pas de plus dans la lutte contre la pédophilie, initiée par Benoît XVI. Depuis l'élection de François, les critiques des associations d'anciennes victimes, très remontées contre le Vatican, ont baissé d'intensité. Jorge Bergoglio confirme dans son *motu proprio* qu'il entend être très ferme. Même s'il agira dans la discrétion.

D'autres délits, comme ceux de génocide et d'*apartheid*, prévus dans le statut de la Cour pénale internationale, sont aussi introduits. Si un prêtre génocidaire se cachait dans un service du Vatican, il pourrait être jugé par son tribunal.

Réforme concernant les mœurs : discrétion sur les sujets qui fâchent ?

Comme on en a déjà fait l'expérience douloureuse sous Jean-Paul II et Benoît XVI, quelques sujets peuvent contribuer à refermer très vite la fenêtre de communication extraordinaire que François a su rouvrir.

« Il évite les sujets qui fâchent », accusent ses détracteurs. « Ce n'est pas vrai. Il n'agit sûrement pas par lâcheté, manque de conviction ou désir de conserver sa popularité », répliquent ses défenseurs. C'est un fait : s'il a parlé fermement de la défense de la vie ou de la famille, il l'a fait sans prononcer les mots chargés, avortement, euthanasie, mariage homosexuel. Les épiscopats se voient confier la charge d'intervenir. Habité d'une conception moins impériale de la papauté que Jean-Paul II, il n'entend pas intervenir personnellement à tout venant, afin peut-être de ne pas ruiner sa marge d'action. Son projet est la miséricorde. Pour rejoindre l'homme où qu'il soit, on ne peut d'abord l'exclure.

Romilda Ferrauto, observatrice privilégiée depuis Radio Vatican, où elle dirige le service en langue française, a écouté attentivement les mots choisis lors d'un discours très attendu à la journée « Evangelium Vitae » (Évangile de la vie[1]). « François n'est pas dans la condamnation des personnes. Contrairement à ses prédécesseurs, il ne prononce pas le mot avortement ou le mot euthanasie. Bien sûr qu'il leur est opposé. C'est une attitude, selon moi, délibérée de respect des personnes. Il dit oui à la vie, oui à l'amour et envoie ainsi le même message. » « Il n'y a pas chez François l'obsession de transformer certaines valeurs de l'Église en idéologie politique comme cela a été le cas dans le passé avec les prétendus principes non négociables », relève le vaticaniste Marco Politi.

Dans *Evangelium Vitae*, écrit en 1995, Jean-Paul II condamnait nommément et vivement l'avortement et l'euthanasie. Dix-huit ans plus tard, son successeur ne reprend pas ce discours direct. Il n'a même pas réagi, déplorent ses détracteurs, à la légalisation du mariage gay en Uruguay, pays voisin de l'Argentine. Mais les responsables politiques sont appelés par François à protéger juridiquement l'embryon. Dans sa première encyclique signée de lui, *Lumen Fidei* (Lumière de la foi), « l'acceptation de ce bien qu'est la différence sexuelle » est soulignée. Benoît XVI, auteur originel de l'encyclique, aurait cependant choisi une formulation plus explicite contre le mariage pour tous.

François s'adresse encore aux législateurs, leur demandant de « proposer, amender, abroger les lois » contraires à leur conviction[2]. Sur la cohabitation des jeunes hors mariage, les condamnations publiques, telle que celle

---

1. Le 16 juin 2013.
2. Le 15 juin 2013, recevant une délégation de parlementaires français.

qu'avait faite Benoît XVI devant une foule à Zagreb en juin 2011, sont évitées par François.

À chaque fois, ce sont des oui à des conceptions positives qu'il formule.

Ses préoccupations concernant la crise de la famille sont connues. La convocation sous son égide d'un synode sur la pastorale familiale est d'ailleurs évoquée[1]. Du thème de la sexualité, qui a focalisé le débat et éloigné de l'Église une majorité de jeunes, il ne veut pas être l'otage. Le cardinal Bergoglio, dans des propos souvent cités et tirés de son autobiographie, avait bien montré qu'il refusait de se laisser enfermer dans un débat quasi obsessionnel. Il avait critiqué, à Buenos Aires, des homélies « qui devraient être kérygmatiques mais qui finissent par parler de tout ce qui a rapport avec le sexe. Permis ou pas permis ; erroné ou pas erroné. Alors nous finissons par oublier le trésor de Jésus vivant, un projet de vie qui a des implications qui vont bien au-delà des simples questions sexuelles. [...] Nous finissons par nous concentrer sur le point de savoir si nous devons ou non participer à une manifestation contre un projet de loi sur l'usage du préservatif ». « C'est comme si toute l'histoire du salut passait à travers le préservatif », aurait-il lancé une fois, selon le journaliste italien et confident du pape, Gianni Valente.

Extrême fermeté doctrinale et bienveillance ne s'excluent pas. Selon le théologien contestataire brésilien Leonardo Boff[2], il aurait « autorisé le fait qu'un couple de même sexe puisse adopter un enfant » et aurait « gardé contact avec des prêtres, qui ont été chassés de l'Église parce qu'ils étaient mariés, sans jamais s'écarter de cette ligne ». Mais

---

1. Le 13 juin 2013, recevant les représentants du synode permanent.
2. Leonardo Boff, *Der Spiegel*, 5 mai 2013.

aucun changement de fond n'est attendu dans les dogmes en la matière.

Tout simplement, Bergoglio souhaiterait sans doute éviter ces sujets, très privés et tenant à l'intime, au senti-ment ; sujets dont les enquêtes et *talk shows* se montrent friands, mais dont il pense que l'Église a trop parlé, sans respect pour l'intimité des personnes. Il semble insister plus sur la morale interpersonnelle du lien conjugal et familial (fidélité, protection, responsabilité mutuelle) que sur l'éthique sexuelle dans le couple, abordée très direc-tement par Jean-Paul II. L'avortement occupe aussi une très grande place dans ses préoccupations : il encourage les femmes en difficulté à faire le choix de poursuivre leur grossesse.

La femme dans l'Église : quelle réforme possible ?

S'il est un sujet sur lequel l'attente est grande, c'est celui de la reconnaissance des femmes dans l'Église.

François ne cesse de rendre hommage aux talents fémi-nins pour la transmission de la foi, même s'il a la dent dure pour les vieilles filles et les belles-mères. « Les femmes ont eu et ont un rôle particulier [pour] ouvrir les portes au Seigneur[1]. » Elles ont cru avec le cœur. Benoît XVI avait, lui aussi, dit que, dans les Évangiles, les femmes jouaient un grand rôle. Rien de très nouveau donc sur le fond.

François ne semble pas éprouver de gêne vis-à-vis des femmes. Il n'est sûrement pas féministe, mais il ne fait pas partie de ces prêtres qui voient les femmes en éternelles tentatrices. Il parle des femmes au travail, quel que soit leur travail, domestique ou à l'extérieur. « Les hommes et

---

1. Audience générale du 4 avril 2013.

les femmes », dit-il souvent, et pas seulement les hommes. Il honore sans cesse la maternité.

Concrètement, aucune femme n'a été nommée encore à la tête d'un ministère du Vatican, François ne s'entoure pas de conseillères, même si une jeune femme laïque fait partie des huit experts chargés de contrôler les administrations vaticanes. Aucune réforme n'est annoncée pour associer des femmes au processus décisionnel et leur accorder de nouveaux statuts – par exemple celui du diaconat. Aux premiers siècles, les femmes avaient joué un rôle plus important dans la liturgie. L'Église reste gouvernée par des hommes, comme l'attestent tristement les grandes cérémonies au Vatican. Le carriérisme effréné de certains, accompagné de misogynie, est régulièrement dénoncé.

Sur la contestation féminine et féministe des religieuses aux États-Unis, François a adopté sans surprise une ligne conservatrice, mais de respect. Souvent de très haut niveau universitaire ou engagées dans l'apostolat dans les milieux les plus difficiles, ces sœurs en civil demandent non seulement un rôle accru des femmes mais prônent de nouvelles visions anthropologiques – intéressantes et souvent radicales – sur le masculin et le féminin, la sexualité, l'éducation. Elles apportent leur sensibilité, remettant en cause l'univers masculin.

Les religieuses rebelles américaines de la LCWR auront été déçues. Elles ont été exhortées à obéir au magistère de l'Église et à placer davantage leurs actions sous l'égide des évêques. Le pape a donné son feu vert à la remise en ordre commandée par son prédécesseur. Ce message sans équivoque a été délivré[1] quand il a accordé audience aux huit cents supérieures générales d'ordres féminins, en mai

---

1. Rencontre du pape avec les participantes à l'Assemblée plénière de l'Union internationale des supérieures générales (UISG), le 8 mai 2013.

(Benoît avait omis de les recevoir). Il n'a été nullement question d'ordination des femmes. En même temps, leur « fécondité maternelle » a été saluée dans les œuvres de charité et les religieuses ont eu le sentiment que la froideur passée était révolue. Le dialogue a d'ailleurs repris avec l'émissaire du Vatican.

Le rôle de la femme reste une épine dans le pied de l'Église. Dans son unique et historique conférence de presse, au retour de Rio, François reconnaissait : « La participation des femmes ne doit pas se limiter à faire d'elles des servantes de messe, des présidentes de la Caritas ou des catéchistes. » Mais il confirmait un non catégorique à l'ordination des femmes.

Les contestataires, influencées par leurs consœurs protestantes, par exemple dans le Comité de la jupe en France, continueront à ne pas se contenter de la reconnaissance de saintes et de théologiennes... François décevra-t-il ?

Traditionalistes et progressistes renvoyés dos à dos

Le pape condamne la tentation pélagienne qui consiste à rêver de revenir cinquante ans en arrière : « Il y a des groupes qui veulent la restauration. J'en connais certains, il m'est arrivé de les recevoir à Buenos Aires. On se sent comme si on avait fait un bond de soixante ans en arrière. » « J'ai reçu une lettre d'un de ces groupes qui me disait : "Saint-Père, nous vous offrons ce trésor spirituel : 3 525 rosaires." Pourquoi ils ne disent pas plutôt qu'ils prient pour moi ? Pourquoi[1] ? »

---

1. Conversation rapportée entre le pape et les religieux latino-américains du CLAR, le 6 juin 2013.

Il fustige aussi un certain progressisme adolescent, qu'il juge également puéril, mou et lénifiant : « Prenons un peu de ceci, un peu de cela dans les valeurs de cette culture. Ils veulent faire cette loi ? Eh bien d'accord pour cette loi ! Ils veulent aller de l'avant avec cela ? Élargissons un peu la route. À la fin, comme je dis, ce n'est pas un vrai progressisme. C'est un progressisme adolescent : comme les adolescents qui veulent avoir tout avec enthousiasme, et à la fin, on bascule... Comme quand la route est gelée et que la voiture glisse et sort de la route. C'est l'autre tentation en ce moment ! Non, dans ce moment de l'histoire de l'Église, nous ne pouvons ni aller en arrière ni sortir de la route[1]. »

Évêque de Rome et premier pape postconciliaire

Les orthodoxes ont dû se réjouir, tout comme les protestants. Les gestes se multiplient depuis le début du pontificat pour introduire le changement annoncé par les papes précédents sans être vraiment suivis d'effet : un retour à l'esprit des débuts de l'Église, quand celle-ci comptait plusieurs patriarches, celui de Rome n'étant que *primus inter pares*, avec ceux d'Antioche et d'Alexandrie. Quand il se désigne, François se dit évêque de Rome.

Pour sa prise de possession de sa basilique d'évêque de Rome, Saint-Jean de Latran, une nouvelle formule solennelle d'accueil, plus proche de l'orthodoxie et insistant moins sur la primauté romaine, est prononcée à la demande de François : « Élu dans ce lieu pour présider toutes les Églises dans la charité, tu guides chacun avec une douceur

---

1. Homélie à Sainte-Marthe, le 12 juin 2013.

ferme sur les voies de la sainteté[1]. » Auparavant, la formule était plus hautaine : « Comme le vigneron surveille, d'un lieu élevé, la vigne, tu es dans une position élevée pour gouverner et garder le peuple qui t'est confié. » François est sensible à l'œcuménisme depuis toujours. Le patriarche Bartholomée de Constantinople a décidé d'être présent, pour la première fois depuis le grand schisme de 1054, à la messe d'installation du nouveau pape, le 19 mars. Le même pontife l'accueillera le lendemain en lui donnant le nom chaleureux d'André, un des douze apôtres que vénèrent les Églises d'Orient. Une visite qui sera suivie un mois et demie plus tard de celle du nouveau pape copte Tawadros, la première au Vatican depuis 1973.

Les précédents papes se refusaient à faire descendre l'Église de son piédestal. François semble avoir une approche moins crispée. Au point que l'on évoque une visite commune de François et de Bartholomée en Terre sainte en 2014.

Le Concile oublié ?

Au tout début du pontificat, François n'a pas beaucoup évoqué le concile Vatican II, suscitant des questions de certains vaticanistes sur l'intérêt qu'il y portait. Ces interrogations ont été balayées mi-avril, quand il a abondé dans le sens du pape allemand pour estimer que le souffle du Concile devait encore donner des fruits, les chrétiens ayant voulu endormir l'Esprit Saint. « Après cinquante ans, avons-nous fait tout ce que nous a dit de faire l'Esprit Saint ? Non, nous fêtons cet anniversaire, nous construisons un

---

1. Cardinal Agostino Vallini, vicaire de Rome, discours du 7 avril à Saint-Jean de Latran.

monument, mais surtout qu'il ne nous gêne pas ! Nous ne voulons pas changer. De plus, il y a des voix qui veulent aller en arrière. Cela s'appelle être des obstinés, cela s'appelle vouloir domestiquer l'Esprit Saint, cela s'appelle devenir imbéciles et lents de cœur. [Car] l'Esprit Saint nous embête, [...] il pousse l'Église à aller de l'avant. Les gens sont d'accord pour dire : Comme c'est bien de rester ainsi, tous ensemble ! Mais que cela ne nous embête pas. Nous voulons que l'Esprit Saint s'endorme, nous voulons le domestiquer. Et ça ne va pas. Aller de l'avant, ça nous embête. La facilité est plus belle[1]. »

Contrairement aux commentaires du début du pontificat, non seulement François ne remet pas en question l'importance du Concile, mais il lui est consubstantiel. Vatican II n'est pour lui ni progressiste ni traditionaliste par essence, deux interprétations qu'il a vu douloureusement s'affronter en Amérique latine. Son élection est aussi celle d'un homme qui a Vatican II dans la peau mais qui en a une vision adulte et non adolescente. Il ressent moins, comme Benoît XVI, l'un de ses artisans, le besoin d'en rappeler le sens et l'importance.

---

1. Homélie sur le concile Vatican II, à Sainte-Marthe le 18 avril 2013.

10

Une certaine vision
du monde et du chrétien
Le chrétien engagé contre l'exploitation

Gardien de la Création : une vision franciscaine...
et ratzingérienne du monde

C'est la théologie du pape François, gardien de la Création ou, en Italien, du *Creato* (du Créé). « François d'Assise est pour moi l'homme qui aime et garde la Création. En ce moment nous aussi nous avons avec la Création une relation qui n'est pas si bonne, n'est-ce pas ? », fait-il observer aux représentants des médias, quatre jours après son élection. Il pense à l'environnement, mais plus largement à tout ce qui concerne la vie. Non seulement l'air, l'eau, la faune, la flore, mais aussi l'homme. Même s'il ne le dit pas ce jour-là explicitement, il songe au respect de la vie humaine.

En s'adressant aux médias, pour la plupart non religieux, il semble leur demander : au-delà de nos appartenances, reconnaissons-nous la valeur de ce qui est créé ? Et, si nous sommes religieux, son caractère sacré ? Sommes-nous prêts à défendre ce trésor ?

Un jour[1], il se référera par deux fois à l'écologie humaine du pape vert Benoît XVI, le désignant comme son maître à penser. « Cultiver et protéger est un ordre de Dieu valable dans le temps et applicable à chacun. Cela fait partie de son projet qui est de faire grandir le monde dans la responsabilité afin d'en faire un jardin, un espace vivable pour tous. Benoît XVI a plusieurs fois rappelé que la mission attribuée à l'humanité par le Créateur implique le respect des rythmes et de la logique de la création. [...] On oublie ce que Benoît XVI appelle le rythme de l'histoire d'amour entre Dieu et l'homme. »

C'est un propos à la fois très traditionnel et très actuel que celui de François. Pour évoquer la crise des valeurs, il choisit des termes crus qui se rapportent à la nourriture[2] : nos valeurs avariées et notre nourriture périmée. Des produits aux étals du supermarché de la vie.

Dès sa messe d'installation, le pape élargit le concept de gardien de la création[3]. Déjà dans la Bible hébraïque, le croyant est gardien de son frère. « La vocation de garder [...] concerne tout le monde », dit-il devant les chefs d'État du monde entier. « Avoir soin de tous, de chaque personne, avec amour, spécialement des enfants, des personnes âgées, de celles qui sont plus fragiles et qui sont souvent dans la périphérie de notre cœur. Avoir soin l'un de l'autre dans la famille : les époux se gardent réciproquement, puis comme parents ils prennent soin des enfants et avec le temps aussi les enfants deviennent gardiens des parents ». C'est là son alphabet. Il parle ensuite de la garde réciproque entre amis.

---

1. Audience générale, le 5 juin 2013, place Saint-Pierre.
2. Angelus, le 23 juin 2013.
3. Homélie du 19 mars 2013, dans la basilique Saint-Pierre.

Si l'homme faillit à cette responsabilité, « la destruction trouve une place et le cœur s'endurcit », à toutes époques, il y a alors des Hérode qui « détruisent et défigurent le visage de l'homme et de la femme ».

François parle sans arrêt des plus faibles. « La personne humaine est trop souvent rejetée comme un déchet dont personne ne se préoccupe dès lors qu'elle est considérée comme coûteuse et inutile. Elle n'est pas considérée comme une valeur première à protéger et à respecter, surtout si elle est pauvre et handicapée : si elle n'a pas encore d'utilité comme l'enfant à naître ou qu'elle ne sert plus comme le vieillard[1]. » Or chaque être est un chef-d'œuvre de la Création, dira-t-il[2].

Enfin, l'homme est gardien de lui-même. C'est un appel en premier lieu aux responsables. François va à contre-courant, estime que la conscience est centrale : « Garder veut dire veiller sur nos sentiments, sur notre cœur, parce que c'est de là que sortent les intentions bonnes ou mauvaises : celles qui construisent et celles qui détruisent. » Et c'est juste après qu'il prononce cette phrase bouleversante : « nous ne devons pas avoir peur de la bonté, et même pas non plus de la tendresse », qu'il va répéter plusieurs fois dans la même homélie fondamentale du début de pontificat, le 19 juin. Elle indique le lien intime dans son esprit entre création et le binôme bonté-tendresse. C'est un Dieu de tendresse qui a créé le monde, sa création lui a plu, le *Logos*, le Verbe de Dieu est tendresse. Il est alors de nouveau très proche de Benoît XVI.

Du microcosme au macrocosme, a lieu le grand combat pour la paix, la construction, la vie. Son seul critère valable est la *caritas*.

---

1. Lors de l'audience générale du 5 juin et dans un tweet du 9 juin 2013.
2. Message aux catholiques britanniques, le 17 juillet 2013.

Une Église pauvre et engagée
contre l'exploitation multiforme

« Comme je voudrais une Église pauvre, pour les pauvres ! » Cette formule, prononcée après son élection, est devenue aussitôt célèbre. Cependant, que peut signifier un tel souhait, quand on est à la tête d'une gigantesque machine qui fonctionne en coopération avec les autres pouvoirs ? Avec de l'argent et des *joint ventures*, des gestionnaires et des investisseurs, des placements, des emprunts et des actions...

François ne veut pas la révolution. Aurait-il une conception de la lutte contre la misère ramenée à l'assistanat ? Les pauvres seraient-ils nécessaires pour la bonne conscience de l'Église ? C'est mal connaître ce jésuite qui, en Argentine, reprochait vertement au gouvernement de se reposer sur l'Église pour tout ce qu'il n'arrivait pas à faire.

Quand le pape a reçu au printemps son ami le cardinal Maradiaga et soixante-sept représentants des Caritas de tous les continents, ce n'était pas pour une simple photo, pour une rencontre formelle. Le pape a bousculé le calendrier prévu. De manière chaleureuse et informelle, hors programme, il leur a dit : « Le pauvre c'est la chair du Christ, l'important c'est d'apporter la caresse de Dieu. La charité est la caresse de Dieu à son peuple[1]. » Il a insisté, selon Michel Roy, le secrétaire général de Caritas Internationalis, sur la nécessité de « développer une spiritualité de la caresse, l'Église sans la charité n'étant pas l'Église ».

Don Bosco, ce prêtre qui se préoccupait de l'éducation des enfants de la rue au milieu du XIXe siècle, a été cité en modèle. François aurait aussi cité saint Jean Chrysostome qui parlait de mettre les églises aux enchères pour nourrir

1. Le 16 mai 2013, devant les délégués de Caritas, chapelle Sainte-Marthe.

les pauvres... Une petite phrase qui aurait particulièrement ému certains.

Des mouvements très engagés sur ce front comme ATD Quart-Monde, fondé par le père français Joseph Wresinski, attendent beaucoup de la priorité accordée à la pauvreté par le pontife. « Les pauvres sont l'Église, c'est une formule du père Wresinski », souligne le représentant à Rome d'ATD. « C'est une Église qui n'exclut pas les autres, bien entendu, mais qui fait des pauvres la pierre angulaire », estime Jean Tonglet. Même si Jean-Paul II et Benoît XVI ont toujours soutenu généreusement l'option de la pauvreté, c'est un vrai changement de mentalité que François doit encore insuffler, passer du « pour les pauvres » au « avec les pauvres », et, plus exigeant encore, « à travers eux » ou « à partir d'eux ». Qu'il n'y ait pas d'un côté les pauvres, de l'autre côté tous les autres. Un message de dignité en accord avec la pensée de Jorge Bergoglio et avec son apostolat passé à Buenos Aires.

On ne peut pas parler de pauvreté sans l'avoir éprouvée et il faudrait que tout le monde fasse un effort « pour devenir un peu plus pauvre », dit souvent le pontife argentin. Sans naïveté, la solidarité, l'accueil qui existent chez les pauvres sont exaltés. Une encyclique sera consacrée à la pauvreté de l'Évangile, l'élevant au rang de vertu théologale, *Beati Pauperes (Bienheureux les pauvres)*, manifestant comment le dépouillement donne accès à Dieu.

Un Église dépouillée de ses vêtements inutiles et plus accueillante devait être au cœur du message délivré par François, en octobre, lors du pèlerinage à Assise, la cité du « Poverello », qui avait abandonné la richesse familiale pour la pauvreté. François a déjà suggéré aux congrégations dont les couvents se dépeuplent d'y accueillir des réfugiés.

« La mondialisation de l'indifférence »

Le pape a mis l'accent sur un autre point : le trafic des êtres humains, qu'il a décrit comme le fléau le plus grave en ce début de XXIe siècle. Il a demandé à l'Académie pontificale des sciences sociales de se consacrer à cette question, pour trouver des instruments concrets de lutte. Fils d'immigrants, il est conscient du déracinement dû aux migrations massives. S'adressant aux jeunes Romains, il les invite à se préoccuper concrètement des immigrés qu'ils croisent, dans le cadre d'une communauté, d'un diocèse.

Lors de sa première sortie hors de Rome, le 8 juillet, il se rend à l'impromptu dans l'avant-poste européen de Lampedusa ; c'est sur cette toute petite île au large de la Sicile, à cent kilomètres des côtes tunisiennes, que débarquent des Africains exploités par des passeurs sans scrupule ou qu'échouent leurs cadavres. Refusant la présence de personnalités politiques, il y rencontre des survivants chrétiens ou musulmans et délivre un de ses messages les plus forts et les plus émouvants contre la mondialisation de l'indifférence, pleurant les milliers de naufragés. Un message qui n'a pas plu aux partis d'extrême droite européens, très remontés contre l'immigration illégale en ces temps de crise.

« Ces frères et sœurs, dit-il parlant des naufragés, cherchaient un rang meilleur pour eux et pour leurs familles [...]. Qui est responsable de leur sang ? Personne ! Tous nous répondons ainsi : Ce n'est pas moi. Ce sont d'autres, certainement pas moi ! Mais Dieu demande à chacun de nous : Où est le sang de ton frère qui crie vers moi ? [...] Qui a pleuré pour ces personnes qui étaient sur le bateau ? Pour les jeunes mamans qui portaient leurs enfants ? [...] Nous regardons le frère à demi mort sur le bord de la route, peut-être pensons-nous : le pauvre ! Et continuons notre route. »

Sont condamnés à la fois ceux qui dans l'anonymat prennent des décisions socio-économiques conduisant à ces drames, et la culture du bien-être qui « nous fait vivre dans des bulles de savon, qui sont belles mais qui ne sont rien ». C'est du Ratzinger, rejoué avec une vigueur démultipliée par Bergoglio.

Dans ce discours passionné, près des barques abandonnées sur le rivage, le pape ne prêche pas l'angélisme mais appelle à faire face à la « mondialisation de l'indifférence en ouvrant grand les yeux et le cœur, habitués à tout. François renouvellera aussi le message sans compromission de Jean-Paul II contre la mafia, le jour de la béatification d'un prêtre de Palerme, Pino Puglisi, engagé contre Cosa Nostra. « Don Puglisi a gagné », s'exclame-t-il[1].

La défense des peuples menacés, auxquels la mondialisation ôte la terre, la culture, l'enracinement, le mobilise tout particulièrement, en bon jésuite des frontières. Il a reçu fin juin au Vatican un responsable de la communauté qom du nord de l'Argentine, Gustavo Vera, qui se bat contre le gouvernement Kirchner pour récupérer leurs terres, possession ancestrale. Ce n'est pas par hasard si, depuis son élection, la cause de béatification de l'archevêque de San Salvador, Mgr Óscar Romero, assassiné en 1980 par un commando d'extrême-droite, a été débloquée. Cet évêque avait lutté pour les paysans sans terre.

Le Veau d'or de la finance, rival de Dieu
Pour des rapports internationaux éthiques

« La joie de vivre s'amenuise, l'indécence et la violence prennent de l'ampleur avec l'écart croissant entre les plus

---

1. François à l'Angelus du 26 mai 2013.

riches et les plus pauvres », lancera-t-il en mai, sur un registre dramatique, devant des ambassadeurs[1]. Avec des accents qui rappellent l'épître de l'apôtre saint Jacques, il dit que gâcher la nourriture à une grande échelle comme nous le faisons aujourd'hui équivaut à un vol sur la table des pauvres[2].

C'est souvent pour résoudre les crises économiques que les guerres sont déclarées, ajoute-t-il. « La guerre est un acte de foi envers l'argent… Parce que l'argent est plus important que les personnes pour les grands de la terre. » Il s'interroge sur « les guerres commerciales, [menées] pour vendre des armes[3] ». Quand des banques chutent, c'est une tragédie, mais que des familles aillent mal et n'aient rien à manger semble sans importance, fustige-t-il encore.

Le 1er mai, fête du Travail, il condamne le drame survenu dans une usine textile au Bangladesh qui a fait des centaines de morts. « Un titre de journal m'a frappé : Vivre avec trente-huit euros par mois ; c'était le salaire des personnes qui sont mortes ! Cela s'appelle le travail esclave. Et aujourd'hui dans le monde cet esclavage se fait avec ce que Dieu a donné de plus beau à l'homme : la capacité de créer, de travailler, d'en faire sa propre dignité. » Il cite un rabbin du Moyen Âge qui raconte à sa communauté à quel point le *mattone* (ciment) était précieux lors de la construction de la tour de Babel : « Quand un *mattone* cédait par erreur, c'était un problème énorme, un scandale. "Mais regarde ce que tu as fait !" Mais quand un de ceux qui construisaient la tour tombait, on disait *"requiescat in pace"* (qu'il repose en paix), et ils le laissaient tranquille[4]. »

---

1. Discours du 16 mai 2013, devant les ambassadeurs accrédités au Vatican.
2. Dialogue avec les élèves des écoles jésuites, le 7 juin 2013.
3. Angelus du 8 septembre 2013.
4. Homélie à Sainte-Marthe, le 1er mai 2013.

La dignité du travailleur

Le même jour, devant un petit comité rassemblé pour la messe quotidienne à Sainte-Marthe, il laisse aussi exploser sa colère contre l'absence de travail, qui prive l'homme de sa dignité : « Le travail nous donne la dignité. Qui travaille est digne, a une dignité spéciale, une dignité de personne. L'homme et la femme qui travaillent sont dignes. En revanche, ceux qui ne travaillent pas n'ont pas cette dignité. Mais très nombreux sont ceux qui veulent travailler et ne le peuvent. C'est un poids sur notre conscience, parce que la société est organisée d'une façon telle qu'ils n'ont pas la possibilité de travailler, d'être oints par la dignité du travail. Cette société-là ne marche pas, elle n'est pas juste ! [...] Non, la dignité, ce n'est pas le pouvoir, l'argent, la culture qui la donnent, c'est le travail ! »

Le cardinal Bergoglio a, depuis longtemps, déclaré la guerre au Veau d'or de l'argent-roi. Au niveau international, les organismes financiers « parlent toujours d'éthique, de transparence, mais ils m'apparaissent comme des moralistes sans bonté », critiquait-il dans son interview à *Trenta Giorni*, alors que la crise financière frappait de plein fouet la société argentine et que l'Église du pays devait se faire aider par l'IOR. « La tradition de l'Église reconnaît l'oppression du pauvre et la fraude sur le salaire des ouvriers comme deux péchés qui crient vengeance auprès de Dieu, et nous, nous sommes fatigués de systèmes qui produisent des pauvres pour qu'ensuite l'Église les prenne en charge », ajoutait-il.

Engagement, mais autonomie du politique et du religieux

François invite à rejeter la tendance des chrétiens au désengagement qui, selon lui, est insufflée par le Malin : « Nous nous sentons faibles, inadaptés, incapables ? Nous ne devons pas croire au Malin qui nous dit : Tu ne peux rien contre la violence, la corruption, l'injustice. » Il faudra prêter attention à l'orientation que le nouveau pontificat adoptera à l'égard des organisations caritatives de l'Église. Sous Benoît XVI, elles étaient rappelées à l'ordre dès qu'elles collaboraient de trop près avec Care, Save the Children ou l'UNICEF sur des programmes de santé reproductive. Pour François, l'Église ne doit pas être ramenée à une ONG, mais il ne méprise pas pour autant l'humanitaire. Aucune situation sociale concrète n'échappe à l'attention de ce pape réaliste.

C'est un pontife intéressé par la politique, bien que très engagé pour l'autonomie des deux secteurs, religieux et politique. « Nous ne pouvons en tant que chrétiens jouer à Ponce Pilate. Nous devons nous immerger dans la politique. La politique est une des formes les plus élevées de la charité[1]. » Mais il invite à ne pas mêler le clergé à la politique. En particulier en Italie, où le mélange des genres a créé beaucoup d'abus ; il estime que ce n'est pas le rôle des évêques – très nombreux – d'entrer sans cesse dans le débat politique. Ce n'est pas non plus le rôle du Vatican ou de son secrétaire d'État.

---

1. Message vidéo du 8 juin 2013, au rassemblement « Dix places pour dix commandements » à Milan.

Coup de colère sur la Syrie, poussée d'adrénaline dans le peuple chrétien

La voix est sombre en ce premier jour de septembre, quand elle résonne sur la place Saint-Pierre. Le pape argentin, visage plus fermé et volontaire que jamais, s'écrie d'un ton vibrant de colère à propos de la Syrie : « Mon cœur est angoissé par les développements dramatiques qui s'annoncent. Plus jamais la guerre ! La guerre appelle la guerre ! La violence appelle la violence ! » Ce coup de gueule contre toute solution militaire en Syrie est la véritable entrée de Jorge Mario Bergoglio sur la scène diplomatique. Son style rappelle celui de Jean-Paul II et son « non » à l'intervention américaine en Irak en 2003. Un style qui tranche avec celui de Benoît XVI. François utilise sans complexe le pouvoir de faire pression que conserve l'Église, alors que Benoît semblait plus réticent. Du coup, les chrétiens se sentent plus confiants, moins isolés.

Alors qu'à la suite du recours aux armes chimiques, Paris et Washington veulent punir Bachar al-Assad par des frappes aériennes, les patriarches d'Orient se sont tournés vers le pape, disant craindre une guerre régionale, et il a choisi de leur répondre avec force. Il associe « jugement de Dieu » et « jugement de l'Histoire » après l'usage des gaz. Benoît aurait parlé seulement de « jugement de Dieu ». Il appelle tous les chrétiens, les membres des autres religions, les athées à un jour de jeûne et de prière le samedi suivant. Les jours suivants, il enverra des tweets manifestant clairement son opposition à des frappes et appelant à la mobilisation. Il écrira au G20 réuni à Saint-Pétersbourg, appelant les grandes puissances à « abandonner la poursuite inutile d'une solution militaire ».

Cent mille personnes sont réunies le samedi place Saint-Pierre. Tout l'arc-en-ciel des pacifistes est là. Dans des centaines d'églises et de lieux dans le monde, les gens jeûnent et prient, chrétiens mêlés aux musulmans et aux laïcs. L'Église s'expose, ose se compromettre, se place du côté de la société civile. François avait déjà dénoncé la guerre « suicide de l'humanité ». Mais, en mettant son propre poids – un poids uniquement moral, de pasteur – et celui de l'Église dans la balance, il indique qu'il la veut engagée, pesant sur la politique. Dans une magnifique homélie[1], il rappelle aux puissants de la terre le message de la Genèse sur la bonté de la création de Dieu et la destruction engendrée par Caïn.

Pour François, une Église qui prend des risques est préférable à une Église enfermée dans ses peurs. Il se peut que son engagement pacifiste soit critiqué comme attentiste, munichois. Tant pis. Les chrétiens sont appelés à témoigner de la non-violence : une autre manière d'être à contre-courant. C'est la radicalité évangélique qui prévaut sur les calculs d'opportunité dans lesquels le Vatican était passé maître.

---

1. Homélie du 1ᵉʳ septembre 2013, lors de la veillée sur la place Saint-Pierre pour la paix en Syrie ; elle est reproduite en annexe.

11

Le premier voyage
La consécration en terre
latino-américaine

C E demi-cercle parfait que Dieu a tracé d'un coup de pinceau magique, la baie de Copacabana, est noire de monde, grouillante de la foule joyeuse des jeunes Latino-Américains. Ce lieu connu pour ses surfeurs, ses garçons bodybuildés, ses filles en string et ses bars interlopes est le tremplin de l'envoi en mission des jeunes catholiques par François. Ils ont leur pape, ils ont adopté François. Il a été consacré par son continent, et est revenu plus fort encore au Vatican.

Ils sont peut-être trois millions, une marée humaine, dans un bruit assourdissant. Lui, debout dans une jeep découverte, n'a pas peur de cette foule, de cette Église du Sud, de ces milliers de mains qui se tendent dans une ambiance proche de la frénésie. On lui offre un verre de maté, il le boit. Et tant pis si un fou voulait l'empoisonner. Il prend le risque. Il a confiance dans l'Esprit Saint. Il préfère l'imprudence et le contact à la sécurité d'une voiture aux vitres blindées. « Il ne peut y avoir de blindage entre l'évêque et son peuple », dira-t-il ensuite aux journalistes dans l'avion. Il est le pasteur que les cardinaux lui ont demandé d'être, il l'est tout le temps. Il ne veut pas être plus haut, en dehors.

C'est un homme heureux qui se présente à l'improviste quelques heures plus tard devant soixante-dix journalistes. Il dialogue avec eux dans l'avion du retour à Rome, pendant plus d'une heure. « Je suis un peu fatigué, oui, un peu », admet-il à l'issue d'un marathon qui a révélé encore plus au monde son extraordinaire énergie, qui épuise ses collaborateurs, en même temps que sa modestie.

Ce voyage au Brésil pour les Journées mondiales de la jeunesse n'aura fait que confirmer les élans et intuitions donnés à Rome. Un peu comme quand Jean-Paul II était allé dans cette Pologne dont il était le sauveur, ou quand Benoît XVI s'était rendu en Allemagne, les mots, les messages se sont faits plus personnels, plus forts. Il est sur son continent.

Faire le chahut dans les diocèses...

Quels sont ces élans, ces intuitions qui se trouvent confirmés ? D'abord son désir de secouer l'Église, de rapprocher les pasteurs de leurs brebis, d'être avec elles, dans leurs problèmes. Il est conscient qu'il y a beaucoup à faire, y compris en Amérique latine où un cléricalisme fort a éloigné les gens simples, qui ont alors afflué vers les cultes évangéliques et pentecôtistes. Vous devez *hacer luo*, faire du bruit, du chahut dans vos diocèses, lance-t-il à des jeunes Argentins qui font trop de bruit dans la cathédrale en l'accueillant. Et il demande aux prêtres et aux évêques de l'excuser par avance pour cette agitation qu'ils vont provoquer. Certains, dans les étages nobles du Vatican, ont dû s'étrangler un peu plus.

Une autre confirmation de ce voyage est son rejet de toute idéologisation de la religion, que ce soit le progressisme qui veut politiser le religieux – comme la théologie de la libération dont il qualifie les excès de maladies infantiles –, ou le pélagisme qui veut revenir à un passé disparu et instaure des disciplines d'enfermement, de repli et de peur des autres[1]. Mais ce n'est plus Jean-Paul II diabolisant la théologie de la libération. On constate même une ouverture de pontificat quand François reçoit un de ses fondateurs, le Péruvien Gustavo Gutierrez. Une réconciliation importante et fructueuse s'engage prudemment.

Il profite surtout de son séjour en Amérique latine pour revivifier la religion populaire, où doit être inculturé l'Évangile. Il ira se recueillir, le visage grave, tragique, devant la petite vierge noire d'Aparecida, patronne du Brésil, dont il célèbre l'Immaculée Conception, dogme proclamé par son lointain prédécesseur Pie IX au XIXe siècle.

Marie est la mère à qui confier toutes les peines, toutes les pauvretés. Si elle n'a pas le rang de Dieu, elle est en tout cas la première à avoir cru. Il bercera tendrement dans ses bras une réplique de cette Vierge, comme on berce un enfant, devant la foule.

Il fera devant les évêques brésiliens la méditation la plus belle, la plus élaborée de son pontificat en partant de la symbolique de la Vierge d'Aparecida, l'histoire de sa découverte au XVIIIe siècle par trois pêcheurs dans les eaux d'un fleuve – le corps de la statue d'un côté, la tête de l'autre – qui seront recollés.

---

1. Discours au comité du Celam, 29 juillet 2013.

La Vierge d'humbles pêcheurs

Les pêcheurs ne méprisent pas le mystère rencontré dans le fleuve, même si c'est un mystère qui apparaît incomplet. Ils ne jettent pas les morceaux du mystère. Ils attendent la plénitude. Et cela ne tarde pas à arriver. Il y a quelque chose de sage que nous devons apprendre. Il y a des morceaux d'un mystère, comme des pièces d'une mosaïque, que nous rencontrons progressivement. Nous voulons voir trop rapidement le tout et Dieu au contraire se fait voir petit à petit. L'Église aussi doit apprendre cette attente.

Puis les pêcheurs portent ce mystère chez eux. Les gens simples ont toujours un endroit pour faire loger le mystère. Nous avons peut-être réduit notre façon de parler du mystère à une explication rationnelle ; chez les gens, au contraire, le mystère entre par le cœur. Dans la maison des pauvres Dieu trouve toujours une place[1].

L'intuition du cœur est placée avant le langage de l'esprit....

Puis dans la même émouvante méditation révélant sa théologie profonde, il parle de la grande œuvre de recomposition, œuvre du salut, à partir de cette humble statuette :

« Le Brésil colonial était divisé par le mur honteux de l'esclavage. À Aparecida, Dieu donne un message de recomposition de ce qui est fracturé. Murs, abîmes, distances encore présents aujourd'hui, sont destinés à disparaître. »

François prône une Église socialement engagée, contre la corruption, les abus de toutes sortes, le système économique injuste. Il fait venir des éboueurs argentins,

---

1. Discours aux évêques brésiliens, le 27 juillet 2013.

profession peu considérée, sur le podium, lors de la veillée des JMJ. Il exalte à nouveau la dignité du travail et dénonce une génération de jeunes chômeurs sacrifiés par la crise.

« Les jeunes dans les rues veulent être les acteurs du changement. S'il vous plaît, ne laissez pas les autres devenir les acteurs du changement ! Ne restez pas au balcon de la vie ! Jésus n'y est pas resté[1] !» Le risque existe en effet que d'autres occupent le terrain au nom d'autres valeurs, moins pacifiques, moins évangéliques.

Les jeunes chrétiens peuvent révolutionner le monde, s'ils vont en mission, car ils ne doivent rester des poussins attachés à leur mère poule. On ne peut être chrétien à moitié. La mission, c'est chez eux, autour de chez eux ou plus loin. Ne le faites pas solitairement, mais en groupe, en vous serrant les coudes, recommande-t-il seulement.

Ils doivent savoir aller à contre-courant, par exemple en se révoltant contre la dégradation de l'image du mariage[2], contre l'idée d'un mariage provisoire, qui sont comme une impossibilité de croire au bonheur. « Ayez le courage d'aller à contre-courant, ayez le courage d'être heureux ! » La famille, le lien, la communauté où chacun aide l'autre à cheminer sont des obsessions de François. Se battre pacifiquement pour des valeurs démodées, conservatrices mais essentielles, c'est cela aussi *hacer luo* (faire du chahut).

---

1. Veillée de prière sur la plage de Copacabana, le 28 juillet 2013.
2. Message aux volontaires des JMJ, le 28 juillet 2013.

« *Candelaria* jamais plus »

Aux prêtres et aux religieuses, il demande une nouvelle fois de se salir les mains : « Nous devons aller dans les favelas comme le prêtre se rend à l'autel, avec joie[1]. » Dans la politique, il donne la priorité au dialogue, « le dialogue, le dialogue, le dialogue », répète-t-il à une occasion par trois fois, alors que le Brésil est sous forte tension, gagné par la révolte sociale. Il s'agit aussi d'un dialogue entre générations. Un des messages qui n'était pas encore apparu clairement est l'exaltation du rôle des anciens, des grands-parents dans la société. Ces grands-parents qui ont « la sagesse de leur histoire, de leur langue, de leur culture » et que la société de l'efficacité et de la vitesse met au rebut, comme elle le fait des enfants non voulus.

Il écoute la voix des plus pauvres, des plus délaissés, des plus marginalisés qui doivent sentir la caresse de Dieu. Il n'hésite pas à les étreindre, les embrasser longuement. Il va dans une favela, pleure dans une petite chapelle, rencontre d'anciens toxicomanes, des jeunes détenus qui lui remettent un énorme chapelet artisanal en boules de polystyrène sur la croix duquel est écrit « *Candelaria nunca más* » (*Candelaria* jamais plus) en mémoire d'enfants de la rue tués par la police de Rio en 1993. Il répétera après eux « *Candelaria nunca más* ». Il exalte l'immense miséricorde, comme il l'a fait depuis le début de son pontificat, une miséricorde qui ne se lasse jamais. Lors de sa rencontre au Théâtre municipal de Rio, avec la classe politique brésilienne, c'est en fait la société civile engagée qu'il rencontre. Et il est si heureux entouré de chefs de tribus amazoniennes et d'un nuage de petites filles au visage malicieux !

---

1. Discours aux prêtres, religieux et religieuses dans la cathédrale de Rio, le 27 juillet 2013.

Il accuse la société du déchet et du consumérisme d'être responsable des fuites dans les paradis artificiels, dont celui de la drogue, fléau de l'Amérique latine. Ses accents sont aussi sévères que ceux de Benoît XVI : « La mondialisation implacable, la perte du sens de la vie, la désintégration personnelle, la perte de l'expérience d'appartenance à un nid quelconque, la violence subtile mais implacable, la rupture intérieure et la fracture dans les familles, la solitude et l'abandon, les divisions et l'incapacité d'aimer, de pardonner, de comprendre, le poison intérieur qui fait de la vie un enfer, les tentatives ratées de trouver des réponses dans la drogue, dans l'alcool, dans le sexe, devenus prisons supplémentaires[1]. »

Toujours sans prononcer le mot avortement, il prend encore une fois position pour la vie, par exemple en faisant venir près de lui sur le podium de Copacabana un couple qui a choisi de faire vivre une petite fille frappée d'anencéphalie, née sans cerveau, à la suite d'une malformation congénitale. Les parents portent des tee-shirts où est inscrit « non à l'avortement ».

Être capable de dialoguer dans la nuit

Devant les évêques brésiliens, il s'interroge sur les raisons de la montée des sectes, des groupes pentecôtistes et de l'athéisme dans le pays le plus religieux du monde, et se demande comment faire revenir ces gens qui se sont éloignés et qui sont en quête d'une parole.

Il faut une Église qui n'a pas peur d'entrer dans la nuit de nos frères et sœurs. Il faut une Église capable de les

---

1. Discours aux évêques brésiliens, 27 juillet 2013.

rencontrer sur leur route. Il faut une Église en mesure de s'insérer dans leurs conversations. Il faut une Église qui sait dialoguer avec ces disciples, qui errent sans but, seuls, avec leur désenchantement, avec la désillusion d'un christianisme considéré désormais comme un terrain stérile, infécond, incapable de générer du sens.

Comme il n'y a personne pour les accompagner et leur montrer par sa propre vie le vrai chemin, beaucoup ont cherché des faux-fuyants parce que la mesure de la Grande Église apparaît trop haute. Il y a aussi ceux qui reconnaissent l'idéal de l'homme et de vie proposé par l'Église, mais ils n'ont pas l'audace de l'embrasser. Ils pensent que cet idéal est trop grand pour eux, en dehors de leurs possibilités ; le but à atteindre est inaccessible.

Toutefois, ils ne peuvent pas vivre sans avoir au moins quelque chose, même si c'est une caricature, de ce qui semble trop haut et éloigné. Avec la désillusion dans le cœur, ils vont à la recherche de quelque chose qui les illusionne encore une fois[1], *remarque-t-il en allusion aux groupes pentecôtistes qui se répandent sur toutes les télévisions du pays.*

S'il se montre encourageant pour les jeunes, les critiques à l'Église latino-américaine, à son pouvoir, à ses échecs spirituels sont assez dures. Bergoglio qui connaît l'étendue des risques que court la foi aujourd'hui, et qui veut faire avancer les choses, souhaite renverser la tendance.

*
* *

Dans l'avion du retour, promenant avec une certaine timidité sur les journalistes un regard doux et grave, il se montrera

---

1. Discours aux évêques brésiliens, le 27 juillet 2013.

patient, courtois, souriant, prenant le temps d'expliquer ses propres attitudes, trouvant des expressions simples et parfois drôles. Des questions pièges ne manqueront pas et aucun prélat à côté de lui pour lui souffler les réponses. Ce pape qui se dit de nouveau imparfait et pécheur paraît extrêmement concret et attentif à l'humain, déployant une large réflexion sur les sujets de société les plus complexes.

Parfois il ne manque pas de ces fameuses *battute* (plaisanteries) qui détendent l'atmosphère. Ainsi quand il affirme que, dans son sac de voyage noir qu'il porte toujours avec lui, il ne transporte pas la petite clé de l'arme nucléaire.

Pourquoi ne faites-vous pas porter ce bagage, comme l'aurait fait tout pape avant vous, lui demande ingénument une journaliste. « Je fais ce que j'ai toujours fait avant. Il faut que nous, papes, nous apprenions à être normaux. » Il est applaudi.

Dans cet entretien sans filet, il se montre très bon maître de sa parole comme tout jésuite qui se respecte. Aucun écart, mais de la prudence, de l'assurance, et beaucoup de questionnements qu'il partage avec modestie.

Quelques réflexions laissent à entrevoir ce que sera la suite de ce pontificat : il va peu voyager, pour se consacrer à la grande réforme. Une réforme qui concernera les structures et non le dogme.

« Qui suis-je pour juger ? »

Il ferme la porte à l'ordination des femmes, n'entre même pas dans le débat sur l'avortement et le mariage gay. « Vous connaissez parfaitement les positions de l'Église sur ces sujets », dit-il pour une fois sèchement. Puis il a des mots inattendus qui sonnent de manière nouvelle. Ils feront le tour du monde et portent sur la question brûlante des homosexuels chrétiens, prêtres ou non prêtres : « Si une personne est gay et cherche le Seigneur avec bonne volonté, qui suis-je pour juger ? » Rien ne change sur la doctrine, l'homosexualité reste pour l'Église un comportement désordonné, mais l'horizon s'élargit, s'éclaircit. Ils sont traités en frères. Rien n'est plus figé dans le pharisaïsme, le pape n'est plus celui qui peut juger de tout, seulement le serviteur humble de la Parole. Dieu seul sait ce qu'il y a dans le cœur de l'homme, et Son amour est bien plus grand, bien moins convenu que la simple observance des prescriptions. Il fait aussi la distinction nette entre les délits – comme la pédophilie – et les péchés qu'il voit comme des faiblesses qui, d'une certaine manière, permettent d'expérimenter la miséricorde de Dieu.

François affirme encore que l'Église d'Occident a besoin de l'air frais de l'Orient qui souffle de ces vieilles Églises d'orthodoxes où l'on sait encore adorer Dieu et où le temps pour Lui n'est pas mesuré. Le luxe et le consumérisme ont fermé l'horizon de l'Occident, ajoute-t-il sévèrement.

Il parle enfin de deux théologies qu'il conviendrait de développer : une théologie de la femme, qui renforcerait le rôle de celle-ci dans l'Église, qui n'est pas seulement mère, mais beaucoup plus. Et une théologie du péché. Il en parle à propos des gays et des péchés de jeunesse des prêtres, religieux et religieuses. Veut-il signifier qu'il faut approfondir la dimension de la miséricorde, en cessant d'avoir une vision comptable et juridique des comportements humains ? Il cite alors saint Pierre, grand pécheur et qui pourtant est devenu pape, et invite à relire Dostoïevski, l'écrivain des âmes tourmentées par le mal et attirées par le bien.

Au petit matin, peu avant que l'A-330 d'Alitalia atterrisse sur l'aéroport de Ciampino, il reviendra saluer les journalistes après la courte nuit passée à déchiffrer ses nombreux messages. Avec la même désarmante simplicité.

12

Les oppositions
Inquiétudes, doutes et critiques

C E ne sont pas seulement le refus de la mosette et de la croix en or, l'obstination à rester à Sainte-Marthe, c'est aussi une attitude décomplexée et critique vis-à-vis des honneurs et des rituels de la Curie et du Vatican qui inquiètent voire exaspèrent certains même si son style, à la fois direct et profond, convainc la majorité. Le temps de l'immuabilité est révolu.

Tel discours, il le laisse de côté. Il insiste pour expliquer qu'il en a lui-même rédigé un autre. Autant de petites piques, de pannes de communications, de décisions de dernière minute. Sans doute aussi des mouvements de mauvaise humeur.

Certains sont plus spectaculaire, comme son fauteuil blanc désespérément vide au milieu des cardinaux dans la salle Paul-VI[1]. Sans prévenir, il ne vient pas écouter la

---

1. Le 23 juin 2013, concert donné à l'occasion de l'Année de la foi au Vatican.

Neuvième Symphonie de Beethoven dans la salle Paul-VI, exécutée pourtant en son honneur. Il fait dire qu'il a des engagements qu'il ne peut remettre. Il aurait eu notamment alors un rendez-vous avec le nonce à Washington, Carlo Mario Viganò, homme de la lutte anti-corruption qui avait été promu par le cardinal Bertone en 2011 loin de la Curie. Selon un site vaticaniste qui sera ensuite démenti, il aurait expliqué, assez en colère, qu'il n'avait pas à se comporter en prince de la Renaissance quand il avait à travailler sur des dossiers importants. Légende ou réalité, il aura cependant montré qu'il n'avait rien à faire d'un concert pour lui en présence de milliers d'invités. Une entorse au protocole, à 190° de Benoît XVI, très respectueux de celui-ci. Une entorse qui lui vaut des rancœurs.

De même, il choisit de rester début juillet dans la touffeur insupportable du Vatican pour étudier ses dossiers, comme il restait jadis à Buenos Aires l'été. L'immense palais de Castel Gandolfo lui tend pourtant les bras, et tout y est prévu pour son confort.

Imprévisible, il prête plus d'attention aux pauvres qu'aux puissants, a une véritable hantise des mondanités.

Personne dans le plus petit État du monde ne pense à une rébellion. On ne se rebelle pas contre le pape, souverain de droit divin doté de tous les pouvoirs, vicaire de Dieu sur terre. Mais on imagine l'amertume de ceux, qui, depuis des jours, préparaient le concert. On peut alors lui en vouloir, terriblement, en secret, et montrer de l'inertie, faire du surplace, volontairement.

Le retour des poisons

En juin, dans la presse italienne, les *veleni* ont réapparu. Les *veleni*, autrement dit les poisons, les attaques, les insinuations, les révélations sur les luttes de pouvoir réelles ou inventées. Le magazine *Panorama* écrit[1] : « La lutte de pouvoir à l'ombre de la basilique Saint-Pierre, après la pause du Conclave et les cent premiers jours du pape François, semblent avoir repris avec la virulence de jadis. »

« Les nouveaux venins proviennent de ceux qui opposent une résistance passive aux réformes de la Curie. On l'accuse du coup d'être démagogue, paupériste, répétitif, ou encore simpliste, d'être trop curé et pas assez pape », observe Marco Politi.

« Des signaux de résistance, et certains assez forts sont enregistrés à l'annonce de la réforme de la Curie : ils peuvent prendre le moyen du dialogue, de la confrontation respectueuse, mais aussi, s'ils sont passés sous silence, ils peuvent prendre la forme de la médisance, des insinuations, même celle de la menace ou du mécontentement », prévient le père Rocco d'Ambrosio, professeur de philosophie politique à la Grégorienne[2].

Noblesse noire

Il y a bien des raisons d'être amer. Les princes romains de la noblesse noire, ceux qui sont dépeints de façon pas très amène dans *La Grande Bellezza* du cinéaste Paolo Sorrentino, rongent ainsi leur frein. Le pape ne les a pas placés sur sa liste des hôtes prioritaires. Peut-être n'a-t-il aucun mépris à leur égard, mais aucune prédilection non plus. Il semble rompre avec un protocole séculaire en l'honneur des familles qui ont jadis défendu le pape. François préfère discuter avec des gardes suisses du canton des Grisons.

---

1. *Panorama*, le 15 juin 2013.
2. Interview accordée à l'agence italienne ANSA le 1er juin 2013.

Les grandes réceptions de certains princes de l'Église, élégantes et mondaines, que par exemple Mgr Georg Gänswein, secrétaire particulier de Benoît XVI, ne dédaignait pas, ne sont plus bien vues. Cela n'intéresse pas le moins du monde Jorge Bergoglio.

Réaliste, François sait bien qu'il existe aussi un système de relations parfois utiles et positives avec d'autres pouvoirs italiens et romains – banque, entreprise, monde politique et culturel –, comme l'attestent par exemple les listes impressionnantes des invités aux réceptions de l'ambassade d'Italie près du Saint-Siège.

La Cour n'est plus, le souverain l'ignore

« Il n'y a plus de cour du pape. C'est fini, il n'y a plus cette médiation » qui se faisait communément à travers un petit groupe de prélats influents, observe l'éditorialiste de *L'Osservatore Romano* Lucetta Scaraffia.

La cour pontificale, d'un baroque anachronique, selon l'expression du cardinal allemand Walter Kasper[1], n'a pas cependant disparu sur ordre en quelques mois, mais son pouvoir n'est plus. Bien sûr il y a toujours les rendez-vous officiels. Mais le pape s'adresse directement à ceux auxquels il souhaite parler, sans intermédiaires. François déteste être conditionné, filtré.

Dire qu'il n'y a plus de médiation n'est pas seulement un commentaire positif. En parlant directement aux gens, sans médiation, « il fragilise la papauté et se fragilise lui-même », a observé un important – et bienveillant – responsable de Curie.

La Curie est polarisée en deux camps. Car « ils sont nombreux au Vatican ceux qui sont heureux qu'il y ait

1. Cardinal Kasper, interview à *Il Foglio*, 16 juillet 2013.

un pape qui s'occupe de restructurer la Curie », souligne
Marco Politi.

Parmi les membres de l'équipe de Benoît XVI, qui se
« trouvent comme en apesanteur, [certains] s'empressent
de se bergoglioser », s'amuse un autre vaticaniste.

Dieu a sauvé aussi les athées

Ce 22 mai 2013, le pape François suscite un sujet de
mécontentement auprès des plus traditionnels. Il concé-
lèbre la messe avec le patriarche maronite Bechara Boutros
Raï. Les propos suscitent l'enthousiasme de certains et le
profond désaccord d'autres. Il touche le point très sensible
du Salut. Il montre une ouverture, pour beaucoup de traditionalistes, à proprement parler déconcertante.

« Le Seigneur, dit-il à sa manière hachée en petites
phrases, il nous a sauvés tous, tous, avec le sang du
Christ : tous, pas seulement les catholiques, tous ! » « Père,
et les athées ? » « Eux aussi ! [...] Tous, nous avons le
devoir de faire le bien [...] Nous nous rencontrons là, en
faisant le bien, et en faisant lentement, adagio, piano,
piano, cette culture de la rencontre : nous en avons tellement besoin. » « Mais, moi, père, je ne crois pas, je suis
athée. » « Mais tu fais le bien : nous nous rencontrons
là[1]. »

Le pape jésuite décloisonne la perspective du Salut,
comme jamais un pape ne l'avait fait. Il pense comme
Benoît XVI que c'est le Christ qui sauve, il est convaincu de
la grâce du baptême, mais en même temps il tranche avec
clarté, ce que n'avait pas fait le pape allemand : le sang
du Christ a été versé pour tous.

---

1. Homélie à Sainte-Marthe, le 22 mai 2013.

Au cœur de la pensée de François, il y a la dénonciation de cette auto-référentialité qui a si souvent exclu les autres et conduit aux guerres de Religion. Devant le patriarche maronite, songeant sans doute à la guerre en Syrie, il poursuit son prêche, se faisant apostropher par des fidèles fictifs : « Mais, père, lui il n'est pas catholique ! Il ne peut faire le bien ! » « Si, il peut le faire, il doit le faire, répond François. Ce n'est pas qu'il peut mais qu'il doit. » « Mais père, celui-là n'est pas chrétien, il ne peut faire le bien [...]. » Et François conclut gravement : « Cette fermeture qui consiste à ne pas penser que tout le monde puisse faire le bien, est un mur qui nous porte aux guerres, et aussi à ce que certains ont pensé dans l'histoire : tuer au nom de Dieu. Nous ne pouvons tuer au nom de Dieu. C'est simplement un blasphème ! », s'exclame-t-il.

C'est exactement le message de l'exhortation apostolique de septembre 2012 signée de Benoît XVI pour le Moyen-Orient, sauf qu'il est exprimé en des termes familiers qui sont compris de tous.

Les traditionalistes s'alarment de la désacralisation

Autre sujet d'inquiétude : un pape qui n'accepte plus d'être vénéré comme un Dieu sur terre et qui ne bénit pas les catholiques à haute voix est-il encore un pape ?

Le pape vient de parler *a braccio* devant les milliers de représentants des médias, trois jours après son élection. Mêlant humour et gravité, il a suscité l'enthousiasme de ce public très mêlé. Il achève en espagnol, par cette conclusion en contraste total avec celles de ses prédécesseurs : « Je vous avais dit que je vous donnerais de tout cœur ma bénédiction. Étant donné que beaucoup d'entre vous n'appartiennent pas

à l'Église catholique, que d'autres ne sont pas croyants, je vous délivre cette bénédiction, en silence, pour chacun de vous, respectant la conscience de chacun, mais sachant que chacun de vous est fils de Dieu. Que Dieu vous bénisse. »
Ces mots suscitent la réprobation de certains, tout comme l'abandon de certains objets et vêtements liturgiques dès la première apparition sur la loggia de Saint-Pierre, ou le fait qu'il ait demandé au peuple assemblé le 13 mars d'invoquer la bénédiction de Dieu sur lui, évêque de Rome, avant même de le bénir.

C'est le même pape qui abrège certaines lectures et prières lors des longues célébrations. C'est le même qui reçoit dans la chapelle Sixtine les cardinaux debout, au lieu d'être assis comme le requiert son rang. C'est lui qui s'incline devant la reine Rania de Jordanie. C'est enfin lui qui va laver les pieds de détenus, garçons et filles, et parmi eux un jeune et une jeune musulmans !

Le mot « désacralisation » revient sur certaines lèvres, dans les premiers mois.

Le pape se comporte comme une starlette

« Le pape a reçu debout l'hommage rendu par les cardinaux [...] Renoncer à une position assise, qui de tout temps représente la plus haute marque d'autorité alors que la position debout adoptée en face d'un auditoire assis manifeste l'infériorité d'un personnage, brouille en des circonstances aussi exceptionnelles tous les repères », écrit le traditionaliste Jacques Charles-Gaffiot[1].

---

1. Le 28 mars 2013, chronique du traditionaliste Jacques Charles-Gaffiot, auteur de *Trônes en majesté*, sur le site atlantico.fr, sur sa première rencontre de François avec les cardinaux.

Sur le site *Riposte catholique*, la perte du sens de la fonction hiérarchique est dénoncée violemment. « Aux siècles de foi, lorsque paraissait le souverain pontife, on faisait silence et on s'agenouillait pour recevoir la bénédiction du vicaire de Jésus-Christ, qui passait hiératique. Maintenant le pape multiplie les tours de piste, les risettes et les bisous comme le font les starlettes[1]... »

L'importance de ces remarques acerbes, très minoritaires, doit être relativisée. Elles proviennent sans surprise de ceux qui n'ont jamais accepté le Concile.

Mais elles réveillent un débat de fond sur la sacralisation de sa fonction. Pour les catholiques traditionnels, le pape est le vicaire. Ils n'aimaient pas Jean XXIII, Paul VI, Jean-Paul Ier, Jean-Paul II. Ils aimeront encore moins François. Comme l'écrit *Riposte catholique*, le pape doit maintenir une attitude hiératique.

Une attitude qui renforce les adversaires de la Sainte Église ?

Sous le titre, « Il est pape mais ne veut pas le dire », Sandro Magister, grand admirateur de Benoît XVI, s'interroge[2] sur le risque d'une attitude qui insiste pour ne pas exalter la fonction de pape.

Une attitude qui selon lui peut être exploitée au détriment de l'Église : « Il arrive que ceux qui, dans l'Église et en dehors, souhaitent la diminution, quand ce n'est pas la disparition, de la primauté du pape, voient en lui l'homme qui pourrait satisfaire leurs attentes. »

---

1. Texte paru sur le site Internet de *Riposte catholique*, le 26 avril 2013.
2. Sandro Magister, le 23 mars sur le site de *l'Espresso*.

Mais le vaticaniste de *l'Espresso* reste convaincu que le pape François conservera « les pouvoirs primatiaux qui sont les siens, pouvoirs affirmés avec autorité par le concile Vatican II ».

Le silence méfiant des lefebvristes

Même si le nouveau pape n'a pas abordé le dossier de leur réintégration que lui avait laissé en héritage Benoît XVI, le rapprochement semble au point mort. Tant mieux, s'exclament certains, contents que ce dossier n'occupe plus tous les esprits et les énergies, comme sous le règne précédent ! Une erreur pastorale, disent d'autres.

À Buenos Aires, le cardinal Bergoglio parlait avec les lefebvristes, était en bons termes avec eux. Sans barrières. Il avait même insisté pour qu'ils puissent bénéficier d'une caisse mutuelle de retraite, même s'ils étaient en dehors de la communion. À bien des égards, ce respect et ce désir d'unité dans la diversité rappelaient l'attitude de Benoît XVI.

Mais aujourd'hui les responsables de la Fraternité sacerdotale saint Pie X, inquiets, constatent aussi que le nouveau pape juge secondaire et dépassées les pompes anciennes. Il les a traités d'obstinés, s'est moqué de ces gens qui vivent comme si on était encore en 1940, confiera-t-il[1]. Il avait noté comme cardinal : « On ne reste pas fidèle, comme le sont les traditionalistes ou les fondamentalistes, à la lettre. La fidélité est toujours un changement, une sortie, une croissance[2]. »

---

1. Compte-rendu non officiel d'une audience du pape aux religieux latino-américains du CLAR.
2. Interview du cardinal Bergoglio à *Trenta Giorni*.

Visiblement préoccupé, le supérieur de la Fraternité sacerdotale saint Pie X, Mgr Bernard Fellay, a écrit dans une lettre interne à sa communauté publiée le 15 avril 2013 que le pape « ne doit pas laisser les âmes se perdre, parce qu'elles ne reçoivent pas la saine doctrine, le dépôt révélé, la foi. Si l'Église ne peut se dispenser de la charité, ajoute-t-il, il faut se méfier de la pure philanthropie et dénoncer les erreurs contre la foi et la morale[1]. »

La liturgie est négligée, la parole n'est plus contrôlée

Le vocabulaire direct et les gestes humbles (comme de donner sa calotte aux fidèles ou de s'asseoir sur un banc avant la messe au fond de la chapelle Sainte-Marthe), attendrissent mais font aussi frémir beaucoup au Vatican. On y redoute des écarts, mais c'est sous-estimer François. Un mot de trop, craint-on, fera le tour du monde et pourra décrédibiliser son auteur. Plomber un pontificat.

À la demande du pape, d'ailleurs, ces homélies quasi familiales ne sont pas retransmises intégralement. Ce qui doit rassurer les hommes de la Congrégation de la doctrine de la foi. La multiplication des homélies « crée un malaise face à un magistère qui se rapproche trop de la vie quotidienne » qui ne prend plus assez de distances, relève un expert de la Curie.

Un excès de bons mots crée le risque de la confusion et de la superficialité, dans ce qu'en retiennent les auditeurs, et dans les médias qui les grossissent.

---

1. Lettre du 15 avril de Mgr Fellay aux bienfaiteurs de la Fraternité.

Si François maîtrise parfaitement ses sujets, certains regrettent le style Ratzinger, moins immédiat, plus secondaire, qui faisait selon eux davantage réfléchir.

Il y a comme une révolution de la parole et de la distance à la fois. La secrétairerie d'État, immense appareil à produire des textes, à la lettre, à la virgule près, n'a plus le contrôle des mots et de l'accès aux mots. Or les mots dans l'Église romaine sont très importants, ce n'est pas l'improvisation des Églises évangéliques. Ce sont les consignes du magistère, avec différents niveaux d'autorité. Au Vatican on a très peur du glissement théologique qu'un mot seul peut produire, dès qu'il y a ambigüité. Quelle autorité donner aux homélies quotidiennes de Sainte-Marthe ?

Pour des diplomates de la Curie, certaines phrases trop critiques sur l'Église peuvent l'affaiblir. Ils ont peur que ces exhortations soient exploitées de manière malveillante, que la machine vaticane soit attaquée par des puissances hostiles. Le complexe du complot est resté vif après Vatileaks.

Et puis le peu d'intérêt pour la question liturgique hérisse beaucoup de responsables formés sous Benoît XVI. « Une partie est inquiète que ce qu'on avait réacquis avec Benoît XVI – le sens de la liturgie, l'intériorité – disparaisse. Ils ont la crainte, totalement injustifiée, que le nouveau pape ne soit plus dans cette perspective », commente le cardinal Poupard.

Parmi les autres reproches : ne dire que des choses frappées au coin du bon sens, éviter de proclamer les interdits, avoir abandonné le combat de ses prédécesseurs sur les valeurs non négociables. « Le succès médiatique dont il bénéficie a un motif et un prix : son silence [sur elles] », reproche un peu durement Sandro Magister[1].

---

1. Sandro Magister sur son blog, le 24 juin 2013.

Et puis il y a le mécontentement de tous les real-politiciens de l'Église qui jugent qu'il n'est pas réaliste sur l'accueil des immigrés clandestins, sur le soutien à diverses formes de contestation sociale. Qu'il est trop extrême et moraliste dans sa diabolisation de la finance internationale. Ils s'inquiètent des conséquences possibles de ces discours dans une période de crise sociale, et désireraient de la part du pape plus de retenue.

Mais le propos de François n'est pas moraliste. Comme Jean-Paul II et Benoît XVI avant lui, il entend clamer à temps et à contretemps, et avec imprudence, les exigences de l'Évangile.

Pour répondre aux interrogations, une confession jésuite

Dans une première interview, foisonnante (trente pages) et passionnante, à la revue jésuite *Civiltà Cattolica*, François semblera répondre le 19 septembre 2013 aux nombreuses objections sur ses ouvertures, sa spontanéité, son caractère même. Comme si une mise au point était quelque part nécessaire.

Il s'avouera de tempérament autoritaire mais confiant, jamais conservateur même s'il a été étiqueté ainsi. Surtout, sans renoncer à un seul point de doctrine, il justifiera sa discrétion sur les sujets qui fâchent (avortement, mariage gay) qui accaparent le débat, et son insistance sur le chantier de la miséricorde. Comparant l'Église à « un hôpital de campagne, [où l'on soigne dans l'urgence] les blessures » et où l'on réconforte…

« Une pastorale missionnaire ne peut être obsédée par la transmission désarticulée d'une multitude de doctrines à imposer avec insistance. L'Église risque alors de s'écrouler comme un château de cartes », observe-t-il. Les médias croient déceler aussitôt des ouvertures sur les mœurs, des réformes imminentes. En réalité, c'est sa révolution tranquille et copernicienne qui est là, qui se suffit à elle-même, loin de tout relativisme : être une Église qui soigne et qui écoute le mystère de chaque homme dans son chemin vers Dieu, avant de prescrire et d'organiser.

Tout en restant dans l'exigence de la vérité de son prédécesseur, François va dans le sens de l'ouverture préconisée par d'autres jésuites attentifs aux signes de la modernité.

Une crise spirituelle comme un tsunami

Difficile confrontation avec la modernité

> Souvent, alors, on croit en Dieu de façon superficielle, et on vit comme si Dieu n'existait pas. La pensée, pour être considérée comme sérieuse, doit être construite de façon à rendre superflue *l'hypothèse Dieu*.
>
> Benoît XVI, le 24 décembre 2012.

1

Sur le bureau de François, les dossiers d'une Église plurielle

Q UAND François est monté dans son bureau au troisième étage du palais pontifical, il savait la lourdeur de la tâche qui l'attendait et la complexité des dossiers empilés sur son bureau. Parce que les défis sont élevés et difficiles, des catholiques nombreux réagissent par le repli, la peur même. Avec 1,214 milliard de catholiques recensés à travers le monde, l'Église est une mosaïque[1]. Les dossiers sont souvent sans solution depuis des années. Que faire de tel évêque qui a commis telle faute ? Comment réformer telle institution qui vit au siècle dernier ou qui est engluée dans un immense scandale de corruption cachée ? Ici, les fidèles de tel diocèse protestent, là un immense territoire est sans évêque. Cent mille catholiques, affirment certains rapports, meurent chaque année pour des raisons diverses liées à leur foi. L'Église est un corps meurtri, plus complexe

---

1. Annuaire des statistiques de l'Église publié le 13 mai 2013.

que jamais, et en même temps une des seules institutions mondiales à élever la voix. Quel rapport pourtant entre un catholique new-yorkais et un catholique du Malawi ou de Chine, qui pourtant font tous allégeance à l'évêque de Rome ?

François a sur son bureau des dossiers organisationnels, d'autres de grande ampleur, délicats, des demandes de réformes, des contestations à régler, et puis les défis objectifs redoutables de l'époque contemporaine, le sécularisme, l'antichristianisme, les persécutions, les sectes et les évangélistes, la poussée de l'islamisme. Autant de clignotants au rouge. Le pape est conscient des défis, de la haine que provoque sa religion. Il veut les combattre par l'espérance.

Les dossiers portent des noms écrits au rouge : réforme de la Curie, banque du Vatican, lutte contre les crimes pédophiles, lutte contre la corruption dans le clergé, dossier lefebvriste, contestation des prêtres de base et des religieuses, divorcés remariés, revendications des homosexuels, crise des vocations sacerdotales, baisse du nombre des religieux et religieuses, prêtres mariés, droits des femmes dans l'Église, nouveaux mouvements d'Église, œcuménisme, dialogue interreligieux, inculturation, catholiques de Chine, etc.

Face à une telle complexité, l'Église sera appelée à être plus collégiale et pourrait se concevoir de plus en plus comme une identité plurielle, comme c'est déjà le cas par exemple pour les Églises orientales ou les Anglicans qui l'ont rejointe. Les ordinariats d'anglicans prévoient par exemple la possibilité d'intégrer dans l'Église les prêtres anglicans qui sont mariés.

Cette pluralité de rites, de structures et de règles différentes – pourvu que le Concile Vatican II et les principales règles du magistère pétrinien soient respectés – pourrait être une solution pour la réintégration de certains intégristes, et admettre parfois la validité de traditions locales.

L'enracinement dans les cultures locales, avec l'adaptation des liturgies, ne s'est pas toujours bien faite, de l'Inde à l'Afrique. Question délicate, certains prélats demandent l'autorisation de rites locaux dans les messes, tandis que d'autres – notamment en Inde – demandent le retour aux rites latins, pour que l'identité catholique ne se dilue pas. Rejet de Rome et désir de Rome !

Au cœur des réformes, la purification, la tolérance zéro contre les abus sexuels resteront aussi des priorités difficiles pour le nouveau pape. Car certaines conférences épiscopales, faute de moyens et parfois de conviction – et parce que ce sont des sujets tabous – tardent à agir conformément aux exigences de la Congrégation pour la doctrine de la foi. La collaboration avec la justice civile n'est pas partout obligatoire, et parfois la justice civile est injuste ou n'existe pas. De l'Afrique à l'Asie, la prise de conscience des maltraitances n'est pas la même. Nul doute que le pape François sera exigeant, mais il pourrait être confronté à l'apparition d'énormes scandales, notamment sur son continent, l'Amérique latine. Selon un expert de la congrégation pour le clergé, le père Davide Cito[1], sur les quelque quatre cents cas d'abus – concernant principalement des adolescents – signalés encore chaque année à Rome, le nombre de ceux d'Amérique latine est en augmentation. C'est le résultat d'une conscientisation plus tardive qu'en Europe et en Amérique du Nord. Ces scandales peuvent avoir des répercussions ravageuses sur ce continent très catholique, et notamment en Argentine.

Sur le plan de la structure interne de l'Église, bien des inconnues subsistent sur ses intentions précises. Quels

---

1. Cité le 4 juin par le site Vatican Insider.

rôles le pape François assignera-t-il aux femmes, aux laïcs, comme relais indispensables de la nouvelle évangélisation et comme antidote à un certain cléricalisme qui le hérisse ? Il a déjà commencé à ouvrir les portes calfeutrées des palais apostoliques à des consultants laïcs.

Comment, surtout, remédier à la crise des vocations en Occident ? Les prêtres doivent être certes bons, rigoureux, formés, comme le voulait Benoît XVI, mais on a aussi besoin d'ouvriers nombreux pour la moisson.

Or, entre 2001 et 2011, l'Europe a perdu neuf pour cent de ses prêtres. On ne peut trop dégarnir les diocèses africains pour rechristianiser le Vieux Continent. Ne doit-on pas redistribuer les responsabilités, permettre de nouveaux ministères consacrés ? Des hommes mariés à la retraite ne peuvent-ils pas être ordonnés prêtres ?

Quelle attitude aura François vis-à-vis de nouvelles communautés et mouvements d'Église ? Cent cinquante d'entre elles étaient rassemblées à la Pentecôte sur la place Saint-Pierre. Elles sont petites ou immenses, locales ou internationales, traditionnelles – les plus nombreuses – ou modernistes et progressistes – une minorité qui maintient coûte que coûte sa tête hors de l'eau. Certaines semblent débarquer tout droit des Croisades, d'autres toutes nouvelles semblent vouloir jouer à l'Église primitive et sont parfois balayées par un douloureux scandale ou des divisions absurdes. Pour la plupart, elles sont pleines de vie et de créativité. Le pape les encourage.

À 76 ans, le pape argentin sait qu'il doit agir méthodiquement, mais assez vite.

2

Le tsunami de la sécularisation

FRANÇOIS est confronté à un défi redoutable, qui n'est plus seulement celui de l'Église mais du monde contemporain et des autres religions : le détachement de Dieu.

La formule du cardinal de Washington, Donald William Wuerl, au début du synode sur la nouvelle évangélisation au Vatican, en octobre 2012, avait fait choc : tsunami de la sécularisation. Jamais le divorce n'a été si profond – on peut même dire que le gouffre est abyssal – entre le monde laïc occidental et celui de l'Église : le monde laïc – notamment en France – refuse à l'Église de reconnaître ce qu'il lui doit, ne retenant que ce qu'il lui reproche. L'Église voit ce monde laïc d'une manière négative, inquiète et pessimiste !

La vision de l'avenir de l'Église est pour sa part réaliste. Comme les pays du Nord – Europe, États-Unis – dictent leur mode de vie au monde du Sud, le tsunami de la sécularisation ravagera encore plus efficacement ce dernier où l'évangélisation est récente et les références culturelles fragiles.

Le relativisme est un mot qui hante Benoît XVI mais revient aussi chez François. Une société qui n'en est même plus à discuter de l'existence de Dieu comme le faisaient Diderot ou les existentialistes, mais l'a évacué de son champ, comme inutile. Un homme qui n'est plus représenté comme conçu à l'image de Dieu. Des églises aux traditions de piété séculaire, où les grands-mères venaient prier, se transforment en salles polyvalentes ; dans les agendas, Noël ou Pâques disparaissent. Le nom de Jésus est juste un prénom parmi d'autres, entre Kevin et Anémone ! Face à un prêtre ou une religieuse dans la rue, des jeunes leur rient au nez. Qui êtes-vous, zouaves d'un autre temps ?

À la veillée de Noël 2012, Benoît XVI avait fait une homélie-testament. Il avait observé que « la pensée, pour être considérée comme sérieuse, doit être construite de façon à rendre superflue l'hypothèse Dieu ». Le cardinal Paul Poupard, ancien ministre de la Culture de Jean-Paul II, appelle ce rejet la décroyance. L'homme est d'abord individu. Avec des droits, il est appelé à se réaliser lui-même, dans la concurrence permanente. Sombre tableau. La dimension collective, avec ses pesanteurs mais aussi ses solidarités, passe au second plan. L'homme a oublié ses racines et largué les amarres, et vogue seul sur l'immense océan, à côté de milliards d'autres. Bien sûr cette description est incompréhensible pour beaucoup qui ont le sentiment de vivre très bien, heureux, plus libres que jamais, dans ce monde occidental aseptisé, sans guerre, quand ils ne sont pas au contact de la mort, de la haine et de la souffrance. Mais il y a tant d'îles, d'individus parfaitement isolés, victimes de cette individualisation de la vie. Surtout ceux qui ont le moins de talents, de performances à offrir. Qui sont devenus comme des ombres, invisibles.

C'est non seulement l'Église qui cherche des fidèles dans la société de consommation, mais ce sont aussi des femmes et des hommes en quête de sens qui voudraient pouvoir pousser la porte d'une église ouverte jour et nuit, trouver un prêtre pour lui confier leurs douleurs, leurs colères et leur quête de réconciliation, et recevoir la confession ou une initiation ou une bonne parole de vie... C'est devenu quasi impossible, les églises sont closes faute de prêtres. Cette difficulté est apparue clairement au synode d'octobre sur la nouvelle évangélisation. La sécularisation est assourdissante.

Fils spirituel de Benoît XVI, le cardinal Gianfranco Ravasi, ministre de la Culture du Vatican, évoque « tout le problème de la sécularisation rampante, celle qui ne va pas jusqu'à l'immoralité mais s'arrête à l'amoralité, à l'absence de toute notion de bien ou de mal, qui choisit de ne jamais poser la question de l'existence ».

Un parallèle, dit-il, peut être fait avec une toile d'araignée : « L'araignée élabore seule son projet, qui est beau à ses yeux, mais il peut être balayé par un coup de vent, détruit par la moindre averse... C'est ainsi que bien souvent sont conçus les choix moraux, vécus de l'intérieur et sans aucun référent objectif réel. Ils n'ont pas de fondement et peuvent facilement s'effondrer. Ne reste au final que cette inconsistance : tout bouge, tout change[1]. »

Comment le monde moderne, qui met l'autonomie absolue de l'homme au centre, peut-il encore écouter une parole qui dit que le Christ est la voie, la vérité, la vie ? Comment persuader qu'une parole tellement insolite peut donner la plénitude ? C'est dans la capacité du cardinal Bergoglio à relever ce défi que les cardinaux ont placé leur confiance.

Déjà en septembre, certains évêques étaient venus à Rome au synode sur la nouvelle évangélisation avec beaucoup de

---

1. Interview à l'AFP, le 4 mai 2013.

rancœurs, envers les intellectuels, les médias, les fidèles eux-mêmes qui contestent tout et vont à l'église comme au supermarché. Certains évêques occidentaux se sentaient carrément persécutés. Une persécution sournoise, qui ne viserait aucune autre religion autant que le catholicisme. Certains étaient carrément déprimés. D'autres plus confiants, voyant tous des souffles nouveaux, la purification féconde, une institution qui se démondanise, courageuse à flux renversé. La conjonction de ces courants confluera au conclave sur le choix d'un pape énergique et communicateur.

Offensive de l'Église sur les valeurs non négociables

Alors qu'Églises et sociétés laïques collaborent très bien sur de nombreux droits de l'homme, ce sont une demi-douzaine d'évolutions spécifiques, jugées particulièrement graves, qui ont amené l'Église à passer à l'offensive contre ce qu'elle appelle la postmodernité. Elles touchent la famille et la vie : la possibilité de manipuler le vivant, les recherches pour le cloner, la manipulation de l'embryon à des fins médicales, la sélection génétique, l'extension de lois sur l'euthanasie, la possibilité de plus en plus fréquente de déconnecter sexualité et fécondation, le mariage homosexuel, la théorie du genre et la dissolution de la dualité homme-femme, le dépassement de la référence père-mère. Ces évolutions inquiètent plus que d'autres parce que, dit l'Église, elles changent l'homme créé par Dieu, introduisent des modifications anthropologiques. L'homme, devenu le seul juge de lui-même, peut se transformer à sa guise.

Une cause est exemplaire du conflit en jeu. Ces dernières années, des associations catholiques ont mené dans plusieurs pays des campagnes intelligentes, y compris publicitaires, sur le thème de la trisomie. Elles montrent des adultes ou enfants trisomiques, heureux dans leur famille ou dans le monde du travail, qui interrogent la société : « Si mes parents avaient suivi le diagnostic prénatal, je n'aurais pas dû vivre, je ne serais pas sur cette photo... »

Ici et là des évolutions troublantes, même pour des esprits non religieux, sont observées. En Belgique, des parlementaires, onze ans après l'adoption d'une loi dépénalisant l'euthanasie sur demande, voudraient l'étendre aux mineurs.

« Nous assistons à une crise de l'homme, qui détruit l'homme », s'est exclamé le pape François à la Pentecôte. Il appelle les jeunes catholiques à aller à contre-courant, en faisant valoir leurs idées de manière évangélique – donc pacifique et respectueuse –, mais sans craindre le martyre ou la persécution, y compris en Occident.

L'homme contemporain pense que « le refus de Dieu, de l'Évangile de la vie, conduit à la liberté, à la pleine réalisation de l'homme. Il remplace Dieu par des idoles humaines et passagères, qui offrent l'ivresse d'un moment de liberté, mais qui à la fin sont porteuses de nouveaux esclavages et de mort[1] », lance-t-il devant une foule immense venue célébrer sur la place Saint-Pierre une journée de la vie.

« Dieu est considéré comme incontrôlable et dangereux puisqu'il appelle l'homme à sa réalisation plénière et l'indépendance des esclavages de tous genres », avait-il affirmé en mai devant des ambassadeurs. La crise actuelle, ajoutait-t-il, est à l'origine « une crise de la personne humaine, nous devons la défendre ».

François, même s'il souligne surtout les causes socio-économiques de la désagrégation sociale, adhère à la

1. Le pape, le 16 juin, lors des journées *Evangelium Vitae* de l'Année de la foi.

contre-offensive au nom de l'anthropologie. Le cardinal Bergoglio avait vu dans les lois en matière d'avortement et de mariage gay « une conception impérialiste de la mondialisation, [qui] constitue le totalitarisme le plus dangereux de la postmodernité[1] ».

Les papes ont soutenu, encouragé toutes les percées sociales et scientifiques, particulièrement médicales. Lui et Benoît XVI ont toujours récompensé, rencontré les savants. On ne peut absolument pas leur faire grief d'être anti-sciences, de ne pas vouloir faire reculer la souffrance.

Le divorce a commencé à se consommer lors des conférences de l'ONU du Caire (1994) et de Pékin (1995), lorsque des conceptions que contestait l'Église en matière de santé reproductive ont été reprises dans des résolutions. Au moment où Jean-Paul II, avec l'aide de Joseph Ratzinger, publiait l'encyclique-brûlot *Evangelium Vitae*. Le divorce ne concerne plus la prétention passée de détenir uniquement, intégralement la vérité. Les papes eux-mêmes la relativisent, puisqu'ils acceptent la pluralité des recherches vers cette vérité unique, et l'autonomie de la laïcité.

La menace anthropologique devrait faire réagir, juge l'Église, tous les acteurs de bonne volonté, les autres religions, les agnostiques et les athées soucieux de défendre la loi naturelle. Ils devraient s'allier contre le relativisme, faire œuvre d'objection de conscience, ne pas appliquer les lois jugées contraires à l'éthique chrétienne. Les cas se multiplient en Europe de désobéissance civile, souvent condamnée par la cour européenne des Droits de l'homme.

---

1. Préface du cardinal Bergoglio au livre de Guzmán Carriquiry Lecour, *Globalisation et humanisme chrétien : perspectives sur l'Amérique latine*, *op. cit.*

Avec mesure et finesse, le cardinal Jean-Louis Tauran explique que l'Église ne cherche pas le conflit avec le pouvoir politique. Elle a simplement un comportement cohérent : « Il y a des choses qui sont négociables et d'autres qui ne sont pas négociables, et nous n'avons pas de problème à annoncer notre message, avec respect, douceur, sans l'imposer. »

C'est une offre honnête, à partir de positions claires. Plutôt que de faire semblant d'être d'accord ou dans le vent.

Selon le théologien François Bousquet, membre du Conseil pontifical de la culture et recteur de Saint-Louis-des-Français, l'Église réagit au « tout, tout de suite, tout seul » de l'homme contemporain. Il y a notamment une toute-puissance de la technologie qui poussera à des dérives comme l'eugénisme. « Ce qui était pensé depuis deux siècles comme la liberté se referme comme un piège. [...] Les foules solitaires, exténuées, sont toujours plus dans la concurrence. »

L'Église se targue d'être la seule institution à mener cette lutte anthropologique de manière conséquente. Le cardinal ghanéen Robert Sarah, qui dirige ses œuvres (*Cor Unum*), est un des prélats africains conservateurs, proches de Benoît XVI, qui veut une Église subversive face au nouveau credo relativiste. En tant qu'Africain, chargé de la coordination des secours sur les cinq continents, cet homme à l'apparence très douce, réservée – un Ratzinger noir –, vit au tréfonds de lui-même cette radicalité. « Il ne suffit pas de donner du pain, un abri et de meilleures conditions de vie matérielle : il y a des maladies et des misères humaines beaucoup plus graves qui menacent notre humanité : ce sont ces sociétés dominées par l'éros de l'argent et du sexe, ce sont ces destructions du mariage et de la famille, et les profondes déviations anthropologiques et morales », a-t-il dit récemment au sanctuaire de Lourdes[1].

Et ce sont là précisément, dit Robert Sarah, les réalités douloureuses que le pape François appelle « les périphéries où règne le mystère du péché, de l'ignorance, de l'indifférence religieuse et des misères morales de toutes sortes ».

À la pointe de ce combat se trouve surtout le gardien du dogme, l'archevêque allemand, Gerhard Ludwig Müller, qui se place sur le terrain du choc des cultures.

« Pourquoi des livres comme *Le Gène égoïste* et *L'Illusion de Dieu* de Richard Dawkins ou *Dieu n'est pas grand* de Christopher Hitchens figurent-ils dans la liste des best-sellers ? Parce qu'ils justifient sur un mode apparemment scientifique le processus de déchristianisation de la civilisation européenne et nord-américaine, commencée au XVIIᵉ siècle, et promeuvent un style de vie hédoniste tournée vers l'utile et le profit, même s'il se targue de morale philanthropique et humanitaire », martelait dans *L'Osservatore Romano*[2] Mgr Müller, celui-là même qui s'est occupé de publier en Allemagne l'intégrale des œuvres de Benoît XVI.

Et il dénonce un totalitarisme qui ne dit pas son nom : « Portant un regard rétrospectif sur l'athéisme politique cultivé par le national-socialisme en Allemagne et sur le programme staliniste d'élimination de l'Église, réalisé en Union soviétique, le caractère inhumain et intolérant d'un tel néo-athéisme me semble encore plus évident. Il apparaît en effet clairement que le prétendu athéisme scientifique peut difficilement opposer résistance à sa propre transformation en un athéisme qui est une vision globale du

---

1. Homélie du cardinal Sarah à Lourdes, le 9 mai 2013, lors de la rencontre Diaconia.
2. *L'Osservatore Romano*, 14 novembre 2012.

monde et donc un programme politico-totalitaire d'absolue déshumanité. »

Numéro deux du conseil pontifical de la Culture, l'évêque béninois Barthélemy Adoukonou, accuse lui aussi[1] : « L'ONU a nié la dimension anthropologique de la famille, créée à l'image de Dieu. Il existe un impérialisme d'une raison athée que nous ne pouvons plus supporter aujourd'hui, en Afrique ou ailleurs. »

Le cardinal Poupard voit la césure en mai 1968. « Mai 1968 n'est pas une cause, mais a été comme un furoncle dont le pus est sorti. Il a renversé tous les piliers sur lesquels était fondée la société depuis des millénaires. »

En France, à l'occasion du vaste et délicat débat sur le mariage gay, les cardinaux André Vingt-Trois et Philippe Barbarin, ont dénoncé l'aspect adoption (d'enfants) dans le projet. Ce faisant, ils ont porté le fer contre une société où l'homme cherche à recréer sans cesse ses propres lois. Les manifestations massives, où les jeunes catholiques étaient très représentés, n'ont pas empêché le vote de la loi. Ce qui a été mal vécu par eux c'est que le gouvernement et la majorité des Français n'ont pas perçu la profondeur ni même l'intérêt de leurs arguments. On les a traités de passéistes, d'antihumanistes, d'homophobes. L'aspect positif de leur revendication – cet attachement à la cellule familiale traditionnelle qui fonctionne et qui est souvent heureuse – inculqué dans la génération Jean-Paul II qui avait suivi les nombreux JMJ du pape polonais, a été selon eux occulté. De jeunes homos étaient dans ce combat pour la famille de leurs parents.

La réaction de la rue contre le projet sur le mariage pour tous a été suivie avec grande sympathie au Vatican,

---

1. Interview à *La Croix*, avril 2013.

comme exemplaire. On y a salué aussi l'analyse intelligente de l'Église de France, en reprenant son argument clé : le débat central n'était pas l'union de deux homosexuels, mais la famille et la filiation.

L'Osservatore Romano, sur un autre sujet chaud, l'euthanasie, déplorait[1] qu'à travers médias et campagnes d'opinion tonitruantes, la postmodernité brandisse comme évidentes des positions tranchées sans laisser se développer un débat paisible : « C'est comme si l'on cherchait à pointer un phare aveuglant sur les yeux d'une grande partie de l'opinion pour éviter que l'on puisse entrevoir une lumière plus modeste mais plus adaptée aux yeux de l'homme, la seule qui soit réellement capable d'éclairer au moins en partie un cheminement difficile. »

Le pape François veut combattre le problème, mais d'une autre manière. Il appelle, surtout les jeunes, à l'engagement en politique. Il met en avant la liberté du chrétien, très particulière, fondée sur la volonté, la croix et la solidarité. Se lamenter ou pousser des cris d'orfraie ne lui vont pas. Prononcer seulement des non ne suffit pas à combler le fossé, mais finit peut-être par l'élargir.

La fascination du provisoire[2], l'incapacité à connaître l'exaltation qui accompagne l'engagement sont à corriger d'abord, selon lui. Le manque de projets doit être secoué. Tant de jeunes craignent de s'engager dans le mariage, d'enfanter. Ils n'ont plus confiance simplement dans la vie, se contentant des satisfactions du présent, argumente-t-il. « Le bien-être anesthésie », ajoute François. Il se met ironiquement dans la peau d'un jeune parent de notre société confortable : « Non, je ne veux pas plus d'un enfant,

---

1. *L'Osservatore Romano*, 21 mai 2013.
2. Sainte-Marthe, le 27 mai 2013.

parce que nous ne pourrons pas partir en vacances, nous ne pourrons pas aller à tel endroit, nous ne pourrons pas acheter une maison ! »

Un des accents de Jorge Mario Bergoglio est le collectif. Face à des idoles qui sont celles de toute une société, il ne faut pas « jouer perso », mais collectif, comme dans une équipe. L'individu fait partie du peuple de Dieu qui doit s'entraider, et par son témoignage, redonner envie de vie spirituelle à un monde désabusé. C'est comme cela que selon lui l'Église pourra retrouver son sens.

Dans le camp adverse, les défenseurs du progrès et de l'individu

Dans le camp multiforme des progressistes, les catholiques de gauche – comme en France la revue *Golias* – et les anciens catholiques se montrent les meilleurs ennemis de l'Église institutionnelle. Avec les arguments les plus forts. À la hauteur de leur amertume, de leur foi déçue depuis cinquante ans ! Ils ne se résolvent pas à ce que le progrès ne coïncide pas forcément avec l'Évangile et que les papes veuillent livrer sur l'humain un message immuable, parfois à contre-courant, avec des non systématiques aux évolutions nouvelles. Les catholiques français sont très divisés.

Dans une tribune pour le mariage pour tous, le catholique de gauche Jean-Louis Schlegel[1] enfonce trois clous à la fois. Il fustige une Église incapable de porter l'Évangile au-delà des convaincus, une Église incompétente pour parler d'anthropologie (réservée semble-t-il selon lui au seul camp laïc !), une Église qui, de toutes façons,

---

1. J.-L. Schlegel, tribune « Un jusqu'au-boutisme déraisonnable », *La Croix*, 24 mai 2013.

perd tous les combats les uns après les autres face au progrès.

« Quel contenu pourra avoir la nouvelle évangélisation alors qu'il faudra bien [...] annoncer l'Évangile aux homosexuels, aux socialistes, aux consommateurs, aux hyperindividualistes et même aux amis de Pierre Bergé ! », stigmatise-t-il. « Devons-nous à tout prix, nous catholiques, défendre, des cultures, des civilisations, des principes anthropologiques ? », ajoute ce philosophe des religions selon lequel « le catholicisme intransigeant a perdu tous les combats ».

Ces catholiques déçus se rapprochent d'un immense camp, toujours plus vaste, d'hommes en recherche, convaincus que la promesse du Dieu chrétien, musulman, juif, est trompeuse. Les défenseurs du progrès et de l'individu ont la conviction qu'il est possible de lutter contre la fatalité et de dire non à tous les non des religions monothéistes, que le grand horloger a été inventé par les puissants pour opprimer l'homme et réprimer les plaisirs. Ils contestent qu'il existe une loi naturelle immuable, que tous les hommes de bonne volonté devraient défendre.

Si le Dieu de Jésus-Christ est tout sauf un grand horloger, l'Église, qui prétend le représenter, a bien su au long des siècles opprimer, brûler, terrifier, damner, réprimer les esprits libres et les rêves, constatent-ils.

Le camp du progrès est donc très sûr de lui, toujours plus convaincu d'être l'avenir. Il a des réussites et des arguments à aligner, et clame avoir eu souvent raison contre l'Église.

Les progressistes et socialistes assurent que, grâce à la lutte des esprits éclairés depuis des siècles, un effort sans précédent a été accompli pour diminuer la misère et la douleur. Cet effort a consisté à défendre et codifier les droits à la fois concrets et culturels, ceux de la majorité ou ceux des minorités.

Ils idéalisent de manière déraisonnable les sociétés préchrétiennes comme Athènes et Rome, contre lesquelles se serait construit l'obscurantisme radical de la secte de Jésus. Ils oublient que le christianisme a fortement contribué aux progrès des droits humains, de la condition de l'enfant à la lutte contre l'esclavage et le racisme.

Certains résultats de la lutte progressiste au long des siècles sont indéniables, on n'enchaîne plus les malades mentaux dans des asiles, on ne brûle plus les mal-pensants et les sodomites, on défend les droits du travail, les femmes ont obtenu les mêmes droits que les hommes, la peine de mort a été supprimée dans de nombreux pays, la torture, la ségrégation et le racisme sont punis par des lois, on a appris à moins suivre la loi ancestrale du bouc émissaire, et beaucoup d'autres choses encore...

La hiérarchie et la société chrétiennes se sont vues encore accusées d'avoir refusé des obsèques religieuses à Mozart ou placé dans des asiles des personnes comme Camille Claudel à l'âme douloureuse et exaltée. D'avoir rejeté dans la misère, la folie et la torture de la culpabilité tous ceux et surtout celles qui avaient vécu des vies désordonnées, avorté ou eu des enfants illégitimes. Le Saint-Office à Rome – qu'a dirigé Joseph Ratzinger – est encore perçu comme une énorme machine à briser la dissidence.

Cherchant un jugement équilibré, l'historien des religions Jean-Dominique Durand rappelle, de la part d'une « institution pleine de péchés, [...] ses multiples engagements pour les plus pauvres et les plus malheureux, sa priorité accordée à l'éducation, qui est priorité à la pensée et à l'intelligence, y compris des filles, aux respects des personnes, aux corps intermédiaires qui protègent les sociétés des aventures totalitaires ».

La foi dans le progrès continu a elle-même connu en 1945 un sérieux ébranlement. Prométhée était-il de si bon conseil ? Hitler et Staline, « Auschwitz et Hiroshima ont cassé la doctrine du salut par le progrès » qui s'imposait depuis l'époque des Lumières, remarque le père Bousquet. Mais la révolte contre les règles religieuses, le sentiment d'être seul et orphelin sur terre et de devoir aménager le mieux-être, contre la douleur et la contrainte, se sont renforcés. Dans un sens individualiste.

Méprisant l'apport de liberté du christianisme, les progressistes ont insisté toujours plus sur les discriminations et la révolte individuelle, attitude jugée par André Malraux noble par excellence. Socialisme démocratique et humanisme sont les noms d'une nouvelle religion libérée de Dieu. Qu'ils aient la valeur sacrée d'une religion, il suffit pour s'en persuader d'écouter ceux qui en parlent.

Surtout depuis les années 1960, un cri de rébellion s'est exprimé dans la culture, l'art, le mode de vie contre le Dieu castrateur que définissait Nietzsche : J'ai le droit de ne pas croire, de tourner en dérision, de me révolter contre les idées imposées, de choisir ma vie et mes amours, je suis assez grand pour choisir seul, ma conscience n'a pas besoin d'être assistée. Aujourd'hui dans le monde du travail, en Occident, personne n'est par exemple jugé sur ses tendances sexuelles, sur sa situation matrimoniale. C'est devenu absolument évident. C'est un progrès absolu.

Dans le débat sur le mariage gay, certains reprochent avec virulence au catholicisme (religion de l'amour) de mettre en doute, de s'en prendre chez les personnes au projet de vie le plus précieux qu'elles peuvent avoir : la possibilité d'aimer, d'élever des enfants à croître et à aimer. Cela est vécu comme une insulte. Le quiproquo est total, car l'Église en fait ne porte pas tant son combat sur ce terrain.

Une révolte semble plus importante que toutes les autres pour expliquer le rejet de la religion de Jésus, le refus d'une vision négative de l'amour, de la sexualité, de la femme, qui a longtemps semblé prévaloir dans une Église où se sont développés les scandales pédophiles. Cette conviction est tellement ancrée dans l'esprit de beaucoup de gens en Europe et en Amérique du Nord qu'elle explique l'argument virulent toujours entendu : « L'Église n'a pas à se mêler de ce que nous faisons au lit. » L'autre grand argument anticlérical, celui d'une Église systématiquement aux côtés des oppresseurs, semble, en revanche, avoir diminué d'intensité.

Pour encadrer la nouvelle aspiration de l'homme à la maîtrise de sa vie, des lois ont été prévues pour chacun, à partir du moment où il naît. L'ONU, les ONG, les hommes politiques, les sociologues, les psychologiques, les ethnologues ont conjugué leurs efforts pour la promotion de l'homme, à travers lois, résolutions, traités. Volonté de codifier la société la meilleure, la plus libre et la plus respectueuse. En théorisant des conceptions philosophiques occidentales qui nient l'hypothèse Dieu. Volonté de minimiser le risque du handicap, des vies tronquées, en préférant ne pas les faire vivre. Volonté de donner la possibilité de déterminer sa mort, en exaltant le libre choix, etc. Mais ces lois, en prétendant maîtriser les notions de liberté, de vie, de charité, de vérité, révèlent une certaine propension totalitaire, celles d'un homme qui entend tout maîtriser. Elles laissent en friche des terrains plus profonds où peut refleurir la barbarie, elles créent parfois des désespoirs que certains traînent leur vie durant, les privant de toute joie, faisant d'eux des créatures déchirées.

Le roman et le cinéma ont contribué plus que d'autres à accélérer l'abattement des murs, des tabous en accompagnant depuis des décennies les conquêtes de la liberté individuelle en matière de mœurs, de sexualité, de bioéthique.

Parmi les thèmes de prédilection, l'oppression dans certaines familles, l'hypocrisie dans le mariage. Ils expriment – avec crudité souvent – la sordidité persistante du monde, malgré l'acquis de ces libertés. Beaucoup de films, souvent très sombres, plus rarement colorés d'espérance, ont porté sur tel ou tel destin singulier, faisant ainsi comprendre à tous la complexité des destins et la lutte pour la dignité et la survie, contre la fatalité de la douleur et du mal. Toutes les situations sont explorées.

Des films ont puissamment soutenu le combat encore clandestin des femmes pour le divorce, la contraception, l'avortement, faisant évoluer les mentalités dans le sens de la tolérance. Ce qui était impensable est devenu la norme. Les sujets choisis sont toujours plus osés : plaidoyers pour le libre arbitre, et surtout pour la minimisation de la douleur physique et morale. La frontière s'est déplacée, les règles ayant reculé. À chaque fois est fêtée une nouvelle conquête de la liberté. Au Festival de Cannes 2013, *La Vie d'Adèle* d'Abdellatif Kechiche, histoire d'amour de deux femmes, reçoit la Palme d'or, huit ans après le Lion d'or obtenu à Venise par Ang Lee pour le film *Brokeback Mountain*, sur un amour entre deux hommes. Sur le thème particulièrement délicat de l'euthanasie, *Miele*, de l'Italienne Valeria Golino, relate l'itinéraire d'une jeune femme qui aide les malades en phase terminale à mourir avec un barbiturique. Il est aussi sélectionné à Cannes. La réalisatrice explique : « Les êtres humains ont un droit profond et sacré pour décider de la fin de leur vie. » Le sacré a évidemment un autre sens que le sens religieux.

Pourtant – et les films le dénoncent aussi –, ces sociétés qui se rassurent en se bardant de lois, sont celles du chacun pour soi. Comment se fait-il qu'une vieille femme soit retrouvée morte après trois semaines dans son appartement au deuxième étage d'un immeuble habité, parce que son système d'alarme n'a pas fonctionné ? Qu'un écolier de quinze ans sorte un couteau et tue un camarade ou agresse la maîtresse ? Qu'un autre soit contraint au suicide sur Facebook ? Personne n'a rien vu, la société focalisée sur la consommation et les droits n'a pas perçu l'absence de la vieille dame. Elle n'a pas su percer la solitude désespérée de l'adolescent. La perfection des lois n'empêche nullement la froideur glaciale de l'égoïsme. L'organisation parfaite peut tuer la spontanéité du cœur, le spirituel. La société de l'avoir, la souffrance du manque de sens, sont dénoncées. Le psy est très demandé, car il a remplacé le confesseur, le père spirituel.

Ce même cinéma qui prime les nouvelles libertés sait aussi détecter la nostalgie de Dieu, trouver des perles spirituelles dans un océan de doute et de noirceur. Preuve qu'il y a un gigantesque malentendu entre le christianisme et la modernité.

Le pape François l'a dit, le monde n'est pas plus mauvais que celui du passé parce qu'il est plus moderne et démocratique. Il a de nouveaux maux et idoles. Les lois nombreuses ne remédient pas au grand désordre intérieur. La violence est contenue. Elle bouillonne. L'insatisfaction aussi comme on le voit en Europe de l'Italie à la Grèce. La loi du bouc émissaire – contre l'étranger – n'a pas disparu. La méconnaissance d'un Dieu capable de tout réunir en sa bienveillance accroît la solitude des êtres, même si leurs liens sont codifiés par les lois.

Périphérie existentielle à Varsovie

Une des grandes œuvres cinématographiques des dernières décennies, une de ces perles existentielles, exprime ce paradoxe, ce mal être du monde moderne, à la fois dans la nostalgie de Dieu, en révolte contre lui et à la recherche de solutions qui se passent du divin. Un monde en équilibre entre le divin et l'athéisme. Le *Décalogue* du cinéaste polonais Krzysztof Kieślowski se passe dans la banlieue de Varsovie, ce terreau où le christianisme et le communisme athée se sont mêlés de manière indissociable.

Dans des teintes blafardes, Kieślowski raconte dix histoires de la vie, à partir des Dix commandements de la Bible, qu'il retourne en autant de questions-énigmes que posent des situations complexes de la vie. Des paraboles modernes. On n'arrive pas à savoir vraiment la position du cinéaste au sujet de la foi, mais il semble critique et détaché, comme son époque, sa société. Les problèmes matériels, sentimentaux, familiaux, semblent peser sur cet environnement, et l'empêchent d'espérer. Deux histoires sont emblématiques. Dans l'une, un père, qui fait confiance aux prévisions de la science météorologique, laisse son petit garçon patiner sur le lac gelé ; il s'est trompé, l'enfant se noie. Le père voit le monde s'écrouler, il entre dans l'Église en pleine révolte contre Dieu, mais c'est son excessive confiance dans les sciences qui a causé l'accident. Le meilleur des mondes – le mirage de la prévision scientifique sûre à cent pour cent – est limité face aux questions essentielles. Le deuxième récit, également plein de sens, raconte l'histoire d'une jeune femme enceinte à l'issue d'une liaison extraconjugale, et qui ne peut et ne veut le révéler à son mari, très malade. Le médecin, pour éviter un avortement, lui ment. Il lui dit que son mari est condamné et qu'elle peut donc éviter d'avorter. Elle garde l'enfant. Le mari guérit, et accepte cet enfant dont il ne sait pas qu'il n'est pas de lui. Cette histoire aurait plu au pape François.

Ainsi, la mort accidentelle, l'avortement, la trahison conjugale, l'adoption, etc., toutes ces situations complexes sont mises en scène. Kieślowski exprime ce qu'ont toujours dit la littérature et le cinéma, à savoir que les situations humaines concrètes sont difficiles, que les choix ne se font pas toujours en pleine lucidité et objectivité, que les hommes cherchent à survivre et vont à tâtons à la recherche du bien, du mieux, de la morale. Dans ce monde déprimé de la banlieue de Varsovie, Kieślowski joue sur le registre ironiquement décliné d'un Décalogue qui est censé énoncer dix lois simples de la vie, pour montrer précisément que dans la réalité rien n'est simple, même si ces lois ont leur valeur. Il fait passer dans ses personnages une intense tendresse, une soif de vérité, et, plus ou moins clairement chez les uns et les autres, une soif de Dieu. Ce monde est en souffrance, cherchant à s'en sortir par ses propres moyens mais orphelin de quelque chose d'infini.

En parlant des périphéries existentielles, le pape François me semble précisément vouloir réduire par la miséricorde la fracture entre la foi et la modernité, sans se contenter de la dépeindre sous des teintes trop tragiques. Tous ces personnages pourraient être écoutés par un père spirituel, mais ce père spirituel s'est raréfié, n'a plus le temps, n'est plus recherché.

Le défi reste très difficile à relever, tant sont puissantes la méconnaissance de toute idée de Dieu et la dictature du relativisme dénoncée par Benoît XVI. « Les contemporains n'ont plus aucune conscience de pouvoir être sauvés », affirme dans une belle formule le cardinal français Jean-Louis Tauran.

L'Église et les papes ont-ils raison de hausser le ton ? Après tout, cette dictature ne provoque ni holocauste ni goulag, laisse en place des sociétés policées où règnent des lois. Mais si le monde est pour beaucoup plus confortable et propre – au point qu'on oblitère la mort et la vieillesse –, n'abrite-t-il pas des solitudes, une violence étouffée, des gens oubliés, les plus petits, comme le disent Benoît et François ?

Entre l'Église et la modernité, équivoques profondes

Aux deux extrêmes, deux attitudes. Celle du postmoderne décomplexé, dont la vision du religieux est celle d'un phénomène dépassé. Il en rit. *Humanist* en anglais veut dire être contre la religion. L'idée de Dieu, abordée lors d'un brunch dans son loft branché de Berlin ou de New York, l'amuse, elle est ridicule ; ou lui fait peur, elle est répressive !

Et à l'autre extrême, il y a l'attitude assez fréquente du jeune prêtre qui se considère comme martyr dans un monde hostile, même s'il est libre de ses mouvements et de ses mots. Il se défie d'un environnement qu'il voit subverti par le Malin.

Mais, entre elles, tout chrétien qui lit les journaux, est confronté à une contradiction. Ce qu'il entend à l'Église s'oppose à des idées qui forment le tissu consensuel de la société occidentale, fondée sur la tolérance, le libre consentement et l'indifférence polie : les mettre simplement en doute est, déjà, se faire exclure. Un jour prochain peut-être de nouveaux délits seront introduits, comme celui de penser contre une loi, d'exprimer sa foi religieuse.

Les équivoques sur les concepts essentiels illustrent la profondeur du divorce. On ne met pas le même sens sur les termes mal, vie, religion, droits/liberté/morale, autorité, père, pardon, science/recherche, mariage, occupation/ennui, vocation, Esprit Saint, sexualité… Et il y en aurait bien d'autres à citer.

Mal : Pour l'Église, le mal est une force active, habile, autonome et rivale de Dieu, toute-puissante dans le monde.

Jorge Bergoglio parle souvent de Satan le diviseur, et de lutte contre lui. Il faudrait relire Dostoïevski et le Grand Inquisiteur dans *Les Frères Karamazov*. Dans la modernité, le mal n'est pas nié mais il est plutôt une maladie, le fruit des névroses, de l'éducation, des traumatismes du passé, voire de l'oppression sociale et religieuse. Le mal est le plus souvent chez les autres, dans le passé ou dans les modes de pensée non conformes.

Difficulté de réconcilier deux écoles de pensée, peur pour l'Église que la conception de la faute se dilue dans la pensée moderne.

Vie : pour l'Église, la vie est sacrée de l'origine à la fin naturelle, elle a une origine dans la création de Dieu. Elle ne peut être manipulée, formatée. Dans la modernité, l'homme décide de ce qu'il veut faire de la vie, l'homme est son propre créateur. Bien sûr, l'homme moderne, humaniste, respecte la vie dès la naissance et jusqu'à la mort. Mais une naissance non voulue ou qui gêne peut être arrêtée, une fin de vie trop douloureuse pour soi ou pour les proches peut être abrégée, sous conditions. Une vie qui s'annonce avec trop de handicaps peut être stoppée avant de naître. C'est un changement copernicien, tout à fait logique : à partir du moment où l'homme ne croit plus qu'il y a un principe créateur et que Dieu l'a aimé le premier, il veut aménager la vie pour la rendre la plus facile, la moins douloureuse possible. Pour la religion, il fait son malheur en voulant faire son bonheur.

Religion : Pour l'Église, la liberté religieuse est la mère de toutes les autres libertés. La liberté religieuse est à l'origine de la liberté morale, « un acquis de civilisation politique et juridique », avait affirmé Benoît XVI (message pour la paix de janvier 2011). Elle entraîne que le croyant est fondé à évangéliser, lutter pour ses convictions, exprimer en public sa foi, chercher à convertir les autres en respectant leur conscience. Pour l'État occidental laïc, la religion est une affaire strictement privée. La morale laïque est séparée des convictions religieuses, même s'il y a puisé certaines de ses valeurs. Le prosélytisme est jugé un abus de conscience, la religion en général est soupçonnée a priori d'abuser les consciences, surtout dans l'éducation.

Droits, liberté, morale : la modernité parle en termes de droits et de liberté, de lutte et de conquête pour ces droits, comme celui de la femme à disposer de son corps. Pour l'Église, les droits de l'homme et les libertés sont importants mais doivent s'inscrire dans un plan de Dieu. Et tout n'est pas permis dans ce plan. On a vu ce divorce sur la question de l'adoption d'enfants par les couples homosexuels. Pour la modernité, optimiste sur la capacité naturelle de l'homme au bien, l'homme est capable de se bâtir sa propre morale sans injonctions de l'extérieur ; l'homme qui croit au progrès ne peut fondamentalement se tromper. Pour l'Église, plus pessimiste sur la liberté, c'est la voie ouverte à la dictature du relativisme, et même à des dictatures plus graves, niant la vie, notamment des plus faibles.

Mariage : pour l'Église, le terme mariage a une connotation religieuse, basée sur la Bible, de l'union de l'homme et de femme en vue de fonder une descendance. Un acte qui a l'onction de Dieu. Le sentiment n'est pas premier. Même les évêques les plus ouverts regrettent qu'on parle de mariage pour les autres types d'unions. Pour eux, il faudrait choisir un autre terme que mariage. Pour la modernité, le mariage a été repris par la loi civile, n'a plus de sacralité, c'est un contrat de bonne foi, qui peut s'appliquer à toutes formes de couples d'adultes consentants.

Père : le père au sens biblique, le père tout-puissant incarnant l'autorité, qui devient patriarche en vieillissant, et qui existait jusqu'à récemment, avec tous ses abus (le célèbre film *Padre Padrone* des frères Taviani, 1977), a reculé.

La vision moderne du père insiste moins sur la filiation, l'autorité, que sur la tendresse. Le vrai père peut être aussi le père adoptif. Benoît XVI dira que la société est en manque d'une image forte du père.

Science/recherche : « Seigneur Jésus, ne permets pas que la raison humaine, que tu as créée pour Toi, se contente de vérités partielles de la science et de la technologie, sans chercher à poser les demandes fondamentales du sens et de l'existence », ont écrit deux jeunes Libanais, dans le chemin de Croix du Vendredi Saint de 2013, exprimant parfaitement l'obsession de Benoît XVI. Pour l'Église, la science n'est pas un démiurge en elle-même. Elle et la technique ne peuvent se permettre n'importe quoi. La science est exacte dans ses résultats, mais c'est un instrument de connaissance. Science et technique doivent être au service d'une raison elle-même au service de Dieu. Jean-Paul II et Benoît XVI, enfants de pays où les dictatures manipulaient les sciences, ont souvent tiré la sonnette d'alarme. L'idée du progrès absolu et continu qui rejette les limitations d'un plan de Dieu ou même d'une morale naturelle est au contraire défendue par toute une importante école de pensée, en lutte efficace contre l'hypothèse même de Dieu et de la transcendance.

Église/autorité/démocratie : L'Église est certes une institution pleine d'imperfections, mais elle n'est pas une démocratie, car elle est d'abord un corps mystique. Le monde contemporain n'y voit qu'une institution hiérarchisée, puissance idéologique et temporelle, avec le pape et le Vatican à sa tête, avec ses multiples palais et leviers d'influence. « Vous savez, a tenté d'expliquer François aux représentants des communications sociales[1], l'Église, même en étant certainement aussi une institution humaine, historique, avec tout ce que cela comporte, n'a pas une nature

---

1. Discours du pape aux représentants des médias, le 17 mars 2013.

politique, mais essentiellement spirituelle » et pour cette raison, les événements de l'Église « ne sont pas faciles à interpréter et à communiquer à un public vaste et varié ».

La question de l'autorité est aussi incomprise. Dans l'Église, la seule autorité légitime vient de Dieu, l'obéissance est exaltée pour cette raison, mais c'est une obéissance en principe pour le service des autres. Ce n'est pas que les idées venant de la base ne puissent être reçues, mais c'est que la règle de la majorité ne s'applique pas. Les décisions sont trop importantes pour être sujettes à cette règle. Tout cela a parfois servi à des papes et des évêques autocrates à mal agir.

L'autorité pose problème dans l'Église et les autres confessions chrétiennes. Benoît XVI et François critiquent les mauvais chefs dans l'Église, mais Benoît XVI a tenu à mettre en valeur l'autorité mystique de l'Église après les dérives progressistes et intégristes du Concile. Un jésuite comme Bergoglio a peut-être une autre conception de la hiérarchie, mais il a en lui, en tant que jésuite, une imprégnation militaire, une conception absolue de l'obéissance. Quant à l'autoritarisme, ce n'est pas la vraie autorité, c'est un des éléments les moins compris et souvent les plus critiquables dans l'Église.

Ennui/occupation/prière : l'idée commune est celle d'un ennui profond des obligations dans la liturgie, la messe, l'Église. Pourquoi perdez-vous chaque semaine une heure à aller à la messe ? Les religieux dans les monastères peuvent ressentir des absences mais font tout sauf s'ennuyer, disent qu'ils sont heureux dans cet univers. La parole de Dieu est pour eux une nourriture. Le monde a beaucoup de mal avec ce qui est gratuit et sans efficacité apparente.

Sexualité : elle est partie prenante du plan de Dieu, selon l'Église. Elle est la liberté personnelle la plus absolue pour la modernité. Dans l'esprit de nombreuses personnes, sexualité épanouie et foi s'excluent mutuellement, ce qui est absurde. Cette thématique crée la fracture sans doute la plus profonde entre l'Église et la modernité. Parce que le passé n'est pas à l'honneur de l'Église. C'est là que des passerelles doivent être jetées d'urgence (familles recomposées, divorcés, unions de fait, homosexuels). Bergoglio devrait avoir une approche plus compatissante. Il est en tout cas très attendu, tant ces sujets sont chauds. Il sera jugé là-dessus, en partie. C'est ce qui intéresse les médias !

Pardon : pour le christianisme et singulièrement pour le pape François, le pardon – donner le pardon, demander le pardon – est au centre de la dynamique chrétienne. Il est accordé par Dieu en commandement aux hommes. La conception chrétienne s'oppose à la conviction du désespoir humain, qui ne croit pas à la possibilité du pardon, ou qui y voit même une attitude lâche, non virile. La revanche est plus virile. Le pardon chrétien est tourné en dérision, ou pire, vu comme un moyen de l'Église pour échapper à ses crimes, se laver les mains à peu de frais. En fait, le vrai pardon chrétien est tout le contraire, c'est une démarche de courage, de lucidité, de pénitence, soit le contraire de la lâcheté. Il est l'entreprise de l'Évangile la plus dure à mener, il permet de guérir, au moins partiellement, il apporte la difficile réconciliation.

Vocation : c'est une histoire d'amour absolu pour Jésus que la conversion, racontent ceux qui l'ont vécue. La modernité y voit seulement une fuite immature devant les problèmes, le refus de l'amour humain, de la sexualité. Elle ne peut imaginer qu'un jeune – particulièrement un jeune – fasse un choix radical qui le comble, comme un militant communiste choisit la révolution, ou un résistant la lutte armée. Pourtant le religieux vit une sublimation de tout son être, en le donnant dans une vocation à Dieu. C'est un rétrécissement de la pensée moderne de ne plus

294 DE BENOÎT À FRANÇOIS, UNE RÉVOLUTION TRANQUILLE

être à même de comprendre qu'on peut être heureux en se donnant, en se dépassant spirituellement. Quelque chose que l'on comprend bien pour l'athlète. C'est une limitation de la conception de la liberté.

Esprit Saint : l'Esprit Saint n'est pas, comme le voudrait la modernité, l'imagination, l'auto-créativité permanente comme le souhaiteraient les mouvements contestataires comme l'Église d'en bas (Allemagne) ou les réseaux du parvis (France). L'Esprit Saint s'imprègne aux racines (écriture, tradition des pères de l'Église). En même temps, tout ne doit pas être imposé d'en haut dans l'Église. L'Esprit Saint est vu avec beaucoup de suspicion par le monde moderne. À la limite comme une maladie mentale.

3

Du Parvis des gentils à Internet :
dialoguer envers et contre tout

L'OFFENSIVE combattante de Mgrs Müller, Sarah et autres ne suffit pas, elle ne résume pas, loin s'en faut, l'attitude de l'Église à l'égard de la modernité. Surtout depuis Jean-Paul II, le Saint-Siège est engagé dans une communication difficile, sans équivoque mais bienveillante, avec le monde moderne. Une main tendue vers l'homme contemporain.

Aujourd'hui qu'une partie du monde de la culture – les grands romanciers chrétiens sont morts – et la grande majorité de la jeunesse lui échappent, il déploie, avec les nouveaux moyens de communication, des initiatives tous azimuts. Il s'agit de prouver que le christianisme est *in*, alors qu'aux yeux de beaucoup, il est *out*.

Il y a d'abord les initiatives spectaculaires qui visent à marquer une présence dans l'art, comme le pavillon du Saint-Siège à la Biennale de Venise 2013. Sur le thème de la Genèse et sous la forme d'une sorte de tryptique création, dé-création, recréation, il apporte un souffle d'espérance et de réflexion dans une foire d'exposition où les artistes s'illustrent par leur regard impitoyable et désabusé sur un monde marchand. Les artistes, croyants ou en recherche, qui ont participé au pavillon, avaient pleine liberté d'inspiration pour leurs installations. La seule consigne était de ne pas réaliser une œuvre liturgique, mais une œuvre inspirée de la Bible qui dialogue avec la modernité. Totalement financée par les sponsors, cette présence a été sans doute exceptionnelle. Benoît XVI, qui avait encouragé plusieurs expositions d'art moderne au Vatican et avait, quelques mois avant sa démission, rendu un hommage bouleversant à la création du monde peinte par Michel-Ange à la chapelle Sixtine, avait encouragé cette initiative de son ministre de la Culture Gianfranco Ravasi. Mais les moyens financiers de l'Église ne permettent pas de multiplier ce type d'initiatives.

Cette offensive artistique s'inscrit dans une diaconie de la beauté plus vaste, à contre-pied de la laideur de beaucoup de nouvelles églises bâties en béton dans l'après-Concile, perçues comme des contre-témoignages. Il ne s'agit pas dans cette diaconie d'une beauté esthétique, mais d'une beauté inspirée. La diaconie de la beauté, comme celle de la bonté et de la vérité, sont censées, dans le cadre de la nouvelle évangélisation, donner envie de l'Évangile au monde moderne. Des artistes français comme Michael Lonsdale et Daniel Facérias s'y impliquent.

Le Parvis des gentils est une autre initiative dirigée vers le monde non croyant et agnostique, qui pour le moment touche surtout les milieux intellectuels et universitaires. Encouragée depuis le début par Benoît XVI, il a parcouru l'Europe de Stockholm à Barcelone et à Paris, en passant par Tirana, est allé parler légalité en terre de mafia, dialogue entre foi et raison, religion et laïcité, droits de l'homme, art sacré et monde profane. Un de ses derniers déplacements a été en juin à Marseille pour un hommage à Albert Camus.

François n'est peut-être pas aussi attentif à toutes ces initiatives que son prédécesseur. Peut-être les juge-t-il secondaires ?

Pour lui, elles sont sûrement louables mais il faut aller plus loin, frapper plus fort. Qu'il soit attentif aux questions des non-croyants, comme Benoît XVI, la lettre publiée en septembre par le quotidien de gauche italien *La Repubblica* le démontre. Il y répondait avec respect aux interrogations de l'athée Eugenio Scalfari. Il livre de manière très personnelle les raisons de son émerveillement devant le mystère de l'Incarnation et exalte la lumière d'un christianisme jugé obscurantiste. Il sait pertinemment qu'écrire à *La Repubblica* a un énorme impact, rejoignant l'italien lambda[1].

Le Parvis a parfois déclenché de furieuses réactions. Par exemple d'intellectuels mexicains attachés à une laïcité intégrale, car il contredisait leur conception d'une religion catholique seulement cantonnée à la sphère privée. Parfois il s'est trouvé en terre de nouvelle mission, par exemple dans la riche Suède, où le catholicisme est perçu comme une forme arriérée et anti-droits de l'homme de la religion. Le Parvis, qui attire une poignée d'intellectuels ouverts, donne l'impression d'avoir une portée limitée. Mais c'est une présence moderne, qui interroge grâce à son intelligence et à sa bienveillance. Même son nom, en référence à cette cour dans le vieux temple de Jérusalem où les juifs pouvaient dialoguer avec les non-juifs, est comme une belle promesse, un défi.

*

* *

Le Saint-Siège a surtout pris la mesure de la révolution d'Internet, qui change en profondeur les relations humaines. La grande révolution de ces décennies.

---

1. *La Repubblica*, 10 septembre 2013.

Regard bienveillant. C'est un mode de communication qui fonctionne en « réseau multiculturel et multilingue, comme l'a été l'Église elle-même » au long de son histoire, note Mgr Claudio Maria Celli, qui dirige les communications sociales au Vatican. Mais regard inquiet aussi, face à une communication tellement capillaire, superficielle et rapide qu'elle semble s'annuler elle-même. La parole chrétienne y est indispensable, car elle peut l'irriguer, estiment ceux qui au Vatican ont à cœur de faire entendre l'Évangile aux hommes d'aujourd'hui. « Dans la désertification spirituelle qui augmente, ces quelques gouttes d'eau fraîche ont leur importance », ajoute l'archevêque. La présence de l'Église, des évêques, du pape même sur Twitter et d'autres réseaux sociaux, correspond à un choix stratégique.

« Internet est un véritable *évangile* des jeunes. Il donne une infinité de réponses, mais elles sont hétérogènes dans leurs valeurs. Les jeunes se déplacent sur ce véritable océan qu'est Internet, et c'est pour cela qu'il est important d'étudier l'éthique de la communication. C'est l'environnement dans lequel se meuvent les jeunes », a expliqué le cardinal Ravasi, pour montrer que l'Église n'a aucun scrupule à être sur Twitter. L'Église doit apprendre « l'alphabet émotionnel des jeunes ».

À l'issue d'un congrès sur les cultures juvéniles émergentes, Alessi Antonelli, un jeune laïc de Florence, a appelé les catholiques à « jeter des perles dans les immenses marécages des réseaux sociaux, où, dit-il, des milliers d'échanges instantanés s'annulent les uns les autres[1] ».

Les théologiens catholiques portent souvent sur Internet un regard inquiet : « la blogosphère permet d'échapper à l'altérité. On zappe et c'est la mort de celui que dans la réalité on ne peut zapper », analyse le théologien François Bousquet.

---

1. Conférence de presse du Conseil de la culture, le 31 janvier 2013.

Mgr Charles Chaput, un archevêque américain, a synthétisé le paradoxe difficile pour l'Église : « Les médias visuels et électroniques prospèrent sur la brièveté, la vitesse, le changement, l'urgence, la variété et les sentiments. Mais la pensée nécessite le contraire[1]. Elle demande du temps, a besoin de silence et des talents méthodiques de la logique. » Comment peut-on imaginer, disent alors les sceptiques, que la pensée articulée de Benoît XVI soit rendue dans un tweet ?

Dans son dernier message pour la Journée des communications sociales, celui-ci n'avait pas choisi, comme en 2012, une réflexion sur la nécessité du silence dans un monde de bruit, mais adopté une approche résolument positive des réseaux sociaux.

Tout en dénonçant l'agitation frénétique, les vides et les enfers où la vie humaine est tirée vers le bas et vers le néant, ce pape avait compris l'importance de la communication via les réseaux sociaux. Ils sont des lieux où « l'on prend au sérieux ceux qui ont des idées différentes des autres, [...] des formes de dialogues qui, si elles sont effectuées avec respect, attention pour la vie privée, responsabilité et fidélité à la vérité, peuvent promouvoir efficacement l'harmonie de la famille humaine », avait-il dit.

Les injures, inepties et calomnies ne l'ont pas découragé de continuer, malgré l'avis de certains cardinaux désapprouvant que le pape se livre ainsi aux commentaires de ses *followers* sans avoir la possibilité de répondre. « Jésus l'avait fait aussi », a relevé Mgr Celli. Il semble qu'une centaine d'internautes sur Twitter, dans la foulée des scandales pédophiles, avaient lancé une campagne pour chasser le pape de Twitter.

---

1. Cité par Mgr Paul Tighe, secrétaire du Conseil pontifical des communications sociales, dans le message de 2012.

« Certains opposants, avec leurs messages négatifs, voulaient nous contraindre à fermer le compte Twitter. Voyant que nous n'avons pas fermé, la veine polémique s'est dégonflée », a estimé Mgr Celli.

François a repris, sitôt élu, le compte Twitter qu'avait ouvert en décembre Benoît XVI. La proportion des messages négatifs des *followers*, est passée de plus de 40 % à quelque 20 %.

L'Église demande à ceux de ses responsables qui sont sur Twitter d'adopter une attitude responsable, car les réseaux sont des lieux de rencontre réels d'aujourd'hui. « Cette réalité n'est pas virtuelle et va durer. Il ne doit donc pas y avoir de dualisme entre être *online* et *offline*. Puisque c'est un réseau social, il ne doit y avoir aucune place pour des comportements antisociaux », analyse Mgr Paul Tighe, secrétaire (numéro deux) des communications sociales et grand artisan de cette présence.

Selon lui, le message chrétien peut apporter une ouverture dans un réseau qui fonctionne parfois en *echo chamber*, où l'usager cherche uniquement à entendre ce qu'il veut trouver.

Ce qui est très étudié au ministère des Communications sociales du Vatican est le retweetage des messages du pape et des évêques.

« L'estimation la plus basse parle de soixante millions qui reçoivent les tweets du pape via le retweetage. » À cela s'ajoute une large fréquentation du site news.va du Vatican, ou de ses canaux sur YouTube ou Facebook (où la présence du pape est exclue).

Mais la présence catholique sur Internet reste encore faible, alors que les réseaux se développent à un rythme infernal. Aller sur Google et faire une recherche avec le mot clé « religion » fait accéder d'abord à des sites musulmans ou à ceux de groupes évangélistes. Et 53 % des usagers catholiques américains des réseaux sociaux n'ont pas conscience d'une présence catholique sur les réseaux. En Turquie, l'intérêt pour la religion – musulmane – est bien plus élevé sur les réseaux.

Mgr Tighe estime que « le message de l'Église est plus radicalement contre-culturel que jamais : l'Église parle de vérité dans un environnement où le scepticisme est la norme ».

Il ajoute que les réseaux sociaux seront des lieux d'intolérance si la recherche de la vérité y est persona non grata. « Le plus grand défi au dialogue est le relativisme, souvent inarticulé, et si prédominant dans la culture occidentale. S'il n'y a pas des choses comme la vérité, comme des réponses bonnes et mauvaises, le dialogue devient sans signification. »

Les débats risqueraient de « devenir des exercices de coercition et de manipulation dans lesquels chacun cherche à imposer son point de vue [...] Le simple volume d'information et d'opinion, en grande partie contradictoire, peut conduire à l'acceptation résignée qu'il est inutile de parler de vérité et d'objectivité », estime le prélat irlandais.

Mgr Tighe voit se dessiner des polarisations croissantes qui laissent peu d'espace aux voix de la modération. Dans la blogosphère catholique aussi, ce phénomène de raidissement et d'intolérance est observable : « Souvent il semble que les protagonistes ne se contentent pas de proposer leurs vues mais tendent à attaquer les arguments et même la personne de ceux qui sont en désaccord avec eux. »

L'engagement ecclésial sur les réseaux est irréversible. « Aujourd'hui nous estimons que beaucoup d'hommes et de femmes qui n'entreront jamais dans une Église ou qui auront beaucoup de mal à être en contact avec une communauté chrétienne, peuvent trouver une première annonce de Jésus à travers une présence digitale. »

Une première annonce en effet. Mais elle ne remplace pas l'expérience essentielle. Pour l'Église et pour François, la rencontre directe, par l'intermédiaire d'autres chrétiens, avec la foi reste irremplaçable pour une nouvelle évangélisation.

4

Concilier miséricorde et exigence
La crise des chrétiens ordinaires

L E regard de l'Église sur les nouvelles réalités n'est pas malveillant comme on l'a vu sur les réseaux sociaux. « Le pape François, rappelle Mgr Celli, demande d'aller aux périphéries existentielles, non seulement pour enseigner, mais aussi pour ne pas condamner : une attitude qui consiste à cheminer aux côtés de l'homme et à dialoguer. Le dialogue aide à comprendre pourquoi l'Église a des positions déterminées. Et aussi nous devons être très attentifs à tout ce qui est dit et à tout ce qui existe. »

Ils sont nombreux dans l'Église à avoir cette exigence d'écoute. Certains plus enclins à la fermeté doctrinale, d'autres à l'ouverture. Personne n'est aveugle devant les changements de société.

Le testament du cardinal Martini

Que l'Église occidentale que reprend en main le pape François soit divisée sur ce qu'il convient de faire face au départ de ses fidèles, un document de première importance l'atteste, qui a provoqué un choc en septembre 2012. L'Église aurait-elle deux cents ans de retard ? C'est ce qu'affirme le cardinal jésuite Carlo Maria Martini au père Georg Sporschill, un jésuite qui l'avait interviewé peu avant sa mort. L'ancien candidat des progressistes, homme de très haute intelligence et loin d'être un révolutionnaire, y livrait une sorte de *testament spirituel*. Dans ce texte brûlant, se retrouvent plusieurs intuitions et priorités soulignées par le pape François, comme l'accès aux sacrements, le dépouillement, l'idée que les dogmes existent pour aider, que le Concile a rendu la Bible aux catholiques, qu'une réflexion s'impose sur le corps et la sexualité.

L'Église est fatiguée, dans l'Europe du bien-être et en Amérique. Notre culture a vieilli, nos Églises sont grandes, nos maisons religieuses sont vides et l'appareil bureaucratique de l'Église en augmentation, nos rituels et nos vêtements sont pompeux. Ces choses expriment-elles ce que nous sommes aujourd'hui ? (…) Le bien-être pèse. Nous nous trouvons là, comme le jeune homme riche qui s'en alla tout triste quand Jésus l'a appelé pour faire de lui son disciple. Je sais que nous ne pouvons pas tout laisser avec facilité. Mais au moins nous pouvons essayer de chercher des hommes qui soient libres et plus proches d'autrui. Comme Mgr Romero et les martyrs jésuites du Salvador. Où sont chez nous les héros desquels nous inspirer ? En aucun cas nous ne devons les limiter avec les contraintes de l'institution[1].

---

1. Interview posthume du cardinal Martini par le père Georg Sporschill

Le cardinal de Milan prend alors l'image des braises cachées sous la cendre, et la retourne.

> Je vois dans l'Église d'aujourd'hui tellement de cendres sur les braises qu'il me vient souvent un sentiment d'impuissance. Comment peut-on libérer la braise des cendres de manière à raviver la flamme de l'amour ? Premièrement, nous devons chercher cette braise. Où sont les gens simples pleins de générosité comme le bon Samaritain ? Qui ont la foi, comme le centurion romain ? Qui sont enthousiastes comme Jean-Baptiste ? Qui osent le nouveau, comme Paul ? Qui sont fidèles comme Marie-Madeleine ?
>
> Je conseille au pape et aux évêques, poursuit-il, de chercher douze personnes hors piste pour les postes de direction. Des hommes qui sont proches des pauvres et qui sont entourés par des jeunes et qui expérimentent des choses nouvelles. Nous avons besoin de la confrontation avec des hommes qui brûlent, pour que l'esprit puisse se répandre partout[1].

Il fait trois recommandations :

> L'Église doit reconnaître ses erreurs et doit parcourir un chemin radical de changement, à commencer par le pape et les évêques. Les scandales de pédophilie nous poussent à nous engager dans un chemin de conversion. Les questions sur la sexualité et sur tous les thèmes concernant le corps en sont un exemple. Elles sont importantes pour tout le monde et parfois peut-être qu'elles sont même trop importantes. Nous devons nous demander si les gens continuent à écouter les conseils de l'Église sur les questions sexuelles.

---

réalisée le 8 août 2012 et publiée le 1er septembre 2012 par *Le Corriere della Serra*.
1. *Ibid.*

L'Église, dans ce domaine, est-elle toujours une autorité de
référence ou seulement une caricature dans les médias ?
Le second est la Parole de Dieu. Le Concile Vatican II
(...) a rendu la Bible aux catholiques. Seul celui qui perçoit
dans son cœur cette Parole peut faire partie de ceux qui
aideront au renouveau de l'Église et sauront répondre aux
questions personnelles avec le juste choix. La Parole de
Dieu est simple et cherche comme compagnon un cœur
qui écoute (...). Ni le clergé, ni le droit ecclésial ne peuvent remplacer l'intériorité de l'homme. Toutes les règles
externes, les lois, les dogmes, nous sont donnés pour clarifier la voix intérieure et pour le discernement des esprits.
Pour qui sont les sacrements ? Ceux-ci sont le troisième
instrument de guérison. Les sacrements ne sont pas un instrument pour la discipline, mais une aide pour les hommes
dans les moments de cheminement et dans les faiblesses
dans la vie. Portons-nous les sacrements aux hommes qui
ont besoin d'une nouvelle force ? Je pense à tous les couples
divorcés et remariés, aux familles élargies. Ils ont besoin
d'une protection spéciale. L'Église soutient l'indissolubilité
du mariage. C'est une grâce quand un mariage et une famille
réussissent (...). L'attitude que nous prenons à l'égard des
familles élargies déterminera la proximité de l'Église à la
génération des enfants. Une femme a été abandonnée par
son mari et trouve un nouveau compagnon qui prend soin
d'elle et de ses trois enfants. Le second amour réussit. Si
cette famille est victime de discrimination, c'est non seulement la mère, mais aussi ses enfants, qui sont rejetés. Si
les parents se sentent hors de l'Église, ou n'en ressentent
pas le soutien, l'Église va perdre la prochaine génération.
Avant la communion, nous prions : « Seigneur, je ne suis
pas digne... » Nous savons que nous ne sommes pas dignes
(...). L'amour est grâce. L'amour est un don. La question
de savoir si les divorcés peuvent recevoir la communion doit
être inversée. Comment l'Église peut-elle apporter son aide

par la force des sacrements à ceux qui ont des situations familiales complexes ?

L'Église est restée en retard de deux cents ans. Pourquoi ne se secoue-t-elle pas ? Avons-nous peur ? La peur plutôt que le courage ? Pourtant, la foi est le fondement de l'Église. La foi, la confiance, le courage. Je suis vieux et malade et je dépends de l'aide des autres. Les personnes bonnes autour de moi me font sentir l'amour. Cet amour est plus fort que le sentiment de méfiance que je ressens parfois envers l'Église en Europe. Seul l'amour vainc la lassitude. Dieu est Amour[1].

Une demande de réponses à des questions insolubles… et raisonnables

Le testament du cardinal ne vient pas de nulle part. Il correspond à un courant de pensée constructif, au sein de l'Église des dernières décennies. Ce texte aura sans doute fait grincer des dents dans les étages du Saint-Office. Certains auront cherché à le minimiser. Mais la qualité de celui – jésuite comme François – qui l'a écrit empêche qu'il soit mis de côté. Une réflexion qui a certainement été reprise par certains au préconclave. Comme à l'époque des premiers chrétiens, une discussion honnête et franche est ouverte entre tenants de différents courants. Une *disputatio*, comme les aime tant Benoît XVI.

Ces chrétiens veulent « jeter des ponts au lieu d'édifier des murs[2] » pour éviter que les rives restent joignables. Ils ne sont pas des radicaux qui font du christianisme

---

1. *Ibid.*
2. Homélie à Sainte-Marthe, le 8 mai 2013.

une annexe de la démocratie. Ce sont des hommes pas-
sionnés de l'Église. Ouverts, anxieux, modérés, ils veulent
rester pleinement catholiques mais pensent que certaines
intransigeances sont intenables. À l'époque du Syllabus,
toutes les thèses modernistes avaient bien été condamnées
par le pape Pie IX, mais un siècle plus tard, la plupart
seront reçues dans le corpus de l'Église par le Concile.

Tenir compte des nouvelles connaissances, y compris
celles des chercheurs catholiques. Distinguer ce qui est
du ressort du dogme – inamovible – et de la pastorale
– flexible, humaine. Une approche jésuite donc, est peut-
être à attendre, à la façon Martini.

Ces modérés pensent à Marie-Madeleine, à la Samaritaine, à Zachée. Pour tous ceux qui ne sont pas en règle
et qui sont des gens bien, il est urgent que l'Église reconnaisse qu'elle a manqué de charité, de réalisme, de paroles
d'accueil. Que la sexualité et l'affectivité conduisent les personnes sur divers chemins. Que le monde des sentiments a
été dévalué dans l'Église, conduisant souvent à l'hypocrisie
et au double jeu. Que ce qui compte, chez chacun, est la
vérité, la charité, la pureté du cœur, le désir de la foi, et
que des vertus se trouvent chez Marie-Madeleine, Zachée
et la Samaritaine, François le dit.

Encouragés par ce qu'ils pensent être l'esprit du Concile,
ces penseurs, dont beaucoup de femmes, jugent que vouloir
de telles évolutions n'est en rien être infidèle au magistère.
Ils pensent à tous ces prêtres mariés qui devraient être
réembauchés.

Le mur d'incompréhension semble parfois infranchis-
sable, comme le signifie la réponse d'un théologien de
morale dogmatique du Vatican, proche de l'Opus Dei :
quelles peuvent être, lui demande un journaliste, les conséquences sur la doctrine de l'Église des connaissances des
sciences humaines – psychologie notamment – et aussi

des trésors de la littérature mondiale, qui décrivent les complexités infinies de l'affectivité, et témoignent que, depuis les tragédies grecques, on meurt d'aimer[1] : « Il n'y a rien à changer à la doctrine catholique qui est éprouvée, immuable et sans erreur. Ces recherches n'ont rien apporté de fondamental, elles sont dans l'égarement », tranche-t-il.

Le nouveau pape semble au moins vouloir écouter les voix sincères : « Votre fidélité à l'Église exige encore d'être durs contre les hypocrisies, fruits d'un cœur fermé, malade. Mais votre devoir principal n'est pas de construire des murs mais des ponts. Dialoguer signifie être convaincu que l'autre a quelque chose de bon à dire, donner de l'espace à son point de vue, à ses propositions, sans tomber, bien sûr, dans le relativisme. Dialoguer signifie abaisser les défenses et ouvrir les portes[2] », recommande-t-il aux rédacteurs d'un revue jésuite.

Théophile et Félicité ont 75 et 73 ans. Ils sont mariés depuis cinquante ans. Ils sont profondément croyants. Vivent une existence de partage et de pauvreté évangélique. Sont visiteurs de prison. Se sont installés à la retraite à proximité d'un monastère des Carmes, et ils vont tous les jours à la messe. La raison de leur rapprochement est la présence aux Carmes d'un vieux prêtre, très fin et attentif, qui les aidés dans toutes les étapes de leur vie, bonheurs, deuils et souffrances. Baignés dans la lumière du Concile, ils ont lu tous les grands théologiens (De Lubac, Danielou, Congar, Balthasar). Ils ont eu six enfants, ont des petits-enfants. La plupart ont abandonné la foi autour des vingt ans, et vivent en couple, sans être mariés. Plusieurs n'ont pas fait baptiser leurs enfants, ce qui est une souffrance

---

1. *Mourir d'aimer*, titre du film culte d'André Cayatte de 1971.
2. Discours du pape du 16 juin aux responsables de la revue jésuite *Civiltà Cattolica*.

silencieuse pour Théophile et Félicité. Les plus croyants sont une fille qui s'est reconvertie en rejoignant le Chemin néocatéchuménal. Avec son mari, ils ont déjà quatre enfants et sont très enthousiastes. L'autre de leurs enfants le plus assidu à l'église est leur fils homosexuel, qui est engagé dans sa paroisse avec son compagnon. Comme tous les vieux catholiques de cette génération, ils ont observé la crise de l'Église, n'ont pas toujours été d'accord avec elle. Ils ne l'étaient pas non plus avec les contestataires systématiques. Ils ont observé le bien-fondé de la parole claire du pape Benoît XVI sur la dictature du relativisme et les menaces à la vie. Un pape qu'ils ont trouvé sévère et lointain mais qu'ils ont appris à aimer par les lectures de *La Croix* et de *La Vie*. Ils ont aimé sa fermeté et sa clarté sur le scandale pédophile qui les a beaucoup traumatisés, qu'ils ont vu comme la marque la plus choquante d'un problème de fond de l'Église avec la sexualité, même si l'Église n'est pas seule en cause. Ils ont pris du recul par rapport à l'Église institution, sont devenus plus critiques, plus amers. Ils ne sont pas pour autant des opposants à la papauté. Et le pape François a réveillé leur enthousiasme, il a suscité leurs attentes de réponses à leurs questions :

Ils ont rédigé une sorte de testament sous forme de questions :

– L'usage assumé de la contraception par une majorité de femmes catholiques, notamment celles qui sont les plus pauvres, ne doit-il amener à une révision de la condamnation de la pilule ?

– Les divorcés remariés peuvent-ils vraiment continuer à être exclus de la communion ? Comment ne pas voir aussi la souffrance dans certains couples ? Les femmes le plus souvent paient le prix fort des violences, et aussi les enfants, pour qui la séparation des parents est parfois la seule solution. D'autres confessions chrétiennes sont plus souples sur le divorce. Les tribunaux ecclésiastiques chargés d'annuler des mariages ont recours parfois à des arguties hypocrites pour déclarer nul un mariage. Quand par exemple un mariage avec enfants est annulé à la fin d'une vie, parce qu'il n'y aurait pas eu libre consentement ! De la part d'une Église qui met en avant la fécondité, ce type de jugement paraît scandaleux.

– Peut-on continuer à traiter les homosexuels hommes et femmes de pécheurs, alors qu'ils sont nombreux à être engagés dans l'Église, et qu'ils veulent réussir leur vie de couple dans la fidélité ? En quoi sont-ils pécheurs du fait de leur inclination sexuelle ? Comment prétendre imposer une chasteté totale à ceux qui n'ont pas fait de vœux de célibat ? Le rejet de leur réalité ne conduit-elle pas à les décourager à trouver des situations stables ?

– Les familles recomposées et les mères célibataires sont toujours plus nombreuses. L'Église ne doit-elle pas mieux les accueillir ? Beaucoup de femmes ayant avorté jeunes à la suite d'un accident de parcours veulent se rapprocher de l'Église, sortir de l'opprobre et de leur souffrance intérieure. La vexation de celle qui vit seule avec un enfant (qui souvent a voulu garder l'enfant sans avorter) mais qui n'ose pas aller à la paroisse ne devrait plus exister.

– La cohabitation juvénile est un fait majoritaire de nos sociétés. L'Église a le droit de la désapprouver et doit appeler au mariage. Elle doit faire découvrir la sacralité de ce beau sacrement. Mais doit-elle exclure les jeunes, le simple fait de se savoir condamnés les poussant à abandonner la foi chrétienne ? Des jeunes, vivant des relations d'amour solides sans être mariés, ne se trouvent en rien coupables d'aimer. Ils sont des millions à quitter l'Église en se sentant jugés. Doit-on continuer à parler d'état d'excommunication pour eux ? N'y a-t-il pas d'autres mots moins terribles pour ceux qui ne sont pas en règle ? L'Église n'a-t-elle pas quelque mauvaise conscience avec les questions sexuelles ?

Il m'est arrivé souvent de rencontrer en France de ces vieux couples comme Théophile et Félicité qui voient que leurs enfants ne les ont pas suivis comme croyants et pratiquants. Ils pensent qu'ils ont besoin de Dieu et que l'Église, et en aucun cas les sectes, doit leur apporter Sa parole. L'Église, disent-ils, a trop semblé mépriser les sentiments des hommes et des femmes, leur simple joie de vivre, et s'est ainsi souvent coupée d'eux. La dimension religieuse, pensent Théophile et Félicité, devrait savoir préserver les parts du sentiment et du rêve, les jardins intérieurs, sans pour autant renoncer à l'exigence morale. C'est un délicat dosage. Ces dimensions sentimentales ne s'opposent pas au désir de croire.

Pour Théophile et Félicité, ce départ de plusieurs de leurs enfants de l'Église a été vécu comme un Vendredi Saint. Mais, selon Théophile, leurs enfants continuent à croire obscurément à la Résurrection de Pâques, au fond de leur cœur. La graine semée n'est pas morte.

Les questions que posent Théophile et Félicité font écho à celles de millions de gens, en cette période où les structures familiales se sont affaiblies. Un pays caractéristique est le Brésil, où toutes les situations décrites plus haut sont légion. Beaucoup haïssent l'Église de se croire condamnés et exclus.

Le pape François, en refusant de polariser le débat sur ces sujets, semble déjà alléger le poids du jugement. Il s'agit d'encourager la réconciliation intérieure et la durabilité du lien pour toutes les Samaritaines du monde, après des expériences, des souffrances parfois terribles. La qualité du christianisme ne se mesure-t-elle pas précisément à la chance qu'il donne à chacun de trouver son chemin à la suite du Christ, quels qu'aient été leurs détours d'enfants prodigues ? L'Église ne doit-elle pas récompenser celui qui effectue un chemin de retour ou fait des choix pour la vie – par exemple en gardant un enfant conçu hors mariage – et pour la fidélité ? François en semble convaincu.

Sans doute aussi, l'Église, qui a profondément pâti des conceptions puritaines au XIXe siècle, et a effectué tout un chemin avec Jean-Paul II et Benoît XVI, doit-elle encore évoluer dans sa compréhension de la sexualité et de l'affectivité humaines.

Ainsi soient-ils et *Catholique anonyme* : échec et renouveau

Deux histoires filmées ont illustré ces dernières années de manière exemplaire la place de la foi dans le vécu quotidien de Paris, et la perception qu'on en a, en plein tsunami de la sécularisation. L'une est *Ainsi soient-ils*, feuilleton à succès passé sur ARTE en 2012, qui raconte l'échec de la vocation de cinq jeunes séminaristes au séminaire parisien des Capucins. L'autre est *Catholique anonyme*, ou l'histoire d'une secrète conversion d'un Parisien à qui tout réussit... Ce livre best-seller d'un producteur de télévision, Thierry Bizot, a été transcrit au cinéma par sa femme Anne Giafferi, sous le nom *Qui a envie d'être aimé ?*

Ces deux événements culturels montrent deux visions antinomiques du phénomène religieux en France. Dans le premier, la bonne volonté existe mais la foi est vouée à l'échec, parce que dépassée et inadaptée. Dans le second, le scepticisme est d'abord prépondérant, mais la foi, petite voix de liberté, l'emporte dans la discrétion et l'amour, en ne détruisant rien.

Dans *Ainsi soient-ils*, tout avait très bien débuté. Cinq jeunes gens sympathiques, convaincus, d'origines diverses, entrent au séminaire à Paris. Ils sont formés par le prêtre capucin très conciliaire, à l'esprit évangélique torturé et bon. Un vrai père spirituel. Jeunes et pleins d'énergie, apportant avec eux leurs souffrances (les divisions de leurs familles, un crime passé pour l'un, les deuils...), ils sont enthousiastes et en même temps hypersensibles, un peu fragiles, comme souvent ceux qui s'engagent dans un tel choix de vie. On croit qu'ils vont réussir, s'accrocher. Les premiers offices dans la chapelle du séminaire les montrent ardents, concentrés, graves. Il y a juste une fuite d'eau sur la statue de la Vierge qui aurait dû les alerter. Car tout s'écroulera. Un cardinal très caricatural, plus préoccupé de sa belle soutane rouge et de ses avantages au Vatican, mettra au pas le père capucin trop progressiste, conformément à un schéma efficace. La question de la chasteté deviendra très vite centrale. Les séminaristes engageront des liaisons avec des filles et des garçons, tomberont aussi dans la dépression et l'un aura un accès de folie. Leçon de ce film : la vocation religieuse est peut-être un bel idéal, mais pas dans l'Église, pas dans la chasteté !

Dans *Qui a envie d'être aimé ?* qui est un témoignage vécu, c'est une démarche contraire qui est entreprise, de la négation du spirituel à la découverte de la foi. Ce quadragénaire marié, père de deux enfants, a plutôt réussi mais pourtant il sent sa fragilité, une certaine vacuité de la vie dans l'audiovisuel. Une vie mondaine et bavarde. Thierry Bizot saura très bien le raconter. Quand il parle de religion dans les dîners entre amis, on se tait, on lui fait sentir qu'il est démodé, on détourne la conversation. Comme s'il gaffait. « Qu'est-ce qui t'a pris ? », lui reproche ensuite sa femme. Elle est athée et elle ne comprend pas qu'on aborde la question dépassée, non moderne, de la religion. Thierry continue à se rendre, un peu contre son gré, mais poussé par quelque chose d'étrange, dans une salle paroissiale sinistre, en cachette. Une petite équipe de prêtres et de laïcs du Chemin néo-catéchuménal l'accueille. Les catéchistes sont plus nombreux que les catéchisés. Il résiste, hésite. Il se dit qu'il se retrouve au milieu de bras cassés, d'âmes perdues, hommes et femmes célibataires, pleins de problèmes, incapables de nouer des relations. Pourquoi n'est-il pas resté devant son poste de télévision ? Jusqu'au jour où il sent le désir d'adhérer au Dieu de l'Évangile, où il comprend qu'il est un de ces bras cassés, qu'il n'a plus de mépris. Le plus beau est à la fin. Très inquiète et intriguée, sa femme le suit jusqu'à cette salle anonyme, entre discrètement et écoute son témoignage. Elle qui ne croit pas, comprend alors que son mari a vécu quelque chose d'important, qu'il n'est pas sous l'emprise d'une secte, mais qu'il est transformé par quelque chose de plus fort que lui. Elle reconnaît en pleurs qu'il a changé. Elle admet qu'il s'est converti, non pas pour moins l'aimer, se séparer d'elle, mais au contraire pour davantage et mieux l'aimer. Désormais, lui, le reconverti à la foi de son enfance, et elle, la femme moderne et athée, continueront leur vie ensemble.

Exigence et identité

Qu'allait faire cet homme marié, ce présentateur de télévision à succès, à ces catéchèses, où il se retrouvait au milieu de paumés, de personnes isolées, tristes ou exaltées ? Il allait chercher un message radical et à contre-courant.

Une Église qui veut être dans le vent, qui dit « choisissez ce que vous voulez » est-elle solide ? Une Église qui ne propose que ce que propose le monde est-elle crédible ? Une Église qui semble avoir honte d'elle-même est-elle attirante ? Non, et c'est tout le paradoxe que l'on observe depuis le Concile et que voulait dénoncer à sa manière, un peu rigoureuse, Benoît XVI.

« Il y a vingt ans, la règle chez les catholiques était de ne pas imposer sa foi dans les conversations avec les autres », note un cardinal. Un syndrome de l'embarras que le pape François est en train de supprimer.

« Incapables de proposer l'Évangile, faibles dans notre conviction de la Vérité qui sauve, prudents parce qu'opprimés par le langage (politiquement correct), nous avons perdu la crédibilité. Nos communautés apparaissent faibles, obsolètes, ne communiquent pas la joie, sont incertaines sur le chemin à prendre, emplies de nostalgie pour les temps passés », a affirmé dans un véritable réquisitoire Rino Fisichella, le ministre de la nouvelle évangélisation du pape, au synode d'octobre 2012.

Le père français Didier Duverne, expert du même Conseil pontifical, remarque ainsi que les communautés qui attirent le plus les jeunes et où les vocations sont les plus nombreuses sont celles qui présentent le plus clairement, dans son intégralité, le message chrétien. Assez souvent les plus identitaires dans l'habit, la liturgie.

« Les groupes qui ne s'isolent pas dans le cadre revendicatif restent davantage dans le coup. Si vous savez ce que vous croyez, vous êtes plus attirants pour un adolescent que ceux qui vont au fil de l'eau. Il y a une nouvelle génération, des jeunes familles, de jeunes couples qui vivent la foi de manière décomplexée et solide, fiers d'être chrétiens, pas dégagés de la chose publique. Ils avaient reembrayé avec Benoît XVI, ils réembrayent avec François, toujours aussi à l'aise. Ce sont en partie les enfants de la génération Jean-Paul II, celle qui affluait aux JMJ. »

Ce qui frappe le père Duverne, c'est qu'« ils ne sont pas nostalgiques mais reconnaissants ». « C'est d'eux que viendra le salut de la nouvelle évangélisation », espère ce prêtre français pour qui la messe de Paul VI a été souvent gâchée, rendue insupportable par l'incompétence liturgique et la formation médiocre de certains prêtres.

Jean-Paul II et Benoît XVI ont insisté sur la fierté de dire sa foi, ont défendu la conviction que l'Église doit continuer à proposer des idéaux de perfection. Ils portent des fruits.

François continue sur la même voie d'une foi sans complexe, mais en insistant pour que les propositions soient complétées par le feu de la charité qui seule les rend crédibles. « La loi suprême est le salut des âmes », avait affirmé le futur pape dans son interview à *Trenta Giorni*, laissant ainsi ouverte l'initiative de l'Esprit Saint dans l'Église.

François ne veut pas de prêtres collectionneurs d'antiquités ou de nouveautés. Le mot nouveautés est aussi important que celui d'antiquités. Nouveautés veut dire gadgets, solutions séduisantes mais non ancrées dans la foi.

Il ne faut pas attendre de bouleversement dans les lois du christianisme. Divorce, avortement, homosexualité ne seront jamais encouragés. Car la morale chrétienne est une et tout se tient. « L'Église ne peut pas changer sa morale sexuelle, car elle est liée à l'image même de l'homme théologique révélée dans la Bible », souligne Giovanni Maria Vian, qui affirme que « François est en continuité avec Benoît XVI » sur ces questions.

Plus que jamais alors, se pose pour l'Église le scandale de la mère excommuniée de Recife. L'Église est-elle l'Église de la miséricorde, qui permet un nouveau départ, est-elle une mère, comme aime tant le dire le pape François ? Le Christ ouvre-t-il ses bras, la Vierge pleure-t-elle avec la personne en échec ?

La grande distinction, essentielle, qu'il faut faire selon le directeur de *L'Osservatore Romano* Giovanni Maria Vian, est entre la loi immuable de l'Église et la pratique pastorale (qu'on appelle orthopraxis). C'est dans ce cadre de l'orthopraxis, dit-il, que les prêtres peuvent admettre à communier des divorcés remariés et accueillent des couples d'homosexuels dans les tâches d'accueil pastoral.

Le magistère n'est pas aveugle. Peut-on continuer avec certaines excommunications automatiques, avec le refus de reconnaître le manque de consentement et de maturité religieuse dans certains mariages – un point que François lui-même a dit vouloir approfondir –, ou à culpabiliser l'homosexualité ? Mgr Timothy Dolan, archevêque de New York, conservateur moderniste, a estimé ainsi qu'il vaut mieux accueillir les homosexuels. L'idée d'unions civiles pour eux est acceptée par certains évêques. La réflexion sur les divorcés remariés est devenue bienveillante. Benoît XVI pensait déjà aux cas d'annulation des mariages, en cas de manque de foi et d'adhésion au sacrement. C'est tout un lent chemin d'ouverture que François va continuer. Un chemin sans abandon, cherchant des solutions pour tous ceux qui ne sont pas en règle.

5

Une religion sur le déclin ?

Le succès des évangélistes

Le pape François est venu à Rio raviver la flamme d'une Église catholique encore puissante, mais dont une partie de la sève s'est transfusée depuis quarante ans dans les Églises évangéliques et pentecôtistes.

Leur succès populaire est si patent dans un pays émergent en plein bouleversement comme le Brésil qu'on se demande si les cardinaux n'ont pas voulu trouver en Jorge Maria Bergoglio un pape évangéliste, ou qui leur ressemble ?

François, selon le mensuel de l'évangélisme américain *Christianity Today*, serait populaire dans leur mouvance américaine, souvent très conservatrice. Le pasteur Timothy George, a publié une tribune en juin[1] : « Notre François, à nous aussi », faisant l'éloge du nouveau pape, vantant son rejet de la pompe pontificale et aussi ses

---

1. *Christianity Today*, « Our Francis, too » de Timothy George, juin 2013.

positions fermes *pro-life* quand il était archevêque de Buenos Aires.

La religion catholique est soumise à la rude concurrence des groupes pentecôtistes et évangélistes dans les Amériques et en Afrique. Est-ce une revanche contre une religion trop longtemps assimilée au pouvoir ? Une réaction contre un culte trop règlementaire, trop pointilleux ? Les cathédrales et églises sont-elles trop froides et solennelles ?

L'élection du pape argentin peut s'expliquer en partie par un désir de montrer que l'Église elle aussi sait être proche, parler aux pauvres.

L'identité claire, l'exubérance attirent les déshérités, même si ces communautés pentecôtistes, très diverses, certaines syncrétistes, peuvent être bardées d'intolérance. La religion romaine, exigeante et bien cadrée d'un Benoît XVI, est devenue pour beaucoup un mets indigeste.

Mais il y a sans doute une explication qui va au-delà. « En Amérique latine, les théologiens de la libération, dominants dans les années 1970-1980, parlaient justice sociale mais ne prononçaient plus le nom de Dieu. D'où le vif succès dans l'Église des charismatiques qui ne parlaient plus de social, et surtout des évangélistes qui promettent le Dieu sauveur avec force », analyse un expert latino-américain du Vatican.

L'arrogance, la bigoterie et l'hypocrisie d'une partie du clergé sont aussi en cause. « Notre expérience dans le tiers monde me dit que l'Évangile peut être prêché à ceux qui ont l'estomac vide, mais si seulement l'estomac du prédicateur est aussi vide que ceux de ses paroissiens », avait lancé au synode d'octobre un évêque philippin, Mgr Socrates Villegas.

De l'Amérique latine à l'Afrique, pentecôtistes, évangélistes et sectes attirent. Des pasteurs autoproclamés fondent leurs Églises au coin des rues, sous les noms les plus divers et pittoresques.

Veillées de miracle, de délivrance, de restauration. Exorcismes, transes. Les gens simples délaissent la traditionnelle messe froide pour chanter, danser et trouver une nouvelle famille. Certaines célébrations – souvent des *shows* avec paillettes et effets spéciaux – sont relayées par de puissantes chaînes de télévision. Quelques-unes de ces communautés sont des sectes aux revenus juteux.

En République démocratique du Congo, Mgr Nicolas Djomo Lola, évêque de Tshumbe, s'est plaint lors du synode d'octobre 2012 de ce qu'il appelle la malcroyance, dans un pays où le christianisme est mal enraciné. D'où la croissance des diverses Églises dites du Réveil, où sont acceptés d'antiques rites africains que l'Église catholique avait parfois abruptement rejetés.

« Beaucoup nous quittent, par milliers ; c'est une hémorragie, ces gens recherchent des solutions immédiates : à leurs problèmes de santé et de chômage par exemple. Ils reçoivent un accueil chaleureux, inconditionnel, peu culpabilisant. On leur explique la Bible, alors que le catéchisme catholique n'est pas encore traduit dans les quatre langues nationales ! Ces groupes en même temps les exploitent parfois. »

« Nos communautés catholiques devraient davantage cultiver l'accueil », reconnaît Mgr Djolo, dans une phrase que ne renierait pas le pape Bergoglio, en référence à une Église qui souvent exclut, cherchant à vérifier si le fidèle est en règle, alors que personne n'est vraiment en règle.

On compterait plus de dix mille Églises du Réveil rien qu'à Kinshasa.

Les nouveaux pasteurs se montrent souvent agressifs à l'égard de l'Église catholique, morte, disent-ils. Ils soulignent que c'est chez eux que les chrétiens trouveront de l'entraide plutôt que dans les paroisses catholiques trop vastes, aux prêtres débordés.

Lucide, le pape Benoît XVI l'avait pressenti : le catholicisme risque d'apparaître comme un système européen. Il n'a jamais apprécié le côté magique de la religion pentecôtiste. Et François, quand il s'élève contre les mages[1], pense de même. Il semble cependant bien moins fermé à l'expression libre et multiculturelle de la foi.

Au Brésil, les Églises évangéliques et pentecôtistes rassemblent 22 % de la population, soit quarante-trois millions de Brésiliens. Tandis que 63 % des habitants se disent catholiques alors qu'ils étaient 91 % dans les années 1970. Certaines de ces nouvelles Églises sont des puissances économiques, comme l'empire médiatique et financier du pasteur député pentecôtiste, le très conservateur Marco Feliciano, à la tête de l'Église de l'Assemblée de Dieu.

Un mélange trouble parfois d'influences religieuses, politiques et économiques. Une évolution tentante aussi pour le clergé catholique local, contre laquelle les cardinaux mettent en garde. L'Église se suicide quand elle entre directement en politique ou en affaires, martèlent-ils.

Les passages dans certaines nouvelles Églises peuvent être traumatisants, et les fidèles se sentir floués, escroqués, sous emprise psychologique. Certains reviennent.

Les Églises catholiques de ces continents cherchent de plus en plus à réintroduire davantage de fête dans leurs célébrations. Et nombre de prêtres d'imiter les pentecôtistes, au déplaisir de leur hiérarchie.

La visite du pape argentin à Rio, où il a vanté une Église prophétique, exigeante, dépouillée et sans artifices, suffira-t-elle à arrêter l'hémorragie causée par des formes appauvries et commerciales de la religion ?

---

1. Homélie de Sainte-Marthe, le 5 avril 2013.

Le respect et la peur de l'islam
L'Église des martyrs

Comme les évangélistes, l'islam attire aussi des jeunes par son affirmation forte de Dieu. La situation des chrétiens dans le monde musulman, l'intolérance et leur départ massif vers une diaspora où ils perdent leurs racines sont le troisième dramatique défi du pape François.

François l'a bien redit, dès son élection, avec respect, la main largement tendue : le dialogue avec l'islam reste une priorité absolue.

Ces deux religions du Livre sont si liées par l'attachement au Dieu d'Abraham, grand et miséricordieux, et en même temps si différentes, par leurs logiques, leur priorités mêmes...

Le dialogue théologique s'avère impossible, l'islam ne pouvant comprendre la religion de la Trinité. Et, puisque la situation est mauvaise dans de nombreux pays, il est d'autant plus impératif de renforcer le dialogue, disent tous les experts du dialogue interreligieux. Il faut parfois accepter les déclarations vides de sens et générales, plutôt que de consentir à des ruptures.

Beaucoup de chrétiens dans le monde musulman voient aujourd'hui leurs droits laminés, sont menacés dans leur vie, et des chrétiens se convertissent à l'islam radical, y compris dans les pays européens.

À côté d'un christianisme parfois hésitant, la foi musulmane possède l'attrait d'une religion aux obligations simples, qui ne se discute pas, mais qui est toute tournée vers la grandeur de Dieu. Une religion obéissante. Un culte d'une communauté, l'oumma, réunie par le même amour d'Allah et le respect de la parole du Prophète. Un culte qui ne connaît pas le doute, ni n'accepte l'abandon.

Religion convaincue intimement d'être la seule accomplie, l'ultime. Dont tous les hommes sont des convertis potentiels.

Alors que la coexistence entre islam et christianisme a été (et est encore) bonne dans plusieurs pays, marquée par le respect, l'entraide et la tolérance mutuels, comme le montre le beau film *Et maintenant, on va où ?* de la Libanaise Nadine Labaki, ce modèle vole en éclats. Le Printemps arabe est devenu en de nombreux endroits un hiver où l'islamisme prend peu à peu le dessus sur le soufisme tolérant et mystique.

Plus que jamais, dans le monde musulman, du Pakistan et de l'Irak au Nigeria, on parle à juste titre de l'Église des martyrs. Dès l'élection de François, évêques, patriarches sont venus demander une aide spirituelle, morale, matérielle au pape, croyant en un miracle dans leurs situations désespérées. En Syrie, des évêques orthodoxes engagés pour la paix et la coexistence ont été enlevés, apparemment par des djihadistes tchétchènes.

Et il y a toujours de nouveaux foyers de conflit. Qui dit attentat dit désir de vengeance, tension. Les évêques nigérians font ainsi tout leur possible pour que les chrétiens opposent la non-violence aux attaques de leurs églises par Boko Haram. Mais comment éviter des représailles ? En Égypte, les églises de la minorité copte ont été attaquées par des groupes de sympathisants des Frères musulmans.

Au synode d'octobre, le cardinal ghanéen Robert Turkson, président du Conseil pontifical Justice et Paix, avait diffusé une vidéo alarmiste très critiquée par ses pairs. Sur la base de projections démographiques, elle affirmait en gros que l'Europe serait majoritairement musulmane dans cinquante ans. La vidéo avait trouvé des échos favorables notamment auprès des évêques africains, qui, profitant du huis-clos du synode, avaient exprimé leur peur de l'expansion d'un islam radical.

Même en République démocratique du Congo, « des programmes sont lancés par l'Arabie saoudite : ils sont en train de construire des mosquées, de donner des bourses à des jeunes », s'est inquiété en marge du synode Mgr Nicolas Djomo Lola, évêque de Tshumbe[1].

En Tanzanie, fin mai 2013, l'Église locale vient à son tour d'appeler au secours. Elle accuse un groupe radical d'abuser de la bannière musulmane pour semer les troubles et de ternir l'image de musulmans de bonne volonté, après un attentat qui a fait trois morts et soixante blessés dans l'église Saint-Joseph-le-Travailleur d'Arusha. Ces terroristes, disent les évêques, veulent la fermeture de la représentation du Vatican. L'attentat s'inscrirait sans doute dans le cadre des maux planifiés par ceux qui ne veulent pas du bien à l'Église et qui reprochent à la Tanzanie d'être dirigée de manière chrétienne.

Un clignotant supplémentaire s'est allumé pour Jean-Louis Tauran, le ministre des Relations interreligieuses du Vatican qui maintient coûte que coûte depuis 2007, mais sans naïveté, le dialogue avec les musulmans.

Signal d'alarme qui s'ajoute à d'autres, au Nigeria, au Pakistan, à une trentaine d'autres pays... Et surtout en Syrie. Dans la grande division chiites-sunnites, qui est la toile de fond du conflit syrien, les chrétiens, seuls à n'être pas armés, sont pris entre deux feux. Une région qui était le berceau du christianisme se vide d'une partie de ses habitants et de sa richesse culturelle. Dans le monde musulman, les conversions au christianisme se font dans le secret, sont vécues comme des fautes dans les familles, peuvent être punies de mort.

---

1. Propos en marge du synode sur la nouvelle évangélisation, octobre 2012.

Le christianisme garde des alliés chez les responsables musulmans qui voient en lui un garant de la diversité et de la tolérance. Muftis sunnites, souverains hachénites, imams chiites notamment... Sans compter les millions de musulmans habitués à cette coexistence millénaire.

Conclusion

Temps d'espérance...

> C'est comique en vérité, elle a pour
> but la vertu, c'est une chrétienne, or elle
> est toujours en colère, elle a toujours des
> ennemis, et ses ennemis sont également des
> chrétiens, qui n'ont pour but que la vertu.
>
> Léon TOLSTOÏ,
> extrait de *Anna Karénine*

Ainsi, dans *Anna Karenine*, l'héroïne s'interroge-t-elle sur une de ses amies très croyantes.

Au XIXe siècle déjà, des chrétiens sincères étaient aussi amers face aux pesanteurs du passé, aux idées nouvelles et à la contestation permanente. Ils en avaient oublié la joie de l'Évangile.

Plus d'un siècle après, l'amertume règne dans l'Église, même si François l'a allégée. La tiédeur et les replis sont nombreux et les forces hostiles au fait religieux sont mobilisées, actives, imaginatives. Les déceptions apparaîtront de même que la mise au jour de scandales encore cachés. Ce pape n'a pas de recettes. Contrairement à une vision extérieure de journaliste, les réformes structurelles ne sont pas tout, car l'Église n'est ni une ONG ni une démocratie. Mais François a une capacité que n'avait pas son prédécesseur, la communication, la chaleur humaine. Intellectuel, il ne communique pas en intellectuel.

Qu'est-ce qui peut réconcilier les gens et l'Église sous le pape François ? D'abord un changement d'attitude et de regard sur le monde, en parlant moins et en s'engageant plus, et en prenant davantage en considération la complexité des réalités, comme celles de la sexualité, en les jugeant moins.

François assure, citant Benoît XVI, que les vrais chrétiens sont révolutionnaires[1]. La révolution en gestation est celle de la miséricorde, mot clé de son pontificat. Sans rien céder sur l'essentiel – il ne le veut pas –, le nouveau pape jésuite pourrait permettre des évolutions face aux nouvelles réalités, en tenant compte des connaissances accumulées dans les sciences du comportement humain. Il a fustigé nous l'avons vu, le « sacrement de la douane ». Il pourrait limiter les exclusions, donner un accès plus large aux sacrements, faire redécouvrir la rencontre avec Dieu à travers le conseil spirituel et le sacrement de réconciliation.

Et puis, c'est sa façon d'être le pasteur qui change la donne. Il met en pratique une poignée de mots lumineux, auxquels adhérait Benoît dans ses écrits mais que François porte avec plus d'énergie :

– une certaine vertu de pauvreté, en cohérence avec le message ;

---

1. Discours du pape le 17 juin 2013 devant le Congrès ecclésial du diocèse de Rome, cité par l'agence I.Media.

– la miséricorde : compréhension pour les situations diverses, acceptation des pécheurs ;

– la proximité, la simplicité, l'accessibilité du message pour tous ;

– la joie de la bonne nouvelle du Salut ;

– la prise de risque, le courage, l'engagement jusqu'au bout ;

– des structures plus légères ;

– moins de situations installées, plus de radicalité.

Jean-Paul II avait dit : « N'ayez pas peur. » Benoît XVI a déblayé tous ces terrains grâce à sa pensée limpide. François semble avoir l'énergie de mettre en œuvre ces mots lumineux. Si l'Église est plus crédible, plus héroïque, plus miséricordieuse, elle convainc. Être une alternative au monde de l'homme-objet. Cela signifie une Église qui dérange, qui ne suscite plus l'indifférence, que ses positions radicales amènent parfois à être haïe, persécutée.

Une Église qui s'adapterait au monde serait vouée au déclin, à la dilution. C'est ce que les papes polonais et allemand ont voulu éviter, au risque – assumé – d'être taxés de conservatisme. François assume ce risque lui aussi.

En gros, il s'agit de réaliser le grand souffle du Concile Vatican II, qui était venu rajeunir une Église sclérosée, mais l'avait ébranlée. Benoît XVI avait dit, dans un de ses derniers messages, que le Concile restait largement à réaliser.

C'est cette Église fervente, résistante, proche des hommes, de leur piété naturelle, que reconstruit François.

Car sa démarche trouve écho dans un monde toujours travaillé par la grâce. C'est ce que croit celui qui est un des plus lucides observateurs du Vatican, le cardinal Jean-Louis Tauran, qui a vu la postmodernité se développer sous les trois papes : « Nous devons reconnaître avec gratitude l'action de l'Esprit dans le cœur des hommes de notre temps : je pense aux petits gestes d'attention, de respect, de délicatesse, à l'immense patrimoine du volontariat, à la soif de justice, à la rectitude morale de tant d'hommes [...] Dans ce monde en pleine évolution, les hommes s'interrogent sur le sens de leur vie, leurs souffrances, leur mort. Toutes ces demandes en réalité ne sont pas autre chose que le rappel de Dieu qui frappe à la porte du cœur de l'homme[1]. » Une note d'intense espoir. L'Église a raison de lutter pour faire aimer sa vérité contradictoire.

C'est un Tout Autre, à l'intérieur et au-delà de nous, que Benoît propose quand il contemple Dieu dans l'image de Jésus, et que François offre de découvrir quand il appelle à voir le Christ dans l'homme tel qu'il est : un Tout Autre porteur d'une joie différente des bonheurs les plus intenses de la vie, et qui frappe à notre porte encore aujourd'hui.

---

1. Homélie du cardinal Tauran à Santo Stefano (Pouilles) dans le cadre du Forum de culture religieuse, le 10 juin 2013.

Annexe

BENOÎT XVI
Catéchèse de novembre 2012
« Trois chemins vers Dieu : l'homme, le monde, la foi »

Chers frères et sœurs,

Mercredi dernier nous avons réfléchi sur le désir de Dieu que l'être humain porte au plus profond de lui-même. Aujourd'hui je voudrais continuer à approfondir cet aspect en méditant brièvement avec vous sur quelques chemins pour arriver à la connaissance de Dieu.

Je voudrais rappeler d'abord que l'initiative de Dieu précède toujours toute initiative de l'homme et que dans le chemin vers Lui, c'est d'abord Lui qui nous éclaire, nous oriente et nous guide, en respectant toujours notre liberté. Et c'est toujours Lui qui nous fait entrer dans son intimité, se révélant et nous donnant la grâce de pouvoir accueillir cette révélation dans la foi. N'oublions jamais l'expérience de saint Augustin : ce n'est pas nous qui possédons la Vérité après l'avoir cherchée, mais c'est la Vérité qui nous cherche et nous possède.

Cependant il existe des chemins qui peuvent ouvrir le cœur de l'homme à la connaissance de Dieu, il y a des signes qui conduisent à Dieu. Certes, souvent nous risquons d'être aveuglés par les scintillements de la mondanité, qui amenuisent notre capacité à parcourir ces chemins ou à lire ces signes. Mais Dieu ne se fatigue pas de nous chercher, il est fidèle à l'homme qu'il a créé et sauvé, il reste proche de notre vie, car il nous aime. Et cette certitude doit nous accompagner chaque jour, même si certaines mentalités diffuses rendent plus difficile à l'Église et au chrétien de communiquer la joie de l'Évangile à toute créature et de conduire tous à la rencontre avec Jésus, unique Sauveur du monde. Ceci est notre mission, c'est la mission de l'Église et chaque croyant doit la vivre dans la joie, en se l'appropriant, à travers une existence vraiment animée par la foi, marquée par la charité, par le service de Dieu et des autres, et capable de répandre l'espérance. Cette mission resplendit surtout dans la sainteté à laquelle tous sont appelés.

Aujourd'hui, nous le savons, les difficultés ne manquent pas, ni les épreuves, pour la foi qui est souvent peu comprise, contestée, refusée. Saint Pierre disait aux chrétiens : « Vous devez toujours être prêts à vous expliquer devant tous ceux qui vous demandent de rendre compte de l'espérance qui est en vous ; mais faites-le avec douceur et respect. » Par le passé, en Occident, dans une société considérée comme chrétienne, la foi était le milieu dans lequel on se mouvait ; la référence et l'adhésion à Dieu faisaient partie de la vie quotidienne, pour la majorité des gens. C'était plutôt celui qui ne croyait pas qui devait justifier son incrédulité. Dans notre monde, la situation a changé et le croyant doit toujours plus être capable de rendre raison de sa foi. Le bienheureux Jean-Paul II, dans son encyclique *Fides et ratio*, soulignait comment la foi était mise à l'épreuve à l'époque contemporaine, à travers des formes subtiles et vétilleuses d'athéisme théorique et pratique. À partir des Lumières, la critique envers la religion s'est intensifiée ; l'histoire a été marquée aussi par la présence des systèmes athées, dans lesquels Dieu était considéré comme une simple projection de l'âme humaine, une illusion et le produit d'une société déjà faussée de tant d'aliénations. Le siècle suivant a connu un fort processus de sécularisme, à l'emblème de l'autonomie absolue de l'homme, considéré comme mesure et artisan de la réalité, mais appauvri dans son être de créature à l'image et à la ressemblance de Dieu. Dans notre temps, un phénomène particulièrement dangereux pour la foi s'est vérifié : il y a en effet une forme d'athéisme que nous qualifions justement de pratique, dans lequel on ne nie pas les vérités de la foi ou des rites religieux, mais on les considère simplement insignifiants pour l'existence quotidienne, éloignés de la vie, inutiles. Souvent, alors, on croit en Dieu de façon superficielle, et on vit comme si Dieu n'existait pas (*etsi Deus non daretur*). Finalement, cette façon de vivre se révèle encore plus destructrice, car elle porte à l'indifférence envers la foi et la question de Dieu.

En réalité, l'homme, séparé de Dieu, est réduit à une seule dimension, horizontale, et ce réductionnisme est justement une des causes fondamentales des totalitarismes qui ont eu des conséquences tragiques au siècle dernier, ainsi que de la crise des valeurs que nous voyons actuellement. En obscurcissant la référence à Dieu, on a obscurci aussi l'horizon éthique, pour laisser place au relativisme et à une conception ambigüe de la liberté, qui au lieu d'être libératrice finit par lier l'homme à des idoles. Les tentations que Jésus a affrontées au désert avant sa mission publique, représentent bien ces idoles qui séduisent l'homme, quand il ne va pas au-delà de lui-même. Si Dieu perd la centralité, l'homme perd sa juste place, il ne trouve plus sa place dans le créé, dans les relations avec les autres. Ce que la sagesse antique évoque avec le mythe de Prométhée est toujours d'actualité : l'homme pense pouvoir devenir lui-même dieu, patron de la vie et de la mort.

Face à ce tableau, l'Église, fidèle au mandat du Christ, ne cesse jamais d'affirmer la vérité sur l'homme et sur son destin. Le Concile Vatican II affirme comme synthèse : « L'aspect le plus sublime de la dignité humaine se trouve dans cette vocation de l'homme à communier avec Dieu. Cette invitation que Dieu adresse à l'homme de dialoguer avec Lui commence avec l'existence humaine. Car, si l'homme existe, c'est que Dieu l'a créé par amour et, par amour, ne cesse de lui donner l'être ; et l'homme ne vit pleinement selon la vérité que s'il reconnaît librement cet amour et s'abandonne à son Créateur. »

Quelles réponses, alors, la foi est-elle appelée à donner, avec douceur et respect, à l'athéisme, au scepticisme, à l'indifférence envers la dimension verticale, afin que l'homme de notre temps puisse continuer à s'interroger sur l'existence de Dieu et à parcourir les chemins qui conduisent à Lui ? Je voudrais indiquer quelques chemins, qui proviennent soit de la réflexion naturelle, soit de la force de la foi. Je les résumerais de manière très concise en trois mots : le monde, l'homme, la foi.

Le premier : le monde. Saint Augustin, qui dans sa vie a longtemps cherché la Vérité et a été saisi par la Vérité, a écrit une très belle et célèbre page, où il affirme : « Interroge la beauté de la terre, de la mer, de l'air raréfié partout où il s'étend ; interroge la beauté du ciel…, interroge toutes ces réalités. Toutes te répondront : regarde-nous et observe comme nous sommes belles. Leur beauté est comme leur hymne de louange. Or ces créatures si belles, mais changeantes, qui les a faites sinon celui qui est la beauté de façon immuable ? » Je pense que nous devons retrouver et faire retrouver à l'homme d'aujourd'hui la capacité de contempler la création, sa beauté, sa structure. Le monde n'est pas un magma informe, mais plus nous le connaissons et plus nous en découvrons les merveilleux mécanismes, plus nous voyons un dessein, nous voyons qu'il y a une intelligence créatrice. Albert Einstein disait que dans les lois de la nature « se révèle une raison si supérieure que toute la rationalité de la pensée et des systèmes humains est en comparaison une réflexion absolument insignifiante ». Un premier chemin, donc, qui conduit à la découverte de Dieu, est de contempler avec des yeux attentifs la création.

Le deuxième mot : l'homme. À nouveau saint Augustin a une phrase célèbre où il dit que Dieu est plus intime à moi que je ne le suis moi-même. De là il formule l'invitation : « Ne va pas hors de toi, rentre en toi-même : dans l'homme intérieur habite la vérité ». Ceci est un autre aspect que nous risquons de perdre dans le monde bruyant et dispersé où nous vivons : la capacité de nous arrêter, de regarder en profondeur en nous-mêmes et de lire cette soif d'infini que nous portons à l'intérieur, qui nous pousse à aller plus loin et renvoie à Quelqu'un qui puisse la combler. Le Catéchisme de l'Église catholique affirme : « Avec son ouverture à la vérité et à la beauté, son sens du bien moral, sa liberté et la voix de sa conscience, son aspiration à l'infini et au bonheur, l'homme s'interroge sur l'existence de Dieu. À travers tout cela il perçoit des signes de son âme spirituelle. "Germe d'éternité qu'il porte en lui-même, irréductible à la seule matière", son âme ne peut avoir son origine qu'en Dieu seul. »

Le troisième mot : la foi. Dans la réalité de notre temps surtout, nous ne devons pas oublier qu'un chemin qui conduit à la connaissance et à la rencontre avec Dieu est la vie de la foi. Celui qui croit est uni à Dieu, il est ouvert à sa grâce, à la force de la charité. Ainsi son existence devient témoignage non de lui-même, mais du Ressuscité, et sa foi ne craint pas de se montrer dans la vie quotidienne, elle est ouverte au dialogue qui exprime une profonde amitié pour le chemin de chaque homme et elle sait ouvrir des lumières d'espérance au besoin de délivrance, de bonheur, d'avenir. La foi, en effet, est rencontre avec Dieu qui parle et agit dans l'histoire et qui convertit notre vie quotidienne, transformant en nous les mentalités, jugements de valeur, choix et actions concrètes. Elle n'est pas illusion, fuite de la réalité, refuge confortable, sentimentalisme, mais elle est implication de toute la vie et annonce de l'Évangile, Bonne Nouvelle capable de libérer tout l'homme. Un chrétien, une communauté qui sont actifs et fidèles au projet de Dieu qui nous a aimés le premier, constituent une voie privilégiée pour ceux qui sont dans l'indifférence ou dans le doute quant à leur existence et leur action. Ceci demande à chacun de rendre toujours plus transparent son témoignage de foi, en purifiant sa vie pour qu'elle soit conforme au Christ. Aujourd'hui, beaucoup ont une conception limitée de la foi chrétienne, parce qu'ils l'identifient davantage avec un simple système de croyances et de valeurs qu'avec la vérité d'un Dieu qui s'est révélé dans l'histoire, désireux de communiquer avec l'homme en tête à tête, dans une relation d'amour avec lui. En réalité, au fondement de toute doctrine ou valeur, il y a l'événement de la rencontre entre l'homme et Dieu en Christ Jésus. Le christianisme, avant d'être une morale ou une éthique, est l'événement de l'amour, il est l'accueil de la personne de Jésus. Pour ceci, le chrétien et les communautés chrétiennes doivent avant tout regarder et faire regarder vers le Christ, vrai Chemin qui conduit à Dieu.

FRANÇOIS
Homélie du 7 septembre 2013
Veillée de prière pour la paix en Syrie

« Dieu vit que cela était bon. » Le récit biblique du début de l'histoire du monde et de l'humanité nous parle de Dieu qui regarde la création, la contemple presque, et répète : Cela est bon. Cela nous fait entrer dans le cœur de Dieu et, de l'intime de Dieu, nous recevons son message. Nous pouvons nous demander : Quelle signification a ce message ? Que me dit ce message à moi, à toi, à nous tous ?

Il nous dit simplement que, dans le cœur et dans la pensée de Dieu, notre monde est la « maison de l'harmonie et de la paix », le lieu où tous peuvent trouver leur place et se sentir « chez soi », parce que cela est « bon ». Tout le créé forme un ensemble harmonieux, bon ; mais, surtout, les humains, faits à l'image et à la ressemblance de Dieu, sont une unique famille, dans laquelle les relations sont marquées par une fraternité réelle et pas seulement proclamée en paroles. L'un et l'autre sont le frère et la sœur à aimer, et la relation avec le Dieu qui est amour, fidélité, bonté se reflète sur toutes les relations entre les êtres humains et apporte l'harmonie à la création tout entière. Le monde de Dieu est un monde dans lequel chacun se sent responsable de l'autre, du bien de l'autre. Ce soir, dans la réflexion, dans le jeûne, dans la prière, tous nous pensons au fond de nous-mêmes : N'est-ce pas ce monde que nous désirons ? N'est-ce pas ce monde que tous portent dans le cœur ? Le monde que nous voulons, n'est-il pas un monde d'harmonie et de paix, en nous-mêmes, dans les rapports avec les autres, dans les familles, dans les villes, dans et entre les nations ? Et la vraie liberté dans le choix des chemins à parcourir en ce monde, n'est-elle pas celle qui est orientée vers le bien de tous et qui est guidée par l'amour ?

Mais demandons-nous maintenant : Est-ce cela le monde dans lequel nous vivons ? Le créé conserve sa beauté, qui nous remplit d'émerveillement, et reste une œuvre bonne. Mais il y a aussi la violence, la division, le conflit, la guerre. Cela arrive quand l'homme, sommet de la création, abandonne l'horizon de la beauté et de la bonté, et se renferme dans son égoïsme.

Quand l'homme pense seulement à lui-même, à ses propres intérêts et se place au centre, quand il se laisse séduire par les idoles de la domination et du pouvoir, quand il se met à la place de Dieu, alors il abîme toutes les relations, il ruine tout ; et il ouvre la porte à la violence, à l'indifférence, au conflit. C'est exactement ce que veut nous faire comprendre le passage de la Genèse qui raconte le péché de l'être humain : l'homme entre en conflit avec lui-même, s'aperçoit qu'il est nu et se cache parce qu'il a peur, peur du regard de Dieu ; il accuse la femme, celle qui est chair de sa chair ; il rompt l'harmonie avec le créé, arrive à lever la main contre le frère pour le tuer. Pouvons-nous dire que l'harmonie est devenue dys-harmonie ? Non, la dysharmonie n'existe pas : c'est soit l'harmonie soit le chaos, avec la violence, le conflit, la peur…

C'est justement dans ce chaos que Dieu interroge la conscience de l'homme : « Où est Abel, ton frère ? » Et Caïn répond : « Je ne sais pas. Suis-je le gardien de mon frère ? » (v.9.) Cette question nous est aussi adressée et il serait bien que nous nous demandions : Suis-je le gardien de mon frère ? Oui, tu es le gardien de ton frère ! Être une personne humaine signifie être gardiens les uns des autres ! Et en revanche, quand l'harmonie se rompt, une métamorphose se produit : le frère à garder et à aimer devient l'adversaire à combattre, à supprimer. Que de

violence naît alors ! Tant de conflits, de guerres ont marqué notre histoire ! Il suffit de voir la souffrance de tant
de frères et sœurs. Il ne s'agit pas de quelque chose de
conjoncturel, mais c'est la vérité : dans chaque violence
et dans chaque guerre, nous faisons renaître Caïn. Nous
tous ! Et, aujourd'hui aussi, nous continuons cette histoire
de conflit entre frères, aujourd'hui aussi, nous levons la
main contre celui qui est notre frère. Aujourd'hui aussi
nous nous laissons guider par les idoles, par l'égoïsme,
par nos intérêts. Cette attitude continue : nous avons
perfectionné nos armes, notre conscience s'est endormie,
nous avons rendu plus subtiles les raisons par lesquelles
nous nous justifions. Comme si c'était une chose normale,
nous continuons à semer destruction, douleur, mort ! La
violence, la guerre apportent seulement la mort, parlent
de mort ! La violence et la guerre parlent le langage de
la mort !

À ce point, je me demande : Est-il possible de parcourir
une autre voie ? Pouvons-nous sortir de cette spirale de
douleur et de mort ? Pouvons-nous apprendre de nouveau à marcher et à parcourir les chemins de la paix ?
En invoquant l'aide de Dieu, sous le regard maternel de
la Vierge *Salus populis romani*, Reine de la paix, je veux
répondre : Oui, c'est possible à tous ! Ce soir, je voudrais
que de toutes les parties de la terre nous criions : Oui,
c'est possible à tous ! Ou mieux, je voudrais que chacun
de vous, du plus petit au plus grand, jusqu'à ceux qui
sont appelés à gouverner les nations, réponde : Oui, je le
veux ! Ma foi chrétienne me pousse à regarder la Croix.
Comme je voudrais que, pendant un moment, tous les
hommes et toutes les femmes de bonne volonté regardent
la Croix ! On peut y lire la réponse de Dieu : à la violence on ne répond pas par la violence ; à la mort, on ne
répond pas par le langage de la mort. Dans le silence de

la Croix, se tait le bruit des armes et parle le langage de la réconciliation, du pardon, du dialogue, de la paix. Je voudrais demander au Seigneur, ce soir, que nous, chrétiens, frères des autres religions, que chaque homme et chaque femme de bonne volonté crie avec force : la violence et la guerre ne sont jamais la voie de la paix ! Que chacun s'applique à regarder au fond de sa conscience et écoute cette parole qui en sourd : Sors de tes intérêts qui atrophient le cœur ; dépasse l'indifférence envers l'autre, qui rend le cœur insensible ; vaincs tes raisons de mort et ouvre-toi au dialogue, à la réconciliation ; regarde la douleur de ton frère et n'ajoute pas une autre douleur ; arrête ta main, reconstruis l'harmonie qui s'est brisée et cela non par le conflit, mais par la rencontre ! Que se taisent les armes ! La guerre marque toujours l'échec de la paix, elle est toujours une défaite pour l'humanité. Encore une fois, les paroles de Paul VI résonnent : « Plus les uns contre les autres, plus, jamais !... Jamais plus la guerre, jamais plus la guerre ! La paix s'affermit seulement par la paix, celle qui n'est pas séparable des exigences de la justice, mais qui est alimentée par le sacrifice de soi, par la clémence, par la miséricorde, par la charité. » Pardon, dialogue, réconciliation sont les paroles de la paix : dans la bien-aimée nation syrienne, au Moyen-Orient, partout dans le monde ! Prions pour la réconciliation et pour la paix, travaillons pour la réconciliation et pour la paix, et devenons tous, dans tous les milieux, des hommes et des femmes de réconciliation et de paix !

Table

TABLE 343

TROISIÈME PARTIE
Une crise spirituelle comme un tsunami

TABLE   345

CET OUVRAGE A ÉTÉ COMPOSÉ
EN PALATINO CORPS 11.5
PAR NORD COMPO
À VILLENEUVE-D'ASCQ (NORD).

ACHEVÉ D'IMPRIMER SUR ROTO-PAGE
PAR L'IMPRIMERIE FLOCH À MAYENNE
EN OCTOBRE 2013
SUR PAPIER ALIZÉ OR
POUR LE COMPTE DU PASSEUR ÉDITEUR.

Dépôt légal : octobre 2013.
N° d'imprimeur : 85645.
Imprimé en France.